CAHIERS
MARCEL PROUST
13

CAHIERS
MARCEL PROUST

NOUVELLE SÉRIE

13

Quelques progrès dans l'étude du cœur humain

PAR

JACQUES RIVIÈRE

TEXTES ÉTABLIS
ET PRÉSENTÉS
PAR THIERRY LAGET

Gallimard

INTRODUCTION

Jacques Rivière est un esprit studieux — en ce sens que sa pensée ne progresse qu'en s'attachant, comme si, toujours, elle prenait naissance dans le silence recueilli de la salle d'étude, dans cette adolescence du goût qu'est l'enthousiasme. Les conversations passionnées avec un camarade; le recopiage des pages de Maeterlinck ou de Claudel; l'attentive ferveur des lectures insatiables : tout cela se perpétue dans l'âge adulte, et les brillantes conférences de l'« homme de barre » de La Nouvelle Revue Française *ont gardé quelque chose des « topos » du khâgneux — un mélange d'ardeur, d'application, de dévouement au livre aimé. On l'étudie; on s'étudie en lui; il devient la mesure de toute chose.*

Après la Première Guerre mondiale, ce livre s'intitule À la recherche du temps perdu. *Nous savons bien aujourd'hui ce qu'il représente pour nous. Mais pour un lecteur de 1918! La carte de l'Europe est dévoilée, méconnaissable. Et au même moment, dans l'art, dans la littérature, on s'aperçoit que les frontières ont été déplacées nuitamment et que l'on a conquis des territoires immenses. Bien que conçue entièrement avant 1913, l'œuvre de Proust apparaît comme celle qui a su repousser ces bornes le plus loin. Elle a, dit Rivière en 1918, « un pouvoir à la fois d'ébranlement et d'édification, dont les effets, à l'heure actuelle, sont encore à peine calculables »* [1]. *Et c'est pour tenter de prévoir, de décrire et d'analyser ces effets qu'il entreprend un long travail d'expertise littéraire,*

---

1. « L'Évolution du roman après le Symbolisme. »

consacrant, en six années, une vingtaine d'études à cette œuvre « révolutionnaire », l'abordant chaque fois sous un angle nouveau, comme pour mieux percer son secret, se demandant ce qui fait sa prodigieuse et inlassable nouveauté, et quels « progrès dans l'étude du cœur humain » elle permet d'accomplir.

Soixante ans ont passé. La critique proustienne, elle aussi, a fait quelques progrès. À l'heure où elle emprunte à la science ses meilleurs outils d'exploration, où elle étudie, grâce à l'informatique et à la statistique, le lexique de la Recherche, *où elle se penche sur la genèse du roman en déchiffrant, en datant, en classant brouillons et manuscrits, où la poétique, la stylistique, la linguistique rendent compte des divers aspects de l'œuvre, que peuvent encore nous apprendre les textes de Rivière?*

On est d'abord tenté de ne les lire que comme on fait de vieux journaux, en se gaussant de leur naïveté, de leurs erreurs de jugement, de leur manque d'audace ou, à l'inverse, mais avec condescendance, en appréciant leur clairvoyance et leur lucidité. Dans les deux cas, on ne rend véritablement hommage qu'à soi-même — et cela peut flatter l'esprit un instant. Mais une fois blâmes et bons points distribués, il faut bien se résoudre à se mettre au travail, sérieusement.

Car c'est bien cela qui nous frappe d'emblée. Rivière fut le premier à prendre Proust au sérieux. *Et Proust sut lui en être reconnaissant, dès 1914, dans la première lettre qu'il lui écrivit :* « *Enfin je trouve un lecteur qui* devine *que mon livre est un ouvrage dogmatique et une construction! Et quel bonheur pour moi que ce lecteur, ce soit vous* [1]. » *Cette déclaration mérite de retenir un instant notre attention : elle explique tout le mérite de Rivière et tout l'intérêt qu'il peut encore présenter pour nous.*

Enfin je trouve un lecteur... *Et quel lecteur! Paul Claudel ne lui avait-il pas déjà confié :* « *Vous êtes ce lecteur idéal auquel pense involontairement tout auteur quand il écrit* [2] *»?* Un lecteur qui *devine* que mon livre est un ouvrage dogmatique et une

---

1. Marcel Proust / Jacques Rivière, *Correspondance 1914-1922*, présentée et annotée par Philip Kolb, Gallimard, 1976, p. 27.
2. *Correspondance Paul Claudel – Jacques Rivière 1907-1924*, texte établi par Auguste Anglès et Pierre de Gaulmyn, Gallimard, 1984, Cahier Paul Claudel XII, p. 189.

construction! *Il ne faut jamais oublier, quand on lit Jacques Rivière, qu'il est mort en 1925 et que* Le Temps retrouvé *a paru en 1927, qu'il ne connaissait donc pas la conclusion de l'œuvre, qu'il ne pouvait que la* deviner. *Si la formule n'avait quelque chose de dérisoire, on pourrait dire qu'avoir, en 1914, compris la nouveauté et le sens de l'œuvre de Proust, est peut-être aussi méritoire que d'avoir écrit* À la recherche du temps perdu. *Car Proust, du moins, savait où il allait. Certes, Rivière n'est ni le premier lecteur de Proust ni le premier critique à avoir dit du bien de son livre. Mais il est, sans conteste, le premier à avoir vu si loin et avec tant d'acuité. Il n'est que de lire quelques-uns des articles consacrés à Proust dans la presse de 1913 à 1922 et de les comparer à ceux écrits par Rivière au cours de la même période, pour s'en convaincre.*

Et quel bonheur pour moi que ce lecteur, ce soit vous. *Comme l'a souligné Alain Rivière, « si surprenant que cela puisse nous paraître de nos jours, tant est grande la distance qui sépare leur célébrité, c'était alors Rivière qui faisait figure de personnage connu et Proust qui ne l'était pas, du moins dans le monde des* Lettres [1] ». *Que Proust ait cherché pour son livre l'approbation d'un homme comme Rivière, ce « lecteur idéal » qui représentait la* N.R.F., *voilà qui compte. Et, partant, il n'est pas indifférent de savoir en quels termes s'est exprimée cette approbation. Car un livre, sans son lecteur, est lettre morte.*

Mais pour que la rencontre entre le livre et son lecteur ait lieu, il faut souvent que chacun d'eux emprunte un long détour.

L'histoire commence en 1905. Rivière a dix-neuf ans. Il écrit à son ami Henri Fournier : « J'ai lu l'an dernier La Bible d'Amiens. *Donc, mon jugement, vieux d'un an, est peut-être à réviser. Mais ça m'a rasé considérablement. Cela me semble du pur bavardage, disons du radotage [2]. » Rivière a-t-il pris la peine de lire la longue préface et les notes interminables que le traducteur a jugé bon d'associer au livre de John Ruskin, et ce jugement sévère les condamne-t-il également?*

1. Alain Rivière, «Jacques Rivière et Marcel Proust», *Bulletin de la Société des Amis de Marcel Proust et des Amis de Combray,* Illiers-Combray, 1977, n° 27, p. 514.
2. Jacques Rivière / Alain-Fournier, *Correspondance 1905-1914,* Gallimard, 1948, t. I, p. 108.

Le traducteur s'appelle Marcel Proust. Première occasion manquée. *Janvier 1913. Jacques Rivière est secrétaire de* La Nouvelle Revue Française. *Proust, dont Gide et Gallimard ont refusé de publier le livre, revient à la charge et tente de faire accepter par la* Revue *quelques extraits de son œuvre. Jacques Copeau, le directeur, est chargé des négociations et, à son tour, repousse l'offre. Rivière, bien qu'informé de cette affaire, est tenu à l'écart* [1]. *Deuxième occasion manquée.*

     Comme il se doit, la troisième fois sera la bonne. À la fin de 1913, l'équipe de la N.R.F. *lit* Du côté de chez Swann, *finalement paru chez Bernard Grasset. Les yeux se dessillent. Jacques Copeau, trop pris par les débuts du Théâtre du Vieux-Colombier, ne s'occupe plus guère de la* Revue. *Henri Ghéon donne un compte rendu mitigé, dans lequel on lit cependant que le livre de Proust est « une " somme ", la somme de faits et d'observations, de sensations et de sentiments, la plus complexe que notre âge nous ait livrée* [2] *». André Gide, à son tour, fait amende honorable et écrit à Proust : « Le refus de ce livre restera la plus grave erreur de la* N.R.F., *et (car j'ai cette honte d'en être beaucoup responsable) l'un des regrets, des remords, les plus cuisants de ma vie* [3]. *» Quant à Rivière, qui, en l'espèce n'a rien à se reprocher, il a passé la Saint-Sylvestre à Bordeaux, dans sa famille, et il rentre à Paris, seul en train, le 5 janvier. Le soir même il écrit à Isabelle : « Mon voyage s'est bien passé, en 3ᵉ, comme je me l'étais promis [...]. J'ai récolté une migraine formidable, mais ce n'est pas parce que j'étais en 3ᵉ, c'est parce que j'ai lu d'Angoulême à Paris, sans pouvoir m'en arracher, le livre de Proust. Je trouve ça* passionnément intéressant, *et par moments d'une profondeur admirable. J'ai fini la première partie* [4]. *»*

     Rivière découvre ainsi que Swann *est précisément ce livre qu'il avait peu avant appelé de ses vœux dans un article sur « Le Roman d'aventure » et qu'il décrivait ainsi : « Ce sera une œuvre longue,*

    1. Voir Marcel Proust, *Correspondance 1913*, texte établi, présenté et annoté par Philip Kolb, Plon, 1984, et Jacques Rivière, Jean Schlumberger, *Correspondance 1909-1925*, présentée par Jean-Pierre Cap, Lyon, Centre d'études gidiennes, 1980, p. 267.
    2. *La Nouvelle Revue Française*, 1ᵉʳ janvier 1914.
    3. Philip Kolb, « Une énigmatique métaphore de Proust », *Europe*, août-septembre 1970, nᵒˢ 496-497, p. 147.
    4. Archives Rivière.

et même une œuvre où il y aura des longueurs. [...] *Il faut s'y résigner; le roman que nous attendons n'aura pas cette belle composition rectiligne, cet harmonieux enchaînement, cette simplicité du récit qui ont été jusqu'ici les vertus du roman français.* [...] *Il nous faut enfin un roman gros comme* Monte-Cristo, *imprimé sur un mauvais papier et dont les pages soient noircies du haut en bas par un caractère bien serré* [1]. *»* Rivière, *comblé, écrit à Proust, et reçoit cette réponse formidable dont nous avons cité les premiers mots. La* N.R.F. *de juin et de juillet 1914 publie de longs extraits de la* Recherche du temps perdu. *Gallimard propose à Proust de poursuivre la publication de son œuvre.*

Mais la guerre survient. Les liens si hâtivement noués sont-ils sur le point de se rompre? La recherche esthétique et philosophique de Proust trouve-t-elle encore sa justification dans la tourmente? La réalité nouvelle ne la rend-elle pas caduque, vaine, impudente? Rivière, du fond de la prison où les Allemands l'ont jeté, se tourne vers Dieu. Il lit sainte Thérèse et saint Thomas. Mais en même temps, Proust lui apparaît sous un jour nouveau, et vers la fin de sa captivité, il note, sur un de ses carnets : « Tous ces jours-ci je pensais avec une nostalgie affreuse au livre de Proust et au milieu, si douteux, si impur, mais si indispensable à mes sens, à mon esprit qui y est peint [2]. *» C'est ainsi que l'œuvre de Proust devient pour Rivière un symbole de liberté et d'affranchissement de l'esprit : un livre vital.*

On connaît mieux les relations entretenues par les deux hommes après la guerre. Leur correspondance dit tout, ou presque tout. Rivière est à la fois l'ami, l'éditeur, le protégé, l'admirateur et le zélateur de Proust. Il prend sa défense au cours de joutes littéraires, quand le prix Goncourt attribué aux Jeunes filles en fleurs *soulève un tollé chez les écrivains combattants. Il impose, peu à peu, dans les pages de* La Nouvelle Revue Française, *dont il est devenu directeur, le génie d'un auteur dont la manière déroute encore nombre de lecteurs. Après la mort de Proust, il érige un somptueux mausolée : le numéro spécial de la* N.R.F. *du 1er janvier 1923, dans lequel les plus grands*

---

1. *N.R.F.*, mai, juin et juillet 1913 ; article repris dans Jacques Rivière, *Nouvelles études*, Gallimard, 1947, p. 267-268.

2. Jacques Rivière, *Carnets (1914-1917)*, présentés et annotés par Isabelle Rivière et Alain Rivière, Fayard, 1974, p. 427.

14 CAHIERS MARCEL PROUST

écrivains de l'époque se sont réunis pour rendre un dernier (ou premier) hommage à leur confrère disparu : Anna de Noailles, Maurice Barrès, Léon Daudet, Philippe Soupault, Léon-Paul Fargue, Valery Larbaud, Jean Cocteau, Paul Morand, Paul Valéry, André Gide, André Maurois, Pierre Drieu la Rochelle...

Jacques Rivière a « une certaine manière de circonvenir une œuvre, de l'investir et d'essayer d'en gagner le cœur en passant par les contours apparents [1] ». Ne cherchons pas dans ses études le regard « critique », glacé, réducteur, dissecteur. Il veut adhérer à l'œuvre, pour mieux la saisir, pour la comprendre de l'intérieur, comme pour la récrire et la graver en lui. Il lui faut, pour cela, reparcourir tout le chemin accompli par le créateur. À plusieurs reprises, il se plaint de la difficulté qu'il rencontre dans l'adoption d'une telle démarche : « J'aurais beaucoup aimé à n'écrire sur Proust qu'à la façon dont il écrit lui-même, c'est-à-dire avec lenteur, complaisance et détail [2]. » « Il est difficile de préparer une idée générale sur Proust autrement qu'en employant sa méthode, c'est-à-dire qu'en entassant les observations, les faits, les nuances. Malheureusement il nous faut avancer plus rapidement que lui; et par suite nous résigner à un déblayage sacrilège [3]. »

« Un déblayage sacrilège... » Ces mots nous font entrevoir un des aspects les plus importants et les plus originaux de la critique de Rivière : l'édification d'une liturgie proustienne. Le sacrilège ne va pas sans une sacralisation préalable – et le lecteur, ici, ne doit point voir d'ironie. En 1920, au comble de son admiration, ou, « si j'ose dire », de sa dévotion pour Proust, Rivière prononce ces paroles : « Par lui, nous échappons à la monotonie du sentir pour retrouver toutes les joies de l'intellection. En lui, c'est la vérité [...] qui de nouveau nous sollicite et nous touche [4]. » Rivière est touché par la grâce; À la recherche du temps perdu, le livre de la raison, passe au rang de livre révélé, « un miracle devant moi soudain

1. Auguste Anglès, « Jacques Rivière et la vie intellectuelle de son temps », *Bulletin des Amis de Jacques Rivière et d'Alain-Fournier*, 1978, n° 11, p. 112.
2. « Marcel Proust et la tradition classique », 1er février 1920.
3. « Marcel Proust. L'Inconscient dans son œuvre », 17 janvier 1923, texte biffé sur le manuscrit.
4. « Les Lettres françaises et la guerre », 1er novembre 1920.

réalisé [1] *».* C'est le premier credo *proustien, l'ex-voto critique; « c'est un grand miracle que Proust a accompli* [2] *» : il est « au premier rang de ceux qui viennent nous rendre la vie* [3] *».*

Par sa méthode d'approche mimétique, tel le prêtre qui commémore la Cène, Rivière nous invite à une véritable eucharistie littéraire, au centre de laquelle l'écrivain est une figure christique : « Venons le trouver mangé, dissocié, perdu, – mais triomphant enfin, dans son démembrement, à force de fidélité [4] *». Les mots, jamais, ne sont innocents. Mais, faut-il le souligner? ces paroles profanes n'abaissent pas Dieu; elles exaltent la littérature. Rivière n'avait pas besoin de lire le* Contre Sainte-Beuve *pour se garder de confondre l'écrivain et son œuvre. Ce n'est pas Proust qu'il révère. Ce sont ses livres. C'est sa pensée. Quant à l'homme, il n'a jamais ressenti pour lui aucun « coup de foudre imbécile* [5] *».* « J'aimais Proust tendrement, écrit-il; je crois qu'il avait de l'affection pour moi; mais ni chez lui ni chez moi l'amitié n'entraîna jamais l'illusion, ni ne nous fit jamais un devoir de nous imaginer l'un l'autre, autrement que nous n'étions* [6]. *»*

Lecteur passionné, Rivière, a fondé une critique passionnelle. « Par un accident, que pour ma part je déplore, j'ai introduit les mœurs de l'amour dans la critique », écrivait-il en 1924 [7]. *Et de fait, son œuvre entière peut se lire aujourd'hui comme un nouveau* De l'amour, *comme une carte du tendre de l'amitié littéraire. Ses rapports intimes avec un livre vont de l'admiration naïve à la cristallisation, de l'adoration brûlante à la jalousie désespérée, puis, parfois, à l'ennui, au détachement et à l'indifférence. Il n'est pas un seul de ses textes consacrés à Proust qui ne trahisse l'investissement de tout l'être, qui ne soit une déclaration d'amour enflammée adressée à un livre par son lecteur. Rivière est un critique qui dit* je *et pour qui un livre peut être bouleversant comme une femme. C'est la vie même qui est en jeu dans sa façon de lire. En 1918, alors qu'il n'a encore lu que* Swann, *il écrit : « Je sais que Proust, s'il*

---

1. « Marcel Proust », 1er mars 1924.
2. « Les Lettres françaises et la guerre », 1er novembre 1920.
3. « Le Prix Goncourt », 1er janvier 1920.
4. « Marcel Proust et l'esprit positif », 1er janvier 1923.
5. « Marcel Proust », 1er mars 1924.
6. « Marcel Proust et l'esprit positif : ses idées sur l'amour », 24 janvier 1923.
7. Jacques Rivière, *Études*, N.R.F., 1924, p. x.

*ne dirige pas ses facultés extraordinaires sur de bons sujets, peut
très bien tomber dans le raffiné et l'ennuyeux. Mais l'espoir tout de
même domine, l'espoir de le voir bien tourner; et la perspective
qu'alors il me fait envisager est d'une qualité si unique qu'elle me
fait battre le cœur* [1]. » « *Elle me fait battre le cœur...* » C'est ici le
langage de l'amour. Un peu plus tard, Rivière emploie celui de la
passion, dans un texte qu'il ne publie pas, mais qui apparaît aujour-
d'hui comme un aveu pathétique, comme la reconnaissance tacite de
ce que, selon Gaëtan Picon, « l'œuvre de Proust fut pour Rivière »,
une « béatitude jalouse [2] » : « *Le sentiment le plus vif que me donne
la lecture de Marcel Proust est peut-être le désespoir. Jamais aussi
violemment qu'en dépouillant son livre je n'ai maudit la destinée
qui m'a fait écrivain. Et je m'entends ; ce n'est pas d'un découragement comme celui que peuvent inspirer Ingres par exemple à un
peintre, ou les antiques à un sculpteur, que je me sens saisi; ce n'est
pas la perfection de cette œuvre qui m'accable; elle ne m'apparaît
point dans une liaison plus étroite que celle que je suis capable de
nouer, avec le Beau en soi, avec la souveraine harmonie. Je vois ses
incorrections, ses insuffisances, ses monstruosités même. Mais elle est
tellement plus vraie que jamais je ne saurai rendre les miennes! Il
y a en elle un je ne sais quoi de tellement plus concret, de tellement
plus près des choses, de tellement plus identique aux sentiments que
tout ce que je pourrais m'essayer à dire; tout ce que je ferai auprès
toujours paraîtra chanson* [3]. » C'est l'auteur d'Aimée qui parle ici,
celui-là même qui inscrira sur la première page de son roman (qu'il
faudra bien se résoudre à prendre, lui aussi, au sérieux) :

« À MARCEL PROUST
grand peintre de l'amour
cette indigne esquisse
est dédiée
par son ami
J.R. [4]. »

---

1. « L'Évolution du roman après le Symbolisme », 27 mars 1918.
2. Gaëtan Picon, « D'une double entreprise », *N.R.F.* 1er mai 1969, p. 905.
3. « Le Roman de Monsieur Marcel Proust », juillet 1919-janvier 1920.
4. Jacques Rivière, *Aimée*, Gallimard, 1948, p. 7.

Espoir et désespoir. Entre ces deux pôles oscille la critique de Rivière. Mais c'est dire qu'il y a place aussi pour la lucidité. Rivière poursuit un but : « Je veux travailler à une renaissance de la psychologie, écrit-il à Proust. Et fatalement vous en apparaîtrez non pas seulement comme le précurseur, mais comme le protagoniste essentiel [1]. *» Pour réussir dans cette entreprise, il faut faire montre d'une certaine discipline. De fait, l'enthousiasme de Rivière ne se met jamais en travers de son jugement. Ou plutôt, il ne s'y met plus. Car c'est Proust qui, en rompant avec le Romantisme et le Symbolisme, « en nous délivrant de l'indivision, [...] nous délivre de l'énigmatique et de l'incontrôlable. Il ne nous mène plus dans ces impasses sublimes où il n'y avait rien à faire qu'à ignorer et à croire* [2] *». Toute émotion peut désormais être comprise, car elle est suscitée par une analyse approfondie des sentiments humains, et non plus, comme au* XIXe *siècle, par l'ineffable « art de suggérer ». Proust perpétue et renouvelle la grande tradition classique de notre littérature, qui s'était donné comme fin d'étudier les passions de l'homme.*

*Telle est du moins la thèse que Rivière soutient jusqu'en 1922. Cette date marque en effet un tournant dans sa réflexion, car elle est celle de la publication en France d'une traduction de l'*Introduction à la psychanalyse *de Sigmund Freud* [3]. *Très vite, Rivière entrevoit l'étendue des rapports existant entre la psychanalyse freudienne et la psychologie proustienne. Le « cœur humain » s'enrichit d'une nouvelle composante : l'inconscient, qui motive en sous-main nos actes et nos paroles. Rivière se tourne donc, et il est le premier à le faire, vers une comparaison des deux méthodes. En même temps, il découvre Dada ; il s'intéresse au Cubisme. Et sans revenir sur son idée d'un Proust classique, il cherche à mettre en évidence sa « profonde immersion dans la réalité esthétique contemporaine* [4] *».*

Ainsi, c'est toujours plus ou moins par comparaison avec d'autres œuvres (celles de Racine, de Stendhal, de Comte, de Freud, etc.) que Rivière définit la Recherche. *Il semble qu'il ne puisse y trouver que ce qu'il y a lui-même apporté ; non pas qu'il tire le texte à lui,*

1. *Correspondance* Proust-Rivière, p. 118.
2. « Le Roman de Monsieur Marcel Proust. »
3. Éditions Payot.
4. *Correspondance* Proust-Rivière, p. 234.

non pas qu'il le force à dire ce qu'il a envie d'en entendre; mais, bien souvent, il n'y reconnaît que ce qui lui est déjà connu, il n'y voit que ce qu'il a prévu. S'il insiste tant d'abord sur le classicisme de Proust, c'est sans doute parce que c'est alors le mot d'ordre de la N.R.F. Et s'il ne veut retenir que les analyses concernant l'amour, c'est vraisemblablement parce qu'il considère qu'aucun sujet n'est plus intéressant. Il avoue d'ailleurs à Proust : « Vous savez que par goût personnel (et peut-être, − je n'ose qu'à peine le croire − par vocation) c'est aux analyses de l'amour que j'ai toujours pris, dans votre œuvre, le plus grand plaisir [1] *», paroles qui font écho à celles du narrateur d'*Aimée *: « L'amour surtout continuait de me tenter : il formait décidément ma vocation la plus profonde* [2]. *»*

Cette prédilection pour certains aspects définis du roman l'empêchera de bien saisir la cohérence de sa composition. Il commettra, en cela, la même erreur que tous les critiques de son temps. Mais pourquoi reprocher à Rivière ce qui, justement, en dépit de certaines lacunes, fait le charme et la richesse de sa critique? Son étude ne se cantonne d'ailleurs pas dans le seul domaine psychologique, et il ne méconnaît pas l'importance des pastiches, trop souvent négligés, de l'humour de Proust, de sa poésie...

À ce propos, un document mérite d'être cité intégralement. Il s'agit d'une liste de sujets d'articles composée par Rivière au moment où il préparait le numéro d'hommage à Marcel Proust de la N.R.F. On y découvre que Rivière avait, dès 1922, envisagé la plupart des voies qu'empruntera après lui la critique proustienne, dont il apparaît bien ici comme « l'annonciateur [3] *». Il semble dicter tous les sujets de thèse à venir, et sa liste est une étonnante préfiguration de la bibliographie critique sur l'œuvre de Proust. Qu'on en juge :*

« Proust historien d'une époque et d'une société (Aff. Dreyfus, etc.)
    [Proust et Balzac]
    Proust et la noblesse

1. *Ibid.*, p. 235.
2. *Aimée*, p. 11.
3. Jacques Bersani, « Rivière et Proust, ou La Fascination », *Cahiers du xxᵉ siècle*, 1975, nº 3, p. 70.

_____ le peuple
_____ les juifs
Proust satirique et auteur comique
 [Proust et Molière]
Proust et les médecins

_____

Proust et la poésie (Article sur Baudelaire – Citations, etc.)

_____

Proust esthéticien
_____ et les cathédrales
Proust et la musique (Vinteuil, la petite phrase, etc.)

_____

Proust et la syntaxe : le style de Proust. (Article sur Flaubert)
Proust pasticheur et critique
Conception poétique du langage (Guermantes – Les éty-
 mologies, etc.)

_____

Sur la composition. Rapports avec les procédés cubistes.

_____

Proust paysagiste.
Proust analyste du sommeil et des rêves.

_____

Le Psychologue :
Caractères de l'introspection chez Proust [Proust et Mon-
 taigne]
Le phénoménisme de Proust et ses tendances réalistes
 (Proust et l'âme)
Proust et le Temps [Proust et Einstein]
Conception sceptique et subjectiviste de l'amour.

_____

Proust et Bergson
Proust et Freud
L'amoralisme de Proust
Sur le thème : « " Chaque être est bien seul. " Pessimisme
de Proust [1]. »

*Après la mort de Jacques Rivière, de vaines disputes ont voulu
donner de lui, tour à tour, l'image d'un saint ou celle d'un dévoyé.
Mais ce qu'il croyait, ce qu'il pensait, ce qu'il était au moment de
mourir, à qui d'autre que lui cela importe-t-il vraiment? On a, de
même – mais ceci est plus grave –, répété que ses admirations les
plus vives n'avaient jamais duré longtemps, qu'il était tout aussi
enclin à renier qu'à adorer : Rivière fut pris à Claudel par Gide;
Rivière fut pris à Gide par Dieu; Rivière fut pris à Dieu par Proust;
Rivière fut pris à Proust par Freud : c'est une litanie. Quel est donc
cet homme que l'on couvre d'éloges ambigus, dont on confisque et
flétrit la mémoire, en le montrant privé de libre arbitre, ballotté
entre diverses passions, éternel et passif enjeu d'une lutte d'influence
dans laquelle seules comptent les options littéraires et philosophiques
des adversaires qui l'ont pris en otage? Et que ne lui donne-t-on à
son tour la parole?*

Non. De son vivant, Rivière ne fut pas pris. *Il se* donna. *Il se
donna, dans un élan d'amour et de foi, à ce qui lui sembla le mieux
incarner ses propres aspirations dans la littérature française de son
temps. « Mais pourquoi* la *vérité, écrit-il à Claudel en 1907, l'unique
vérité? Pourquoi celle-là et pas les autres? Pourquoi pas d'innombrables vérités, auxquelles tour à tour nous donnerions toute notre
passion? Pourquoi refuser mon âme à tant de beautés autres? [...]
En chaque objet où j'ai déposé ma foi, j'ai toujours perçu l'existence
ailleurs d'une foule d'autres qui la méritaient autant; toujours j'ai
eu l'inquiétude de restreindre mon amour, d'oublier le reste, l'innombrable immensité du reste [2]. »*

*Et cependant, Jean Schlumberger, en 1928, alors qu'il venait
de lire le texte des conférences du Vieux-Colombier, écrivait à Isabelle*

1. Archives Rivière.
2. *Correspondance* Claudel-Rivière, p. 61.

Rivière : « *On voit dans la dernière conférence l'éclat du culte s'adoucir de quelques ombres. Je ne doute pas que, peu à peu, Jacques se fût aperçu de ce qu'il y avait d'incompatible entre sa propre noblesse et une secrète veulerie proustienne* [1]. » L'accusation de veulerie *est grave; elle est, avec son corollaire, la dénonciation d'une certaine absence de sens moral, au centre des critiques qui, pendant des années, seront dirigées contre l'œuvre de Proust. Il est vrai que Rivière, dans cette conférence du Vieux-Colombier, se plaint de trouver chez Proust un « évanouissement de l'être volontaire dans l'être percevant et pensant* [2] *». De même, répondant à certaines objections que lui avait présentées Claudel : « Je n'ai pas été moins inquiété que vous par la complète absence de dynamisme que révèle cette œuvre que j'admire tant. Il y a là, c'est certain, un défaut presque tragique et auquel j'ai eu beaucoup de peine à m'accoutumer. Pourtant je suis arrivé à cette conclusion qu'il est la condition même des découvertes extraordinaires qu'a faites Proust dans la conscience humaine. La volonté, même dirigée vers le bien, est une source de trouble pour la vision intérieure* [3]. »

Rivière émet donc des réserves – qu'il prend soin de réfuter lui-même. Mais peut-on réellement parler d'une désaffection? Les conférences contradictoires de 1925, publiées en 1932 sous le titre Moralisme et littérature – *nous sommes au cœur du débat – sont précédées de la notice suivante, rédigée par Ramon Fernandez : « Rivière m'avait écrit, dans l'été de 1924, qu'il projetait une dispute publique avec moi sur Marcel Proust. C'était là l'intérêt central de sa vie, à ce moment-là, si bien que ces conférences n'ont rien " d'occasionnel ", répondent à des préoccupations profondes. Écrites quelques semaines avant sa mort, elles peuvent être considérées comme son testament* [4]. » Or, que lisons-nous dans ce testament? « Ce qui m'attache à Proust, ce n'est pas son amoralisme, en tant qu'amoralisme, ce n'est pas son refus de me consoler, de m'édifier, ce n'est pas le silence de son jugement : ce sont les effets, merveilleux à mon sens, de cet amoralisme, de ce refus, de*

---

1. *Correspondance* Rivière-Schlumberger, p. 229.
2. « Conclusions. Une nouvelle orientation de la psychologie », 31 janvier 1923.
3. *Correspondance* Claudel-Rivière, p. 274.
4. Jacques Rivière, Ramon Fernandez, *Moralisme et littérature*, Corrêa, 1932, p. 9.

*ce silence [1]. » Et une importante restriction : « La grande insuf-
fisance de Proust, c'est d'avoir ignoré, ou nié, tout ce qu'un être
vivant, du fait qu'il vit, fait sans cesse pour se construire, ou pour
se rejoindre [2]. »*

*On voit que Rivière, « quelques semaines avant sa mort »,
n'avait rien à ajouter à ses réserves de 1923. De 1923? Voire!
De 1918, plutôt. Car c'est, en effet, à la fin de la guerre que
Rivière prend conscience des défauts de l'œuvre de Proust. Il
apparaît même que ses plus sévères reproches lui sont adressés
dans la conférence où, pour la première fois, il parle d'elle
(« L'Évolution du roman après le Symbolisme »), et qu'ils ne feront
par la suite que s'estomper ou se dissoudre dans l'admiration.
En 1919, il note : « Le style. Impossible de contester sa maladresse.
Elle correspond à ce qui manque à Proust de volonté. (Mais il
était peut-être nécessaire qu'il manquât de volonté pour devenir
le sujet, la victime d'autant de sentiments [3].) » Enfin, dernier trait,
mais qui réduit à néant les supputations de Jean Schlumberger :
« Je ne pense pas [que Proust] m'en veuille si je le loue d'une
certaine précieuse veulerie, sans laquelle il n'eût jamais atteint à
tant de profondeur [4]. » Rivière eût pu vivre centenaire : peut-être
aurait-il fini par se lasser de Proust, mais jamais sans doute à
cause de « ce qu'il y avait d'incompatible entre sa propre noblesse
et une secrète veulerie proustienne » — car cette veulerie, il la
dénonçait déjà (ou plutôt, la louait!) en 1919, et elle ne l'empêcha
pas pour autant de jouir de la* Recherche. *Il lui eût suffi de
vivre jusqu'en 1927, date de parution du* Temps retrouvé,
*pour comprendre que ni Proust ni le narrateur de son roman
n'étaient* veules *et que, bien au contraire, ils avaient été les seuls
de leur temps à avoir la* volonté *de déchiffrer le « livre intérieur
de signes inconnus ». « Ce que nous n'avons pas eu à déchiffrer,
à éclaircir par notre effort personnel, ce qui était clair avant
nous, n'est pas à nous. Ne vient de nous-même que ce que nous*

1. *Ibid.*, p. 80.
2. *Ibid.*, p. 152.
3. « Le Roman de Monsieur Marcel Proust. »
4. *Ibid.*

tirons de l'obscurité qui est en nous et que ne connaissent pas les autres [1]. »

Tout comme Proust, Rivière choisit de dissiper les ténèbres de l'esprit. Ce n'est pas une tâche que l'on peut abandonner en cours de route : « *Se comprendre et comprendre l'homme sont les seules occupations qui aient un sens dans cette vie* [2]. » La lumière que Proust projette sur l'homme est si vive que certains ont cru bon de détourner les yeux. Rivière, lui, veut encore plus de clarté, et encore plus de vérité. Qui oserait, aujourd'hui, s'en offusquer encore? De l'espoir au désespoir, de l'ombre à la lumière, diastoles et systoles de l'âme et des sens, le cœur humain ne continue-t-il pas de battre à tout rompre?

Thierry Laget

1. Marcel Proust, *Le Temps retrouvé*, Gallimard, 1954; Bibliothèque de la Pléiade, t. III, p. 879-880.
2. « Marcel Proust », 1ᵉʳ décembre 1922.

CHRONOLOGIE

1871 *10 juillet :* naissance de Marcel Proust, à Paris.

1886 *15 juillet :* naissance de Jacques Rivière, à Bordeaux.

1896 Marcel Proust : *Les Plaisirs et les Jours* (Calmann-Lévy).

1904 John Ruskin : *La Bible d'Amiens,* traduction, notes et préface par Marcel Proust (Mercure de France).

1906 John Ruskin : *Sésame et les Lys,* traduction, notes et préface par Marcel Proust (Mercure de France).

1909 Fondation de *La Nouvelle Revue Française.*

1911 Rivière est nommé secrétaire de la *N.R.F.* Les éditions de la revue publient ses *Études.*

1913 *Novembre :* Marcel Proust : *Du côté de chez Swann* (Grasset).

1914 *Février :* début de la correspondance entre Proust et Rivière.
Juin-juillet : la *N.R.F.* publie des extraits du deuxième volume de *À la recherche du temps perdu.*
24 août : Rivière est fait prisonnier par les Allemands.

1917 *15 juin :* Rivière est transféré de Prusse orientale en Suisse.

1918 *16 juillet :* Rivière est rapatrié.
30 novembre : À l'ombre des jeunes filles en fleurs est achevé d'imprimer (N.R.F.).

1919 *25 mars :* Marcel Proust : *Pastiches et Mélanges* (N.R.F.).
Juin : reprise de la *N.R.F.* dont Rivière est maintenant le directeur. Au sommaire : Proust.
10 décembre : À l'ombre des jeunes filles en fleurs obtient le prix Goncourt.

1920 *7 août : Le Côté de Guermantes, I* (N.R.F.).
30 septembre : Rivière obtient le prix Blumenthal.

1921 *30 avril : Le Côté de Guermantes, II; Sodome et Gomorrhe, I* (N.R.F.).

1922 *3 avril : Sodome et Gomorrhe, II* (N.R.F.).
    Novembre : Jacques Rivière : *Aimée* (N.R.F.).
    18 novembre : mort de Marcel Proust.

1923 *1ᵉʳ janvier :* « Hommage à Marcel Proust » *(N.R.F.).*
    Janvier : Conférences de Rivière au Vieux-Colombier : « Quelques progrès dans l'étude du cœur humain (Freud et Proust). »
    14 novembre : La Prisonnière (N.R.F., texte établi par Robert Proust et Jacques Rivière).

1925 *14 février :* mort de Jacques Rivière.
    30 novembre : Albertine disparue (N.R.F.).

1927 *22 septembre : Le Temps retrouvé* (N.R.F.).

1955 Première édition de la *Correspondance* Proust-Rivière, présentée et annotée par Philip Kolb (Plon).

1976 Édition augmentée et corrigée de la *Correspondance* (Gallimard).

NOTE SUR LE TEXTE DE LA PRÉSENTE ÉDITION

Les articles, notes et conférences de Jacques Rivière sont présentés dans l'ordre chronologique de leur rédaction, à l'exception des « Détails biographiques » que nous avons placés en tête du recueil dont ils forment comme la préface de l'auteur.

Les textes de notre édition ont été systématiquement vérifiés sur les premières éditions quand il s'agit d'articles parus du vivant de Rivière, et établis sur les manuscrits autographes pour les pièces posthumes ou inédites.

Les notes de Rivière sont appelées par des astérisques et se trouvent en bas de page. Les notes de l'éditeur sont appelées par des chiffres arabes et sont regroupées à la fin du volume, p. 241.

Jacques Rivière est un critique qui aime à s'appuyer sur le texte des œuvres qu'il étudie. Les éditions de Proust qu'il pratique offrent un texte souvent fautif et nous avons respecté les leçons erronées que Rivière reprend inévitablement en les citant. Ces éditions elles-mêmes sont assez disparates. Ainsi, en ce qui concerne *Du côté de chez Swann*, Rivière cite, en 1918, l'édition Grasset de 1913 ; en 1923, il utilise l'édition N.R.F. en un volume de 1919 ; en 1924, celle en deux volumes. De *La Prisonnière*, il ne connaît qu'une seule « édition » : la dactylographie originale corrigée par Proust. Nous avons laissé subsister ces références périmées, mais nous donnons chaque fois, à leur suite et entre crochets droits, la pagination qui correspond dans l'édition de la Pléiade de 1954. Le tome est indiqué par un chiffre romain. La page, par un chiffre arabe.

Nous ne saurions assez remercier M. Alain Rivière qui le premier a eu l'idée de réunir en un seul volume tous les textes, publiés ou inédits, que son père avait consacrés à Marcel Proust. Tous les documents manuscrits que nous publions ou citons proviennent, sauf indication contraire, des Archives inestimables dans lesquelles il nous a permis de puiser sans compter. Sans son aide, sans ses conseils, notre travail eût été impossible.

T. L.

*Quelques progrès
dans l'étude du cœur humain*

PROUST

DÉTAILS BIOGRAPHIQUES

(pour une causerie au Cercle international
à Genève, le 17 mars 1923)

Biographie connue dans les grandes lignes par le numéro spécial [1]. Milieu grand bourgeois. Le père Professeur d'hygiène à la Faculté de médecine. Ne pas confondre avec le Prof. Antonin Proust [2]. La mère juive : Mlle Weil.

Comment j'ai fait la connaissance de Proust. Lacune de ma mémoire. Mon enthousiasme pour Swann. Lettres échangées à propos des fragments publiés dans la N.R.F. de ce qui devait être le Côté de Guermantes [3]. Sensibilité de Proust à l'admiration. Ses attentions pour moi pendant la guerre.

À mon retour, en 1919, reprise de contact avec lui, toujours par lettres; devenu directeur de la N.R.F. mon dessein bien arrêté fut tout de suite de recommencer la publication par un fragment de lui. Je rappelle, non sans fierté, que, dès ce moment, j'annonçais dans prospectus importance œuvre de Proust et renaissance de la littérature d'analyse.

Mon erreur fut de vouloir extraire des Jeunes Filles en fleurs les passages uniquement psychologiques et de les mettre bout à bout. Séduit par le titre charmant que j'avais trouvé à la table des matières : Légère esquisse... Résistance de Proust à mon dépeçage. Façon si gentille dont il se plaignait. Ce qui prouve combien il était conscient de ce qu'il faisait : « Je veux que mon livre soit à plusieurs dimensions... Vous empêchez les gens de voir ça... L'alternance des scènes mondaines et des morceaux d'analyse est voulue par moi. » Et il fit des efforts désespérés pour réintroduire au moins une fois

Mme Cottard avec son porte-cartes [4]. Mais moi obstiné à lui fermer la porte de la N.R.F., je ne sais plus pourquoi aujourd'hui. Je me repens.

Proust me reprocha tout le reste de sa vie mais toujours en plaisantant et sans aucune rancune mon obstination sur ce point. Il prétendait d'ailleurs que j'étais l'être le plus entêté qu'il eût rencontré.

Façon dont sa mémoire conservait tout et dont il vous resservait ses griefs. Mais aucune méchanceté. Même quand son reproche prenait une allure passionnée, il tombait devant la moindre protestation où il pouvait sentir de l'amitié.

Août 19. Rencontre à la revue. Surprise. Taille moyenne. Chapeau melon. Grande pelisse à col de fourrure. Canne. Plastron empesé, col droit sans cravate. Le tout légèrement saupoudré de poussière. Débris d'une élégance, qui avait dû être d'ailleurs toujours plus appliquée que spontanée. Un peu désordonnée. Voir Blanche [5].

Son charme extraordinaire. Les yeux. Sa parole lente et continue. Extraordinaire abondance d'incidentes, mais sans que jamais le fil se perdît.

Force du visage, dont aucun des portraits publiés ne peut donner une idée. Aucun portrait de lui postérieur à 1904. Seul celui sur son lit de mort. Segonzac. Helleu [6].

Nous causâmes de politique. Il était de tendance très gauche, mais n'avait évidemment jamais réfléchi à la question d'une façon systématique et objective.

Immense amitié pour lui. Charme inexplicable. Certainement le pressentiment de sa bonté y entrait pour beaucoup. J'insiste sur ce point parce que, comme il n'en a jamais fait étalage dans son œuvre, elle reste ignorée.

Déménagement du Boulevard Haussmann. Ne savait où aller. Écrivait à tous ses amis. Incapable de trouver lui-même un appartement. N'aurait jamais déménagé de celui-là (que pas connu), qui était à deux pas de celui où s'était écoulée son enfance, si pas exproprié.

Enfin se décida à mettre tout son mobilier et tous ses livres au garde-meuble et s'installa dans un appartement meublé de

Passy, 44 rue Hamelin, trois pièces, mobilier et aménagement très médiocres. C'est là qu'il est mort.

Y suis-je allé avant le Prix Goncourt? Oui, certainement. Comment il vous faisait chercher. Odilon [7]. Comme il savait que j'étais très fatigué vers cette époque et que je veillais difficilement, m'envoyait chercher de bonne heure, c'est-à-dire entre 9 h et 10 h, rarement après 11 h. Mais ses autres amis plus tard. Aussi, lampe électrique de poche d'Odilon. Combien d'étages montés dans l'obscurité, de concierges inquiets et furieux. Son coup de sonnette discret. « M. Proust fait demander à M. Rivière etc. M. Proust a été très malade ces jours-ci. Mais il se trouve un peu mieux ce soir... »

On partait. Arrivée rue Hamelin. Céleste débarricadait la porte. Grande femme plate ensommeillée. Sa pâleur. « Si M. Rivière veut bien entrer, je vais voir si M. Proust... » Le salon. Seuls meubles de famille qu'il eût gardés. Fauteuils et canapés velours rouge. Suspension de cristal posée dans un coin. N'a été accrochée, si je me souviens bien qu'après sa mort. Aux murs portraits : Dr. Proust par Lecomte du Nouy, Mme Proust, très belle, par une dame dont j'ai oublié le nom (un peu à la Ricard [8]), Marcel lui-même par Blanche avec camélia à la boutonnière. Deux tableaux de Baignères [9]. Sur la cheminée un bronze : berger enlaçant une bergère.

Contrevents et fenêtres toujours fermés. À cause poussière. De même chauffage central.

Céleste venait vous chercher. Première impression en entrant dans la chambre de Proust : poudre Legras [10]. Tout en était imprégné.

Proust dans son lit (de fer), tout habillé et appuyé sur un coude. Plusieurs pelures. Parfois gilet de velours sur plastron avec col. Vers la fin gilet en poil de chameau et vareuse très épaisse. S'il sortait du lit, on le découvrait tout habillé, y compris pantalons. Chaussons superposés.

Au pied du lit fauteuil où on s'asseyait. À la tête, entre le lit et le mur, un grand morceau de liège, débris de cette cloison dont était tapissé appartement Boulevard Haussmann. Près de lui une petite table surchargée de cahiers (Son manus-

crit) et de livres. Un plateau équilibré difficilement avec
quelques petits-beurre, un verre, une bouteille d'Évian.
Quelquefois un vin doux pour les amis. Quelquefois sa tasse
de café au lait.

   Conversation. — Remèdes pris pour vous recevoir. Vous
demandait d'attendre l'effet de la caféine. Grand remords de
ne l'avoir pas cru. Histoire du véronal. Cachets diminuendo
pour se déshabituer. Mais le pharmacien s'était trompé dans
la dose dans la proportion de 100 pour 10. Absorption de
6 cachets. Malaise affreux. Proust pense que c'est parce qu'il
avait trop diminué du premier coup. Reprend 2 cachets de
plus. Manqué de se tuer.

   Ses opinions médicales. C'était son violon d'Ingres. Me
donnait des conseils. Adrénaline. M'a fait soigner [11].

   Anecdote de la maison de santé. Son évasion en pantoufles [12].

   Allure habituelle de la conversation. Beaucoup de ques-
tions techniques ou pratiques entre nous, mais entremêlées
de continuels jugements sur les hommes. « Un tel est exces-
sivement gentil, mais il a répété telle chose que je lui avais
dite, etc... » Formidable curiosité pour la vie cachée des gens.
Tâchait continuellement de vous arracher quelque chose non
pas sur vous-mêmes, mais sur les tiers. Mais rien de bas là-
dedans. On sentait que c'était l'esprit tout seul qui se délectait.

   Lui-même d'ailleurs en savait en général beaucoup plus
que moi sur les gens même que je fréquentais le plus assi-
dûment. Un jour, moi : « Demain je déjeune chez la
princesse B. — Ah! oui, celle qui a épousé le Duc de S. C'est
une très vieille famille italienne. — Mais elle est américaine. »
Et de me donner toutes les attaches de la famille. Vérification
par le Gotha.

   Sa joie quand il apprenait une circonstance sociale qu'il
ignorait. « Comment c'est la belle Une telle que X. a épousée.
Mais je ne savais pas! — Mais c'est prodigieux! » Reconnaissance pour vous quand vous le renseigniez ainsi. Rancune au
contraire quand on lui refusait un renseignement. Mot rap-
porté par Lucien Daudet [13].

Ses griefs contre moi. Partie imaginaires, partie réels. Prétendait que je lui refusais toujours tout ce qu'il me demandait. Manie des recommandations. Obligation d'évincer beaucoup de ses protégés. Me le reprochait éternellement, mais sans aucune acrimonie, en souriant. Et prétendait que je l'avais brouillé avec eux.

Me citait tous les auteurs que je publiais dans la N.R.F. qui ne valaient pas ceux qu'il patronnait. « Mon cher Jacques, vous savez quelle affection j'ai pour vous, m'écrivait-il, mais il faut que je vous dise que votre dernier numéro est pitoyable avec les choses de X, de Y, etc. » Et quand je le voyais : « Vraiment vous trouvez ça bien les poèmes de X ? »

Ce n'était pas du dépit. Il était seulement froissé dans son goût passionné de rendre service. Je dis passionné. Prix Blumenthal. Démarches qu'il a faites malgré maladie pour me le faire obtenir [14]. Façon dont il cherchait à atteindre les gens qu'il ne connaissait pas par tout un système d'intermédiaires. Anciennes obligations rappelées. Liaisons secrètes et qu'il savait, utilisées discrètement. Il jouait sur le clavier social avec volupté. Il prévoyait les moindres réactions.

Conversation rarement technique. Pourtant à plusieurs reprises il m'a dit des choses importantes. Me reprochait d'employer des mots trop forts. Souci que l'expression ne dépassât jamais l'impression. Grande leçon de modestie verbale.

Citait volontiers des vers. Mémoire prodigieuse dont il avait coquetterie.

Ses inquiétudes pratiques, les difficultés qu'il voyait. Son ignorance de l'imprimerie. Épreuves corrigées à distribuer entre plusieurs imprimeurs. Façon extrêmement compliquée dont étaient classés ses papiers. Seule Céleste savait s'y reconnaître. Il la sonnait. Elle savait toutes les adresses et les téléphones de tous les amis par cœur.

Papiers répandus sur le lit. Journaux, lettres, livres envoyés.

En général la conversation allait en s'animant. Redevenait si vivant qu'impossible l'imaginer malade. Parfois dans l'entraînement de ce qu'il disait, se levait, se mettait à marcher dans la chambre, perdant chaussons.

Parfois dîners intimes. Envoyait chercher un poulet au Ritz. Petite table dressée dans la chambre. Menu invariable : Homard ou langouste. Poulet rôti, petits pois, gâteau chocolat. Proust se faisait servir de chaque plat, mais ne mangeait pas ou presque pas. – Céleste servait en robe de satin et pantoufles.

Difficulté de s'en aller quand il était en train. Dès qu'on était sur la porte, vous retenait par une question. Vous faisait refermer la porte, crainte d'un courant d'air par suite de fenêtre ouverte à distance.

Caractère absolument sincère, nullement affecté de ses phobies. Toutes étaient en rapport avec asthme. Vie la nuit, crainte des poussières, etc.

Odilon vous raccompagnait et portait la course au compte de Proust. Impossible lui faire accepter le moindre pourboire.

Ce qu'était l'argent pour Proust : seul moyen de se procurer quelque chose dans la vie, mais il le méprisait absolument. Jamais vu quelqu'un pour qui ce fût à ce point rien.

Prix Goncourt. Joie qu'il en eut. Certainement il aimait sa gloire et en guettait les moindres signes. Reconnaissance profonde à Léon Daudet [15]. Il sentait venir la mort et voulait la goûter avant.

Sortait parfois la nuit, n'arrivait pas à imaginer que les autres pussent dormir à ce moment. Coups de trompe devant la fenêtre de Mme X. à 2 h du matin. Lettre : « Je ne comprends pas comment j'ai pu vous fâcher, ni pourquoi vous m'avez fermé votre porte... »

Idées qu'il se faisait sur les bons ou mauvais moments de l'année. Décembre impossible. – Été, tout le monde à la mer. On ne lit pas, etc.

Soir où il m'a accompagné. Dispute avec Céleste dans l'escalier, parce qu'elle ne l'avait pas prévenu qu'il était repeint [16]. Façon lente, maternelle et cruelle dont Céleste répondait. Tout était empreint autour de lui de douceur et de cruauté. Avait d'ailleurs communiqué ses façons de parler lentes, détournées et exhaustives à Céleste.

Son affaiblissement progressif allant avec une concentration croissante sur son œuvre. Crainte croissante de mourir avant d'avoir fini. En même temps soucieux de décrire sa mort. Mort de Bergotte. En marge du reste. Corrigé et complété jusqu'à la fin. Aidé par les véritables agonies qu'étaient ses crises d'asthme.

Plus aucun attachement à la vie, si ce n'est comme au seul moyen de finir son œuvre.

En septembre dernier il eut un peu de grippe. Cure par la diète. Pas de feu chez lui en octobre. – Très affaibli. Bronchite qui dégénéra en pneumonie.

Refus de voir les médecins. Absolument buté là-dessus. Quand il les laissait entrer, ne faisant absolument rien des prescriptions. Sa mère et sa grand-mère déjà. N'acceptait de soins que de Céleste.

Vit certainement venir la mort plusieurs semaines à l'avance. Écriture tremblée. Mais étais tellement habitué à le voir malade!

Je ne m'affolai vraiment que trop tard. Dernière visite. Étais venu presque par hasard. Justement il allait me demander. Essoufflement effrayant; parole pénible. Fièvre; main brûlante à travers gants. Réponse à mes remontrances sur nourriture : « Les médecins eux-mêmes disent qu'il ne faut pas me contrarier. » Regard farouche. Entêtement à détourner la conversation. – On sentait qu'il était résolu à mourir. Pourquoi? Mystère.

Son agonie. Fureur de voir arriver le médecin sans qu'il l'eût demandé. Pinça le bras de Céleste [17].

Dans toute cette dernière période étrange rapport avec Céleste.

Certaines préoccupations religieuses et morales vers la fin peut-être. Traces dans la mort de Bergotte. Ce qu'il m'avait dit de Gide un jour, et de l'abbé Mugnier [18].

Mais jusque-là indifférence complète.

Grand esprit évident. Grand cœur aussi, que simplement la force de l'intelligence dissimule.

L'ÉVOLUTION DU ROMAN
APRÈS LE SYMBOLISME

Jusqu'ici Marcel Proust n'a publié, que je sache, qu'un volume, le premier d'une série intitulée : *À la recherche du temps perdu,* et dont le titre particulier, assez bizarre, est : *Du côté de chez Swann.*

Je m'en voudrais de vous présenter ce livre comme un chef-d'œuvre. Je tiens même, tant je crains la désillusion qu'il pourrait vous donner, à insister d'abord sur ses défauts. Il est encore beaucoup plus mal composé qu'aucun des livres de Larbaud. Il est divisé en trois parties inégales, dans la première l'auteur accumule pêle-mêle un tas de souvenirs d'enfance, dans la seconde, la plus longue, il raconte dans un détail souvent fatigant, parfois même fastidieux, un amour de Swann, qui est un ami de sa famille ; enfin dans la troisième il analyse ses propres sentiments d'enfant amoureux, épris de la petite fille de Swann. Le seul lien entre toutes les histoires racontées dans ce gros volume, c'est en somme le nom de Swann : l'auteur énumère tout ce qui y est resté attaché dans sa mémoire, il se débarrasse de l'ensemble de souvenirs, d'imaginations, d'inventions même, qui s'est cristallisé autour de lui. On voit tout ce que le procédé implique d'abandon et de renoncement aux vertus classiques de composition dont nous autres français sommes en général si fiers.

Le style d'autre part est lourd et surchargé. Chaque phrase, si l'on en fait l'analyse, se révèle parfaitement correcte ; mais elle porte tant d'incidentes, elle est si curieusement imbriquée, qu'il est presque impossible d'embrasser d'une seule lecture tous les rapports qu'elle contient. L'auteur surmène la pensée de son lecteur; il la force dans le seul espace d'une phrase à trop d'allées et venues, de marches et de contre-marches, il veut lui faire rassembler trop d'aspects, trop souvent contradictoires, de la même idée, pour qu'il puisse se faire suivre de bon gré. Ou si vous voulez, il a trop de confiance dans la logique de la syntaxe et ne s'aperçoit pas assez que pour devenir parlante, il ne suffit pas que la phrase lui obéisse, qu'elle respecte toutes ses lois; qu'il faut encore qu'elle suive une logique plus subtile, plus sentimentale, moins facilement formulable, mais qui seule enfin lui donnera le « mouvement », cette démarche libre et vivante qui lui permettra de porter tout son sens dans l'esprit du lecteur.

Et pourtant l'extrême complication du style de Proust n'est pas un simple amusement. Elle correspond à une complexité de la pensée, à une délicatesse, à un entrant, si j'ose dire, de l'analyse, qui donne parfois le vertige. Il n'y a ici aucune invention du genre de celle qu'on trouve chez Larbaud. Rien ne nous est présenté jamais sous cette forme enveloppée, comme emmaillotée, comme encore à moitié prise dans les limbes, qui témoigne d'une naissance toute récente et, si j'ose dire, d'un accouchement immédiat. Proust semble ne jamais rien fournir qui vienne de son propre fonds, qu'il ait couvé, nourri, produit, au sens fort du mot. Mais il nous livre le monde, celui-là même que nous pouvons toucher et connaître, défini, découvert, dépecé, démembré jusqu'à la folie, approfondi jusqu'aux atomes. Aucun homme bien portant ne serait sans doute capable de voir ainsi dans l'intérieur des choses et des âmes, d'en démêler ainsi les éléments jusqu'à les faire s'évanouir. Il y a quelque chose de morbide dans une telle faculté. Seul un malade – Proust en effet est malade – pouvait atteindre à cette lucidité invraisemblable. Et en effet, bien que les descriptions poétiques en soient presque complè-tement absentes, le livre tout entier finit par avoir une couleur, une atmosphère indéfinissable, celle même de cet esprit trop léger, trop perçant, non pas diminué, mais comme aminci par la souffrance, et qui rend toutes choses idéales autour de lui, à force d'en ronger le tissu.

Je vous avoue que quand il fait porter son analyse sur ses sensations, je trouve Proust un peu froid. La sensation est quelque chose de trop simple pour que la décomposition n'en apparaisse pas artificielle. Il y a chez Proust des dissociations de parfums ou de sons dont la chimie est par trop savante pour mon goût. Mais quand c'est aux sentiments qu'il s'attaque, en particulier à ce sentiment si complexe, si minutieux, à tant de compartiments qu'est l'amour, il devient prodigieux. Je connais peu d'études aussi belles que celle de l'amour de Swann pour cette Odette de Crécy, une demi-mondaine sans esprit, sans instruction et dont la beauté même ne lui plaît d'abord pas. La naissance du sentiment en lui, les premières formes qu'il revêt, les premiers signes qu'il donne de sa présence, comme une chose qui est là tout à coup, et qui résiste, et qui a déjà ses exigences propres, sa volonté contre laquelle il n'y a déjà plus rien à faire, sont exprimés avec une force et surtout une patience au détail presque affolantes. Je vais vous lire le passage où Swann reconnaît en lui la présence de l'amour. Chez des amis où il devait retrouver Odette, il est arrivé trop tard : elle est déjà partie :

« Sur le palier Swann avait été rejoint... 280 [1]. »

Je voudrais pouvoir vous lire encore les passages où la jalousie de Swann est à l'œuvre et surtout les scènes où il tente d'explorer en la questionnant le passé d'Odette, et où il se fait mal aux plus insignifiants détails rencontrés, et où il évite de crier pour en apprendre davantage, et l'espèce de modération et de pitié vraiment admirables avec lesquelles il accueille les révélations qui le déchirent : « Comme il aimait Odette, comme il avait l'habitude de tourner vers elle toutes ses pensées, la pitié qu'il eût pu s'inspirer à lui-même ce fut pour elle qu'il la ressentit, et il murmura : " Pauvre chérie [2]! " »

Je n'ai peut-être jamais mieux que dans ce livre senti peser sur une tête le ciel sombre et magnifique de l'amour. Je n'ai jamais vu quelqu'un dont le temps de prison aux mains d'une femme ait été plus longuement, plus minutieusement, avec plus de troublante exactitude raconté.

Sans doute je ne me fais pas d'illusions. Il y a dans ce livre bien des détails inutiles, beaucoup d'encombrement, certaines puérilités. Je sais que Proust, s'il ne dirige pas ses facultés extraordinaires sur de bons sujets, peut très bien tomber dans le raffiné et l'ennuyeux. Mais l'espoir tout de même domine, l'espoir de le voir bien tourner; et la perspective qu'alors il me fait envisager est d'une qualité si unique qu'elle me fait battre le cœur.

LE ROMAN DE MONSIEUR MARCEL PROUST

I

[NOTES]

Distinguer entre l'étude de l'œuvre elle-même et celle de la révolution qu'elle opère. Bien montrer que celle-ci est d'autant plus profonde que l'auteur n'a eu ni l'intention, ni la conscience de la produire. Nous avons affaire en un certain sens à l'œuvre la moins voulue, la moins destinée à, qui se puisse trouver. Évident que l'auteur n'a fait que céder à la monstruosité de sa mémoire. Ne s'est pas dominé du tout. N'a en aucune façon cherché, forgé une technique nouvelle. Et pourtant c'est une technique nouvelle, c'est une littérature nouvelle qu'il nous apporte. Il bouleverse cent fois plus profondément nos habitudes et nos conceptions littéraires que les plus téméraires des « cubistes ». Et de façon cent fois plus féconde.

Je pourrais broder des variations autour de ces livres, raconter les émotions qu'ils m'ont données, citer des passages, m'extasier, faire la mouche du coche. J'aime mieux, bien que ce soit plus aride, aborder de front le problème littéraire qu'ils posent, ou plutôt qu'ils résolvent, sans l'avoir voulu.

Ce livre énorme, dont on n'entrevoit pas la fin, c'est le moins tendu, le moins gonflé, le moins gros qui ait été écrit depuis deux siècles. Le synthétisme romantique. La construction *a priori*. La réalité vue d'ensemble et disposée directement suivant les effets qu'elle peut produire. L'âge de la création pure. L'opération artistique conçue directement sur le modèle de l'opération divine. Tout le monde poète. Il s'en est suivi une irréalité et une extériorité croissantes de la production romanesque. Le naturalisme n'est pas plus près de la réalité que le romantisme. Ou plutôt tout y est réalité, ou mieux réalisation. La part d'*étude* qu'il y avait dans la littérature à l'âge classique a complètement disparu.

Proust au contraire entreprend une étude, il entreprend de regarder et de fixer, et il ne crée que par l'analyse. Complètement dépourvu d'imagination en un certain sens. Tout ce qu'il entasse de réalité, c'est pour l'avoir reconnue. Son invention, c'est sa vision, c'est sa perception plus exactement. Tout au moins c'est d'abord ça. Rapprochement de l'attitude du romancier et de celle du savant. C'est bien plutôt ainsi que comme le concevait Bourget que ce rapprochement doit se faire.

Sorte de transcendance à laquelle arrive Proust sans le chercher. Le dédoublement classique.

Les résultats, les avantages pour nous. Nous sortons de l'arbitraire. Pour éprouver l'émotion, il n'y a plus besoin de cette espèce de confiance qu'on attendait jusqu'ici de nous. Nous sortons du problématique. L'émotion est toujours de reconnaître ce que nous avons senti. Ce n'est plus qu'à la vérité que nous la devons.

Immense dégonflement.

Plus rien d'opaque, plus rien d'impressionnant, sans qu'on sache pourquoi. Plus rien qui vaille par son contour. Renoncement à la tricherie. Des longueurs peut-être, mais plus de parties mortes, inopérantes.

Le style (ex. p. 209 [1]). Impossible de contester sa maladresse. Elle correspond à ce qui manque à Proust de volonté. (Mais il était peut-être nécessaire qu'il manquât de volonté pour devenir le sujet, la victime d'autant de sentiments.)

Force du style. Sa façon d'entrer dans tous les membres du sentiment. Analyse vraiment cartésienne. Rigueur malgré tout des rapports logiques qu'il décrit. Son défaut est de s'adresser trop directement à l'intelligence, de ne pas accepter l'intermédiaire qu'est la sensibilité (et dont tenait si bien compte par exemple un Racine). Mais importance et nouveauté qu'il y à ce qu'il tende vers l'intelligence, à ce qu'il ose s'y adresser. Ça aussi c'est révolutionnaire.

Discuter le « il coupe les cheveux en quatre ». Tout écrivain qui vous fait aller plus loin qu'on n'est allé, apparaît d'abord comme trop subtil. En réalité les aspects que distingue Proust sont d'une généralité magnifique et digne des classiques.

Qu'il n'y a de véritable révolution que par le moyen d'une technique nouvelle. Impossibilité de revenir simplement à ce qu'on aime, à ce qu'on admire, à ce qu'on prend pour modèle. Ce qui empêche de reconnaître la parenté de Proust avec les classiques, c'est justement ce qui fait de lui leur véritable héritier, ce qui rend viable chez lui leur héritage : une technique nouvelle. Rien de tout ce qu'on a écrit depuis Stendhal, n'est plus véritablement près de Racine, de La Bruyère, de Saint-Simon, que Proust.

Sincérité de Proust : une des plus radicales que je connaisse. Il a su représenter (et sans indécente complaisance) jusqu'à sa médiocrité : ce qui est bien plus difficile que de peindre des crimes. Là encore on sent combien il forme antithèse à tout le romantisme. C'est le premier rocher auquel nous puissions mordre, nous cramponner pour nous arracher à l'immense flot romantique, où nous sommes naufragés. Considération de la platitude.

Usure de l'esthétique du crime. Encore un romantisme qui s'en va.

Sincérité n'est pas bon. Il contient une nuance morale qu'il faut exclure. J'ai contribué moi-même à le déconsidérer [2]. C'est vérité, ou véracité qu'il faut dire.

Bases associationnistes de sa psychologie. Aussi peu bergsonien que possible. Il approfondit le mécanisme de l'association.

La pensée est partout conquise; du moins il ne prétend en donner que ce qu'il en a conquis. Fin de l'art de suggérer. Il touche ici sa borne.

Le côté expérimental, le côté presque psycho-physiologique.

Le terrible et tranquille pessimisme qui est le fond de sa philosophie.

Il détruit ses effets sans le faire exprès, rien qu'en continuant.

Invention au lieu de création; vérité au lieu de réalité.

Sens de : À la recherche du temps perdu.

II

[BROUILLONS]

Le sentiment le plus vif que me donne la lecture de Marcel Proust est peut-être le désespoir. Jamais aussi violemment qu'en dépouillant son livre je n'ai maudit la destinée qui m'a fait écrivain. Et je m'entends : ce n'est pas d'un découragement comme celui que peuvent inspirer Ingres par exemple à un peintre, ou les antiques à un sculpteur, que je me sens saisi; ce n'est pas la perfection de cette œuvre qui m'accable; elle ne m'apparaît point dans une liaison plus étroite que celle que je suis capable de nouer, avec le Beau en soi, avec la souveraine harmonie. Je vois ses incorrections, ses insuffisances, ses monstruosités même. Mais elle est tellement plus vraie que jamais je ne saurai rendre les miennes! Il y a en elle un je ne sais quoi de tellement plus concret, de tellement plus près des choses, de tellement plus identique aux sentiments que tout ce que je pourrais m'essayer à dire; tout ce que je ferai auprès toujours paraîtra chanson.

Il fallait être de naissance « homme du monde » pour écrire une telle œuvre. Le monde a cet incomparable avantage que l'on y a à peine besoin de morale. (La morale est pour ceux qui peinent.) Et ainsi l'on y peut gagner une vision parfaitement exacte des choses. Il faut être très minutieusement *démoralisé* pour être capable d'un peu de véracité. Je le sens bien en moi-même, où les deux tendances, celle vers le vrai et celle vers le bien, sans cesse se combattent et surtout sans cesse lamentablement se neutralisent. Que de fois, depuis que je le connais, j'ai jalousé le héros de Marcel Proust pour son irremplaçable égoïsme, pour sa simple et salubre veulerie. L'un ou l'autre : j'eusse voulu ou bien sans réserves, sans souci de jamais me connaître, ni les autres, sans besoin de rien apprendre ni comprendre de ce qui est au monde, pouvoir faire le bien, ou bien avoir l'âme tout entière du savant, du psychologue et ne sentir par rien en moi retenue ni embrouillée la manie sacrée de l'investigation.

Mais ce n'est pas de moi qu'il s'agit. Je cherche seulement à faire apercevoir les sources profondes de mon admiration pour Marcel Proust. C'est un écrivain sans remords; il nous ramène, et pour la première fois depuis un siècle, au temps où toute science était de l'homme, et tout art aussi. Avec la même immédiateté qu'un Racine, qu'un Saint-Simon, il peint, il définit, il caractérise. Si son livre est si long, ce n'est pas Dieu merci! qu'il y ait « mis » beaucoup de choses; c'est qu'il en a reconnu beaucoup.

En nous délivrant de l'indivision, Proust nous délivre de l'énigmatique et de l'incontrôlable. Il ne nous mène plus dans ces impasses sublimes où il n'y avait rien à faire qu'à ignorer et à croire. Je m'étonnerais fort si son œuvre ne se trouvait d'ici quelque temps avoir porté un coup redoutable à toute cette littérature qu'il faut admettre « sur parole ». Quelqu'un qui se donne la peine de tout expliquer. Rien de plus scandaleux aujourd'hui; il ne faut vraiment pas être fier. Mais cette humilité portera ses fruits. Le Romantisme, cette fois, est atteint en plein cœur : il ne s'en relèvera plus.

Avec Proust, c'est le grand et modeste cheminement classique à travers le cœur humain qui recommence; notre littérature retrouve sa voie.

*

Pour aller tout de suite au cœur de son talent, il faut reconnaître la faiblesse, ou même le néant de la volonté chez Proust. Elle existait sans doute en lui à l'état embryonnaire, comme chez tout le monde; mais elle n'a pas eu à s'exercer. La maladie, qui fut comme parallèle à toute sa vie, l'espèce d'assistance continue de la part de ses proches qu'elle exigea, l'ont tout de suite dispensé de vouloir, de préméditer, de tendre. Toutes ses forces se sont tournées en désir et en souffrance; il a passé tout entier dans ses sentiments.

Autre facteur : la fréquentation du monde. On a beau faire : ce n'est qu'au contact des gens de loisir que la sensibilité se partage et se nuance. Les gens qui peinent peuvent éprouver de fortes passions : jamais elles ne prendront en eux leur variété; elles ne sortiront pas de leur gaine; elles ne cesseront pas d'être bandées vers leur fin; elles ressembleront toujours à l'effort moral. L'habitude de la morale, que seul le monde peut déliter, est la plus insurmontable qui soit et celle qui détourne le plus irréparablement de sentir.

Dès son enfance Proust dut être, pour les expériences du sentiment, un sujet merveilleux : il n'offrait aucune barrière à son instabilité : partout en lui il y avait pour l'oiseau intérieur de quoi se poser. Il était capable de toutes les idées que la passion peut donner : aucune n'était arrêtée, étouffée au passage par quelque décision de son esprit; il se laissait être à chacune aussi crédule qu'elle le pouvait désirer. Son cœur portait au maximum cette *irritabilité* qui est le propre des plus subtils tissus de l'organisme.

Proust est quelqu'un que soutiennent des coussins, que transportent des voitures; et ainsi il est sans cesse face au ciel, parfaitement exposé à tous les accidents de l'âme. En lui à chaque instant peuvent prendre naissance les énormes et minutieux mirages de l'amour. Il lui est impossible de se secouer pour les chasser; il est obligé d'en passer par tous leurs détails, de distinguer leurs moindres minarets. Aucune résistance ne monte du fond de lui-même contre les impressions qu'il prend tout à coup des choses et des gens; tout correctif est absent ou perdu; rien ne le vient mettre en garde contre leur extravagance, mais non plus contre leur profondeur.

Mais tout cela ne forme encore qu'une originalité toute passive et ne peut en aucun cas suffire à expliquer la prodigieuse réussite de *Swann* et des *Jeunes filles en fleurs.* Un martyr tout rompu sur sa roue n'a guère de chances de nous renseigner avec beaucoup d'exactitude sur ses souffrances, de devenir jamais un grand écrivain. Si Proust n'eût eu que de quoi entretenir dans sa pureté le sentiment, n'eût su qu'en subir les sévices, il n'eût jamais écrit son livre. Le miracle consiste en ceci que ce tempérament est accompagné d'une constante et paisible raison.

Il faut quelqu'un qui sache sentir, et plus vivement, et plus étrangement, et plus nombreusement que la moyenne. Et il faut quelqu'un que ce « sentir » laisse tout de même en repos, quelqu'un de qui l'intelligence puisse, à tout instant, aller et venir, comprendre, distinguer, évaluer, transpercer toute illusion; il faut que l'esprit critique se rencontre avec l'aptitude à tous les désordres de la sensibilité. Il y a chez Proust justement un tempérament à la fois merveilleusement *irritable* (au sens physiologique du mot) et tout de même modéré, adroit, instruit, défiant. Une claire raison fait en lui une lumière constante et sainement médiocre. Il subit, il désire, il souffre; mais quelque chose l'accompagne jusque dans l'excès de ces sentiments qui l'éclaire et le photographie.

Peut-être le secret de son talent est-il dans le presque complet néant de la volonté en lui. C'est la volonté qui empêche de voir, elle paralyse à la fois le sujet et l'objet parce qu'elle

donne aux sentiments des intentions, parce qu'elle les grossit
en les exploitant. Malade depuis son enfance, n'ayant eu besoin
de lutter contre aucune des difficultés de la vie, Proust n'a
pas subi la déformation de l'effort. Je ne pense pas qu'il m'en
veuille si je le loue d'une certaine précieuse veulerie, sans
laquelle il n'eût jamais atteint à tant de profondeur.

Son œuvre est celle de quelqu'un que transportent des
voitures, que soutiennent des coussins et de qui toute l'intrépidité s'est ramassée dans le cerveau. Proust réalise ce paradoxe d'être à la fois, exposé comme en croix à tous les sévices,
une victime sans réserves aux mains du sentiment et de ne
lui rien accorder du tout, je veux dire de n'en être à un point
qui est presque de l'impudence pas dupe. Jamais réflexion
plus paisible et plus déterminée ne s'avança plus loin dans les
méandres de sentiments moins sophistiqués, moins ramenés
à l'alignement. C'est même cette incroyance à lui-même qui
peut-être m'éloignerait de lui : elle me fait un peu peur : si
j'étais obligé de me comprendre à un point qui m'approchât
autant du scepticisme absolu, je pense que je ne pourrais plus
vivre.

Quoi qu'il en soit, ainsi doué, Proust réalise ce prodige,
qui depuis Stendhal semblait devenu impossible, de décrire
et de définir le sentiment. La nouveauté de son œuvre, c'est
qu'elle s'attaque à la fibre même du cœur. C'est par où elle
découragera longtemps les femmes, c'est par où elle est virile.
Elle ne caresse plus rien de vague en nous, elle est sans appel,
sans invocation, sans bercement. Elle commence, entame,
cherche les éléments; elle est délicieusement diligente.

III

[DACTYLOGRAPHIE]

M. Marcel Proust est assurément un des écrivains les moins
inquiets de théorie que nous ayons à l'heure actuelle. Il est
bien évident qu'aucun principe esthétique défini ne l'a guidé

dans la composition de son œuvre; il l'a écrite sans se soucier du mouvement général de la littérature de son temps et sans aucun dessein ni de le suivre ni de s'y opposer. N'est-il pas bien remarquable que devant un monument aussi important que sa *Recherche du temps perdu* il n'ait pas éprouvé le besoin de placer le moindre bout de préface? N'est-ce pas là l'indice que les préoccupations démonstratives sont en lui aussi faibles qu'on puisse le rêver? M. Proust est un de ces rares et précieux auteurs qui écrivent parce qu'ils ne peuvent pas faire autrement; son roman est le fruit naturel et immédiat de son admirable, de sa monstrueuse mémoire; il semble qu'il ait eu à le récolter bien plutôt qu'à le produire et que tous ses soins se soient épuisés à en assurer dans les meilleures conditions possibles la *venue*.

Aussi n'est-ce pas sans une certaine inquiétude que je m'apprête à le charger de mes commentaires : leur ampleur, leur pesanteur m'effraient. Je crains que l'auteur n'aille trouver fort mauvais le genre de sollicitude dont je me sens pris pour son œuvre et qu'il ne se fâche de me voir déverser sur elle mon pédantisme bien connu. Si admiratif doive être mon jugement, je crains qu'il ne l'estime un peu trop massif et qu'il ne m'accuse de lui jeter le pavé de l'ours.

Comment faire pourtant? Ne suis-je pas dans mon droit, ne suis-je pas, plutôt, dans mon devoir de critique, en essayant de dégager tous les enseignements que je vois infus dans les deux volumes qu'il nous a jusqu'à maintenant livrés? Ce sont souvent les œuvres les plus bornées, celles qui dans la pensée de leur auteur ont été accompagnées de la moindre ambition, qui se trouvent entraîner les conséquences les plus nombreuses et les plus riches, amorcer les révolutions les plus générales et les plus décisives. Je crois celle-ci lourde de plus de nouveauté que son auteur certainement ne le soupçonne; je la crois fort capable d'amener une crise de toutes les valeurs littéraires sur lesquelles nous vivons. Rien en elle ne menace, n'adjure, ne proclame; mais tout révise, réforme, déplace, inaugure; sans le vouloir, elle agit par chacune de ses molécules; elle a un pouvoir à la fois d'ébranlement et d'édification, dont les effets, à l'heure actuelle, sont encore à peine calculables.

Bien entendu ce n'est pas simplement pour son efficace que je l'aime, ni pour les bouleversements théoriques que je m'attends à la voir déclencher. Elle a pour moi mille charmes directs, dont, en la lisant, je subis presque sans réflexion l'influence. Mais plutôt que de les énumérer ici paresseusement, plutôt que de butiner sans dessein ses fleurs, plutôt que de vouloir capter et offrir à mon lecteur, qui peut aussi bien l'aller respirer sur place, son insaisissable parfum, je crois utile d'analyser sa leçon, de mettre en lumière le mal dont elle vient nous guérir et de montrer quelle sorte de renaissance elle nous promet.

MARCEL PROUST

À l'ombre des jeunes filles en fleurs est la seconde partie d'un immense roman en cours de publication, que Marcel Proust a intitulé *À la recherche du temps perdu*. Depuis les Mémoires de Saint-Simon, on n'a point vu paraître de monument psychologique dont les dimensions soient aussi imposantes. Ce gros livre est d'ailleurs un des livres les moins gros, je veux dire les plus minutieux, les plus précis, les plus positifs qu'il nous ait été donné de lire depuis longtemps. M. Marcel Proust n'est soucieux de nous montrer que le détail du sentiment ; il le poursuit avec une patience et avec un scrupule infinis. Il entre dans les caractères sans brusquerie, mais tout de suite avec profondeur ; il les dessine par l'intérieur, s'attachant à en reproduire chaque fibre. C'est un anatomiste. Il y a en lui un manque de paresse digne d'un savant. Et du savant il a aussi l'horreur pour toute parole trop grande, pour toute attitude démesurée. Il est profondément, gravement antiromantique.

Pourtant, il n'est pas froid. C'est le cœur humain qu'il étudie, et il en connaît trop bien, par une expérience trop longue et trop intime, la palpitante faiblesse pour jamais verser dans l'aridité. Le lecteur sensible, qu'il faut se garder de confondre avec le sentimental, trouve en sa compagnie une fine ivresse. Il reconnaît ses moindres émois, ses plus secrètes et plus fugitives atteintes. Depuis longtemps, depuis Stendhal peut-être, il ne s'était trouvé personne en France – qui est le seul pays où quelqu'un de tel se puisse rencontrer – pour s'occuper avec autant de soin de l'amour, c'est-à-dire de la seule affaire un peu sérieuse qui soit en ce monde. Les portraits de femme de Marcel Proust! Qui pourra les contempler sans un tendre et tacite serrement de cœur, sans retrouver en soi pêle-mêle cette pitié, ce désir, cet étonnement, cette rébellion, ce désenchantement ravi qui montent ensemble au cœur dès que le sollicite quelque visage trop charmant? Et qui lira les longues analyses d'*À l'ombre des jeunes filles en fleurs* sans se sentir replacé dans ce merveilleux désordre précis où nous plonge toute vraie passion?

Un beau livre, décidément.

L'Académie Goncourt n'a jamais été mieux inspirée.

Jacques Rivière

LE PRIX GONCOURT

L'Académie Goncourt a décerné son prix annuel à M. Marcel Proust, pour son roman *À l'ombre des jeunes filles en fleurs*, qui a paru aux éditions de *la Nouvelle Revue Française* et dont notre revue elle-même a publié d'importants fragments dans le premier numéro de sa nouvelle série [1]. Nous ne pouvons que saluer avec joie cette décision qui vient confirmer et consacrer une admiration chez nous déjà ancienne et que nous nous sommes efforcés, dès avant la guerre, de faire partager à nos lecteurs.

La presse quotidienne, que trop souvent gouvernent des préoccupations d'un ordre assez étranger à la littérature, s'est élevée, dans son ensemble, contre le choix de l'Académie Goncourt, à qui elle a reproché d'avoir avantagé, contrairement à ses traditions, un auteur qui n'est plus de la première jeunesse. Sans vouloir discuter les mérites respectifs des concurrents de M. Marcel Proust, parmi lesquels plusieurs avaient incontestablement du talent et verront leurs œuvres ici aussi favorablement que possible appréciées, il nous sera bien permis de faire remarquer que la jeunesse d'un écrivain ne doit pas se calculer exclusivement d'après son âge.

Du jeune homme qui s'assimilant avec adresse une formule déjà fatiguée, réussit à lui donner un éphémère brillant de nouveauté, ou de l'écrivain, qui ne se met au travail que sur le tard, poussé par le seul besoin de transcrire la vision profondément inédite et, si l'on ose dire, « impaire » qu'il a des choses, et particulièrement du monde intérieur, quel est le vrai « jeune » ? Pour le décider, ne faut-il pas regarder de quel côté l'avenir est le mieux servi, de quel côté la littérature se trouve le moins close, le plus exposée à se renouveler ? En d'autres termes, ne faut-il pas mesurer la quantité de jeunesse que contient l'œuvre, plutôt que celle dont son auteur a la chance (par elle-même déjà suffisamment agréable et qui se passe de récompense) d'être doté ? Si l'Académie Goncourt a procédé dans un tel esprit à l'examen des ouvrages qui lui étaient soumis, ne faut-il pas plutôt l'en féliciter que l'en blâmer ? Ne faut-il pas lui être reconnaissant d'avoir couronné, au lieu du plus jeune, le plus rajeunissant de tous les romanciers qui briguaient ses suffrages ?

Marcel Proust en effet, nous le prétendons et nous voudrions beaucoup pouvoir un de ces jours le démontrer, est au premier rang de ceux qui viennent nous rendre la vie. Sans peut-être s'y être consciemment efforcé, il renouvelle toutes les méthodes du roman psychologique, il réorganise sur un nouveau plan cette étude du cœur humain, où excella toujours notre génie, mais que le Romantisme avait, même chez nous, affaiblie, relâchée, obscurcie.

Le choix de l'Académie Goncourt, même s'il a déplu à quelques journalistes, sera certainement ratifié par la génération qui vient. Peut-on souhaiter meilleure preuve de sa justice ?

Jacques Rivière

[L'ESPRIT DE MARCEL PROUST]

Il y a souvent avantage à prendre une œuvre par son petit côté et à ne lui demander, pour commencer, qu'une satisfaction superficielle. Quiconque abordera la lecture du roman de Marcel Proust avec la seule idée de s'y amuser, en aura découvert la clef la plus entrante et aura chance d'y rencontrer le plus de récompenses, et les plus inattendues. L'important est de se faire d'abord aussi peu ambitieux que l'auteur a su l'être, de s'associer à l'extrême modestie de son dessein.

À la recherche du temps perdu. Il s'agit de reconstituer les années disparues, de reconstruire les sensations, les émotions, les unes après les autres, qui les ont peuplées, de faire réapparaître avec distinction les visages qui s'y tiennent confusément massés. Cette entreprise qui pourrait être le prétexte de beaucoup de lyrisme et de très peu d'exactitude, Proust s'y adonne avec tranquillité, précision et amusement. Il ne veut rien que nous remontrer les gens qu'il a connus, les illusions par lesquelles il a passé; et comme son regard est aussi minutieux et concret que possible, il nous rend d'abord le détail de sa vie et tous les petits traits qui définissent, qui déterminent une figure; aussi la vérité qu'il poursuit et qu'il obtient ne touche-t-elle qu'en faisant sourire. Par moments même il s'élève au plus haut comique. Rien de plus franchement drôle que le salon de Mme Verdurin, que le personnage de Bloch ou celui de M. de Norpois.

Il y a dans les peintures que fait Proust, quelque chose d'admirablement photographique. Jamais on ne vit pellicule plus sensible que son esprit, ni qui se laissât aussi délicatement, aussi finement impressionner. Tout est rendu. Le personnage apparaît avec ses moindres manies, avec ses tours de phrases, avec le langage qu'il s'est fait, dans lequel il s'est traduit lui-même le premier. Il nous donne ainsi gratuitement la comédie et nous le suivons avec une admiration pleine de gaîté, avec je ne sais quelle tendresse pour ses ridicules.

Mais le lecteur qui aura pénétré dans le livre conduit par la seule envie de s'y distraire ou par le seul goût du pittoresque ne tardera pas à s'apercevoir qu'il y peut trouver bien d'autres contentements. L'appareil dont l'auteur dispose ne lui sert pas à prendre des vues seulement extérieures; il est aussi bien utilisable à l'intérieur de l'âme, et pour la reproduction des idées et des sentiments. Là encore, là surtout Proust atteint à une ténuité jusqu'ici inconnue. Ses clichés ont même une valeur scientifique et font penser aux plus belles planches microscopiques dont s'enorgueillisse l'anatomie. Chaque moment de sa conscience passée, de cette conscience qui chez la plupart d'entre nous semble si irréparablement abolie, est retrouvé et photographié tel quel. On voit tous les petits mouvements de l'âme, ses moindres élans, ses constants repentirs, le va-et-vient de ses pensées. On assiste à la modification jour par jour, heure par heure, d'un cœur prodigieusement sensible, d'un esprit en continuelle activité. Le temps psychologique est ainsi reconstitué; les années reprennent leur épaisseur véritable; on recommence d'y circuler aussi lentement qu'elles se sont développées; on retrouve leur allure qui est en général ce qu'il y a dans le souvenir de plus impossible à se représenter.

Proust est un peintre admirable de cet absurde et magique sentiment qu'est l'amour. Il y a dans son roman un petit roman intérieur, qui est à lui seul un chef-d'œuvre. C'est la deuxième partie de *Du côté de chez Swann : Un amour de Swann*. Tout ce qu'une femme peut mettre dans un cœur d'homme de puérilité, de superstition, de scrupule, de désintéressement, de sublime illusion, tout ce qu'elle peut y détruire et y faire naître, toutes les idées dont elle peut le priver ou l'enrichir, la transformation prodigieuse qu'elle peut amener de tout son être, tout cela est paisiblement et dramatiquement décrit, dans une langue d'une force, d'une complexité et d'une évidence qui font penser plusieurs fois à Descartes. Et dans l'*Ombre des jeunes filles en fleurs*, c'est la séparation avec Gilberte, l'analyse patiente et vertigineuse « des progrès irréguliers de l'oubli ». Jamais encore dans notre littérature, dont il fut pourtant à toute époque le thème favori, l'amour n'avait été soumis à une étude aussi complète, aussi dépouillée d'emphase et, si le mot ne risquait de créer une équivoque, on pourrait dire aussi technique. Et jamais peut-être non plus – il faut bien le dire aussi – son atmosphère, le monde imaginaire qu'il crée autour de l'amant n'avaient été restitués avec autant de puissance poétique.

En un mot Proust nous convie à l'une des plus extraordinaires explorations du continent intérieur qui aient jamais été entreprises. S'il nous demande de la patience, c'est parce que les chemins où il entend nous mener sont multiples et étroits. Mais ils sont fleuris aussi, – de mille découvertes charmantes, de mille traits familiers et plaisants et de remarques dont la cruauté reste toujours placide et souriante.

L'esprit : voilà peut-être sinon la principale, tout au moins la première vertu de Proust, celle qui vient tout de suite à votre rencontre. Et si l'on veut le mesurer, cet esprit, à sa valeur, il est indispensable de lire, à côté de la *Recherche du temps perdu*, le volume intitulé *Pastiches et Mélanges,* sur la voie duquel le Prix Goncourt n'a peut-être pas suffisamment aiguillé les lecteurs. Prenant pour thèse l'imposture de Lemoine, qui prétendait avoir trouvé le secret de la fabrication du diamant, Proust s'y amuse à imiter successivement la manière de Balzac, de Flaubert, de Ste-Beuve, d'Henri de Régnier, des Goncourt, de Michelet, de Faguet, de Renan et de St-Simon. Sa réussite est d'un tout autre ordre que celle des fabricants habituels de pastiches. Ce n'est point l'enveloppe du style seulement qu'il parvient à reproduire. Le rire qu'il nous arrache n'est pas celui qu'amène la simple parodie. Il a une source psychologique. Nous nous amusons de voir chaque écrivain « revenir » tout entier et refaire, au contact d'un événement qu'il n'a pas connu, les mêmes gestes exactement par lesquels il réagissait jadis sur ceux que lui apportait la vie. Le foyer de son activité mentale est retrouvé, la lampe rallumée dans son crâne. Ici encore c'est à un prodige d'intuition et aussi d'induction psychologiques que nous devons notre plaisir et notre gaîté.

Les Mélanges, que contient le même volume, comprennent les préfaces que Proust avait composées pour ses traductions de Ruskin, publiées au *Mercure de France*. *Les Journées de lecture* évoquent avec une admirable précision poétique le souvenir de ces lectures d'enfance, qui laissent une si prodigieuse impression, mais dont l'auteur discute ensuite avec beaucoup d'esprit l'utilité. Quiconque voudra prendre de Proust une idée aussi complète que celle que lui-même nous donne de ses personnages, ne pourra pas négliger ce curieux et profond petit volume de *Pastiches et Mélanges*, où il se livre d'une façon plus indirecte, mais non moins gracieuse et spirituelle que dans son roman.

MARCEL PROUST
ET LA TRADITION CLASSIQUE

Quand j'écrivais les quelques lignes qu'on a pu lire dans notre dernier numéro sur le Prix Goncourt, je n'avais encore qu'une idée très imparfaite de la tempête qu'allait soulever la distinction accordée au livre de Marcel Proust [1]. Le choix des Dix me paraissait si naturel, si heureux, que je ne pouvais, malgré tout ce que je savais, m'attendre à un débordement si furieux de protestations.

Pourtant, en y réfléchissant, ces protestations, je vois bien maintenant qu'elles pouvaient être prévues. Dans le fond elles sont parfaitement normales. Ce sont celles qui toujours saluent la première tentative pour mettre à sa place une grande œuvre. Elles représentent la punition rituelle de quiconque s'efforce, dans le domaine des choses de l'esprit, à un acte de simple et élémentaire justice.

Si j'eusse conservé quelque doute sur l'importance d'*À la recherche du temps perdu*, il m'eût été enlevé par la petite émeute à laquelle nous venons d'assister. Seuls les chefs-d'œuvre ont le privilège de se concilier du premier coup un chœur aussi consonant d'ennemis. Les sots jamais ne se mettent en révolution sans qu'il leur ait été fait quelque positive et vraiment cruelle injure.

*

J'aurais beaucoup aimé à n'écrire sur Proust qu'à la façon dont il écrit lui-même, c'est-à-dire avec lenteur, complaisance et détail. J'avais commencé, il y a six mois, sur son roman, une étude où je voulais mettre, à défaut d'autres qualités, toute ma patience. Pressé par l'actualité, je ne vais pouvoir en donner aujourd'hui qu'un extrait, quitte à corriger plus tard par d'autres considérations ce que celles qu'on va lire ont peut-être de trop exclusivement technique.

*

Je ne puis prendre pour un simple hasard le fait que Proust a vu se coaliser principalement contre lui tous les tenants de « l'art révolutionnaire », tous ceux-là qui, confondant vaguement politique et littérature, s'imaginent que la hardiesse est toujours de même sens dans les deux domaines, que dans le second comme dans le premier il n'y a d'initiative qu'*en avant*, que l'inventeur est toujours celui qui va plus loin que les autres, – tous ceux-là qui se représentent l'innovation littéraire comme une émancipation et qui saluent comme un pas de plus vers la Beauté chaque abandon d'une règle jusque-là respectée, chaque nouvelle entrave qui tombe, chaque précision de moins qu'on apporte. L'un d'eux, non sans candeur, a traité Proust d'écrivain « réactionnaire ». Et comment eût-il compris qu'en littérature il peut y avoir des révolutions *en arrière*, des révolutions qui consistent à faire moins gros, moins grand, moins libre, moins sublime, moins pathétique, moins sommaire, moins « génial » qu'on n'a fait jusque-là ? Comment eût-il compris que c'est d'une révolution de ce genre que nous avons aujourd'hui avant tout besoin, et que cette révolution, le « réactionnaire » Proust vient justement en donner le signal ?

Je tâcherai quelque jour d'analyser en détail les raisons qui ont fait de notre XIXᵉ siècle une période de grave langueur pour toute la littérature psychologique. Je ne prends aujourd'hui que le fait qui me paraît incontestable. À partir de Stendhal, il se produit une dégradation continue de notre faculté, pourtant si ancienne, si invétérée, de comprendre et de traduire le sentiment. Flaubert représente le moment où le mal devient sensible et alarmant. Je ne veux pas dire que *Madame Bovary* et *l'Éducation sentimentale* n'impliquent aucune connaissance du cœur humain; mais ni l'un ni l'autre ouvrage ne contient la moindre vue *directe* sur sa complexité; ni l'un ni l'autre ouvrage ne nous fait avancer en lui, ne nous en découvre *de face* de nouveaux aspects. Il y a chez l'auteur une certaine pesanteur de l'intelligence au regard de la sensibilité; elle la suit mal; elle ne la débrouille plus; elle ne sait plus l'atteindre dans son caprice et dans sa nuance. De là, je crois, l'impression de piétinement que nous donnent ces livres, pourtant si fortement « en marche », et dont le style, comme le remarquait si justement ici même Marcel Proust, fait penser à un « trottoir roulant [2] ».

Un stade plus avancé de la maladie dont a souffert au XIXe siècle notre sens psychologique peut être avantageusement étudié dans les premières œuvres de Barrès. Grande entreprise d'un écrivain sur lui-même; nombreuses et précises dispositions pour procéder à une investigation aussi subtile et pénétrante que possible de ses émotions : résultat rigoureusement nul. Il n'y a pas, dans les trois ou quatre volumes du *Culte du Moi,* le plus petit embryon de découverte psychologique; c'est vraiment le « Dieu inconnu » qui, d'un bout à l'autre, s'y trouve encensé. Malgré toute sa bonne volonté, malgré tout l'appareil dont il s'entoure, Barrès n'arrive pas à vaincre l'hermétique nuit intérieure dont il est affligé.

Partout d'ailleurs autour de lui, à cette époque, l'intelligence de soi est en baisse. Jamais on n'a tant parlé d'intuition, et jamais on n'en a été plus incapable; du moins en ce qui regarde les objets intérieurs. Le Symbolisme apprend non pas seulement aux poètes, aux romanciers aussi, une certaine manière délicieuse de ne s'aborder soi-même qu'en songe. Il s'agit avant tout d'être aveugle. L'effort à faire, s'il y en a un, est exactement au rebours de la clairvoyance : pour mieux faire vibrer le lecteur, on ne touchera que du dehors et avec une sorte de circonspection enivrée aux émotions dont on veut le ravir ; il faut les presser, les étreindre, leur faire donner toute leur liqueur ; mais ne surtout pas les pénétrer, les attaquer, les dissoudre. L'écrivain, quel qu'il soit, s'exerce avant tout à être global ; il n'est content que lorsqu'il réussit à restituer d'ensemble, par la suggestion, par la caresse, un moment de son âme ; il n'a le sentiment d'avoir fait sa tâche que lorsqu'il est parvenu à se subir lui-même, tel quel et en toute ignorance, pendant un instant.

Le roman psychologique s'imprègne de lyrisme ; il n'est plus une branche de l'étude des passions ; il ne sert plus à dessiner des caractères ; à de très rares exceptions près, il n'est plus conçu que comme un recueil d'« impressions » sur l'âme, de « paysages introspectifs ».

Au premier abord, Proust peut sembler n'avoir rien fait d'autre que porter ce genre à sa perfection. N'est-il pas un prodigieux « évocateur » de sensations et de sentiments ? À quoi s'attache-t-il, sinon à faire revivre sous les yeux du lecteur tout son passé intérieur ?

– Sans doute ; mais il y a la manière. Il ne compte pour cela sur aucune baguette magique. Il ne va pas faire « surgir » devant nous « du fond des eaux » son âme comme une île entière et tout équipée. *À la recherche du temps perdu :* ce titre dit tout ; il implique une certaine peine, de l'application, de la méthode, de l'entreprise ; il signifie une certaine distance entre l'auteur et son objet, une distance qu'il aura sans cesse à franchir par la mémoire, par la réflexion, par l'intelligence ; il sous-entend un besoin de connaissance ; il annonce une conquête discursive de la réalité poursuivie.

Et en effet, Proust laisse tomber dès l'abord tous les moyens littéraires qui participent le moins du monde de l'enchantement. Il se prive, avec quelque sévérité même, de la musique ; on voit qu'il ne veut pas suggérer, mais retrouver.

Il s'attaque aux sentiments, aux caractères, par le détail ; il n'abdique pas toute prétention à en montrer le contour et la silhouette; mais il sait que cela ne doit, ne peut venir qu'à la longue. Grignoter d'abord. C'est un rongeur : il fera beaucoup de débris, avant que l'on puisse comprendre que ça n'en est pas, que ce sont les matériaux d'une vaste et magnifique construction.

Je ne puis dire assez combien je trouve émouvant son renoncement à émouvoir, sa patience, sa diligence, son amour de la vérité. Il prend sa plume du bon bout; il dessine d'abord un petit morceau et le reste vient tout seul peu à peu. Il me fait penser aussi à ces machines qui avalent si mathématiquement la pièce d'étoffe, la feuille de papier dont on ne leur a pourtant livré que la frange.

Il ne fait rien apparaître que par le dedans; du Temps perdu, il ne pense pas à redire l'écho; il tâche seulement de lui rendre peu à peu tout son contenu. Et de même en particulier pour chaque émotion qu'il a éprouvée, pour chaque personnage qu'il revoit. Il cherche tout de suite leurs nuances, leur intime diversité; ce n'est qu'à force d'y découvrir de la différence qu'il espère les rappeler à la vie.

M. Jacques Boulenger a très finement remarqué dans l'Opinion que Proust ne peignait les autres qu'« en retraçant le reflet qu'ils laissaient en lui », et qu'il allait ainsi chercher leur image comme au fond d'un miroir intérieur [3]. Il faut comprendre toute la signification de ce procédé. On a beau faire, il n'y a de description vraiment profonde des caractères qu'appuyée sur une étroite et solide compréhension de soi-même. Avant de se tourner vers le dehors avec quelque chance de succès, il faut que l'analyse ait fortement mordu au-dedans. Du moins, est-ce la loi chez nous, en France. Ce qui a manqué à Flaubert et à tous les romanciers de son école, c'est d'avoir su se saisir d'abord eux-mêmes. Pour avoir voulu être d'emblée et directement objectifs, ils se sont condamnés à poser simplement devant eux des objets, mais sans les animer, sans les diversifier, sans les éclairer intérieurement.

Proust voit toutes choses, et même les extérieures, sous l'angle où il se voit lui-même. Et comme il a pris en lui-même l'habitude de la réfraction, son regard d'emblée décompose, spécifie. Il parvient ainsi, en ne séparant jamais aucun être de son détail, à nous le montrer toujours entièrement concret, aussi nourri au-dedans qu'au-dehors, à la fois étonnant et connu.

C'est la grande tradition classique qu'il renoue ainsi. Racine fait-il autre chose que d'aller chercher autrui en lui-même? Ayant mis un jour son intelligence aux trousses de sa sensibilité, peu à peu, par tout ce que l'une gagne sur l'autre, il devient créateur. Et de cette façon seulement. Rien par lui n'est suscité d'emblée. C'est par la compréhension, c'est par l'analyse, c'est par la connaissance, qu'il fait naître peu à peu des êtres différents. Et ces êtres eux-mêmes, s'ils se dessinent aux yeux du lecteur, ou du spectateur, c'est grâce à la continuation en eux de ce progrès de l'intelligence. Le poète du premier coup a tourné le dos à leur totalité, il a refusé l'aspect qu'ils eussent pu prendre; il n'a voulu que les mieux voir, qu'entrer dans leur âme comme il était entré d'abord dans la sienne, c'est-à-dire tout armé d'attention. Hermione, Néron, Phèdre, d'où sortent-ils peu à peu pour nous, sinon du sein des sentiments entre lesquels on nous les fait voir partagés? Il n'y a pas ici de *création* à proprement parler, mais de l'*invention* seulement, c'est-à-dire quelque chose de *trouvé*, d'aperçu, de démêlé, une constatation, et si l'on peut dire, de la conscience d'autrui.

Proust, en plus grand, en plus lent, en plus minutieux, en moins dramatique, reprend cette méthode. Il retrouve, en tout, le chemin de l'intérieur. Et non pas, suivant le mode bergsonien, par un effort de concentration et de sommeil, mais au contraire par un déploiement paisible de lucidité et de discernement. Aussi naturellement qu'un poète projette devant lui des images, oublieux de soi, — Proust, plongeant en lui-même, interroge, explore, devine, reconnaît et peu à peu s'explique les choses et les gens; son esprit mange tout doucement ce qu'ils comportent d'obscur ou d'opaque, détruit en eux tout ce qui ne se laisse pas voir, tout ce qui tendrait à faire seulement impression; il les *invente* ainsi, rien qu'en en faisant *l'inventaire*, par la seule calme perpétuité de la considération qu'il leur accorde. Pour les produire il les démontre. Sur la page où il écrit, c'est leur évidence qu'il tente et, par dix mille mots, va chercher. Il n'admet pas leurs ombres : elles aussi doivent être pleines de traits qu'on peut, qu'il faut saisir : faute de mieux il les peuplera de ses hypothèses.

Il travaille ainsi à contresens de tout le Romantisme, qui a sans cesse consisté à faire croire à des choses sans les montrer. On peut attendre de son intervention, pour notre littérature, un immense dégonflement. Il va devenir, d'ici quelque temps, impossible d'intéresser en bloc, de toucher directement l'imagination : l'écrivain ne pourra plus demander cette fois des sens, à laquelle il a été fait un appel de plus en plus tyrannique. Il faudra s'expliquer, il faudra mettre cartes sur table. Et l'on verra bien alors que les grandes choses sont celles où il y a le plus de petites, que la profondeur est en raison inverse de l'énormité et que le génie n'est peut-être pas si différent qu'on en est venu à le croire du jugement et de la précision.

En nous débarrassant de l'indivision des idées et des sentiments, Proust nous débarrasse de l'énigmatique et de l'incontrôlable. Il rend de l'eau au moulin de notre raison et fait travailler en nous de nouveau la faculté réfléchissante. Grâce à lui, nous échappons à cette espèce de complicité sensuelle ou de conversation mystique, qui tendait à devenir la seule relation où nous pussions nous trouver engagés avec un écrivain. Nous reprenons goût à comprendre; notre plaisir est de nouveau d'apprendre quelque chose sur nous-mêmes, de nous sentir pénétrés par la définition, de nous reconnaître plus avant formulables que nous n'avions cru l'être.

Le grand et modeste cheminement à travers le cœur humain que les classiques avaient amorcé, recommence. « L'étude des sentiments » fait de nouveau des progrès. Nos yeux se rouvrent à la vérité intérieure. Notre littérature, un moment suffoquée par l'ineffable, redevient ouvertement ce qu'elle a toujours été, dans son essence : un « discours sur les passions [4] ».

JACQUES RIVIÈRE

M. PIERRE LASSERRE
CONTRE MARCEL PROUST

Il y a quelque chose de touchant dans l'infaillibilité avec laquelle M. Pierre Lasserre découvre l'un après l'autre tous les sujets qui peuvent mettre le mieux en lumière sa radicale incompréhension de la littérature contemporaine. Après Claudel, après Péguy, le voici qui prend bien garde de ne pas manquer l'occasion superbe que lui offrait Marcel Proust. Son article de la *Revue Universelle* (nº du 1er juillet) : *Marcel Proust humoriste et moraliste* témoigne d'un manque de pénétration vraiment exceptionnel. Sous les dehors de l'aisance et de la vivacité, le plus naïf pédantisme et une extrême inintelligence s'y étalent inconsidérément. Par moments on croit entendre Bloch lui-même, par miracle sorti de l'*Ombre des jeunes filles en fleurs* et en entreprenant la critique, ou plutôt l'éreintement.

Plusieurs phrases de M. Lasserre indiquent qu'il fait grand cas de la « légèreté ». (Ne reproche-t-il pas à Marcel Proust d'être « l'écrivain le plus empesé de son temps »?) Lui-même tient à en donner l'exemple :

« Je savais bien, lisait-on dans *À l'ombre des jeunes filles en fleurs*, que je ne posséderais pas cette jeune cycliste si je ne possédais aussi ce qu'il y avait dans ses yeux, etc. [1] »

« Manière de dire un peu exagérée, interrompt aussitôt M. Lasserre. Car il nous a été montré dans les yeux de la jeune cycliste tout un paysage comprenant notamment les " pelouses des hippodromes " (M. Proust a voulu probablement dire : des vélodromes) familiers à sa mémoire imaginative. Et ce serait une beaucoup trop bonne affaire que la possession d'une cycliste jeune et jolie entraînant par-dessus le marché l'acquisition gratuite du terrain où elle cultive son sport. »

Il est évidemment regrettable que l'œuvre de Marcel Proust ne soit pas plus abondante en traits de la grâce de celui que décoche ici M. Lasserre. Elle se laisserait lire certainement avec beaucoup plus d'amusement.

Mais le fond en resterait toujours déplorablement aride. Car Marcel Proust n'a jamais eu la moindre imagination, la moindre sensibilité. « Sa nature? J'ai dit, tranche M. Lasserre, qu'il n'en avait pas. » Aussi est-il obligé de se forger sans cesse artificiellement des sensations.

« Tout chez lui est concerté. D'impressions vives, personnelles, originales, colorées, qui valussent la peine d'être écrites, il n'en a point. Il veut cependant écrire des impressions. Placé dès lors devant le problème de l'omelette sans œufs (encore un joli trait et dont Marcel Proust fera bien d'enrichir son répertoire), M. Proust fait de l'*ersatz*. La qualité d'inspiration et de feu d'esprit qui lui serait nécessaire pour briller dans le genre littéraire de son choix, il en fabrique le simili au moyen d'une espèce de cuisine intellectuelle. »

Sans nous laisser éblouir par l'éclat du style, sondons un peu la profondeur de ces remarques de M. Lasserre. Elles ont ce rare mérite de devenir extrêmement justes sitôt qu'on en prend le contre-pied. C'est en effet une évidence que chez Marcel Proust rien « n'est concerté ». M. Lasserre a tout à fait raison de dire que « d'impressions vives, personnelles, originales, colorées, et qui vaillent la peine d'être écrites », Proust en a trop. C'est même la difficulté contre laquelle il doit lutter sans cesse : endiguer ce flot, éviter d'être submergé par lui; tout son art se réduit peut-être à faire face, à tenir tête à sa mémoire, – une des plus copieuses qui se soient jamais vues.

Et combien M. Lasserre est avisé quand il dénonce « cette qualité d'inspiration et de feu d'esprit » qui le frappe chez Marcel Proust! Nul auteur, en effet, qui ait, moins que Proust, à chercher ce qu'il va dire, qui ait moins de trajet à faire pour atteindre son sujet, qui soit plus facilement et plus vite à son niveau; nul écrivain qui, moins que lui, s'inquiète de « prendre un ton ». La simplicité, l'absence de recherche et d'effort, le naturel (certains diraient peut-être : la nonchalance) : voilà bien, en effet, les qualités éminentes de Marcel Proust. Il a de l'esprit comme s'il parlait seulement, au fur et à mesure des choses, sous leur seule influence. Jamais il ne s'écoute, jamais il ne se travaille; c'est le simple courant de sa pensée qui l'amène à ses meilleures inventions.

Après tout, c'est peut-être de la reconnaissance que nous devons à M. Pierre Lasserre. Je me trompais au début en l'accusant d'inintelligence. Il a, au contraire, le sens de l'erreur profitable... Tout au moins pour les autres. Voici que sans le vouloir il nous a mis sur la voie de plusieurs des caractéristiques essentielles du talent de Marcel Proust. Continuerons-nous de lui faire mauvais visage? Ce serait cruel, puisque, dans cette affaire, il est le seul en somme qui soit victime, le seul qui reste privé de récompense et de plaisir.

JACQUES RIVIÈRE

LE CÔTÉ DE GUERMANTES I

Il y a vingt espèces différentes de surprises. Avec Marcel Proust nous éprouvons surtout celle de l'approfondissement psychologique, celle de voir se compliquer, se prolonger, souvent se démentir, en un mot s'humaniser, des êtres dont nous pensions bien pourtant tenir le secret, la figure définitive. Dans ce troisième tome de son immense et magnifique roman, l'auteur ne nous présente que très peu de personnages nouveaux. Et cependant c'est à un étonnement perpétuel qu'il nous convie; nous avançons dans son œuvre comme au cœur d'une féerie. Successivement Françoise, Saint-Loup, la duchesse de Guermantes, Madame de Villeparisis, Monsieur de Norpois, Bloch, Monsieur de Charlus, nous découvrent des aspects de leur caractère, de leur vie, absolument imprévus. Ils se remettent sous nos yeux à croître, à se déployer, comme ces roses de Jéricho qu'on pouvait croire éteintes et bonnes pour l'herbier, mais dont un peu d'eau suffit à réveiller l'instinct végétal. On goûtera tout particulièrement l'installation de la famille du héros dans l'hôtel de Guermantes, le séjour à Doncières auprès de Saint-Loup, les scènes entre Saint-Loup et sa maîtresse, la réception de Madame de Villeparisis, la conversation homérique de Bloch et de Monsieur de Norpois sur l'affaire Dreyfus, les entreprises de M. de Charlus. On admirera à nouveau, et avec plus de raison que jamais, la manière progressive et détaillée, l'art de construire par le dedans, de créer des êtres par la seule analyse de leurs manies, de leurs tics, de leur langage, qui sont les facultés maîtresses du grand psychologue qu'est Marcel Proust. Et aussi peut-être, comme à des oasis de poésie au milieu de l'innombrable définition des caractères qui fait le fond de l'ouvrage, se plaira-t-on aux pages où l'auteur tantôt décrit la nature telle que la suppression momentanée ou définitive d'un sens la transforme, tantôt reconstitue la flore obscure de ses sommeils et tantôt évoque l'aquarium prodigieux de l'Opéra, où nagent, dans une ombre transparente, les blanches Néréides que le spectacle attire du fond des eaux.

LES LETTRES FRANÇAISES ET LA GUERRE

De l'est à l'ouest et du nord au sud, la ruine de la littérature lyrique m'apparaît immense.

Il n'y aurait à s'en désoler que si rien ne naissait à sa place, que si le ravage de la guerre se révélait sans compensation.

Et il l'eût été certainement s'il n'y eût eu, au moment où la tempête s'est déchaînée, ces germes nouveaux, cette timide reviviscence de l'esprit critique que nous avons plus haut remarqués [1].

Ils se développent, elle s'affirme.

Rien jamais ne commence dans la masse, du moins en art. Et il ne le faut pas. C'est pourquoi le mouvement que je vois s'amorcer compte encore si peu de représentants et peut sembler illusoire à ceux qui attendent la généralisation d'un événement pour le deviner.

Quelques esprits pourtant ont été touchés par ce que la guerre leur a montré des *possibilités créatrices de l'analyse*; ils ont été frappés de voir qu'en s'attaquant à leurs impressions, qu'en tâchant de les dissoudre et d'en atteindre la cause, ils ne les détruisaient pas forcément, qu'au contraire peut-être c'était le meilleur moyen de les retenir, de leur donner de la permanence, et même d'en faire apparaître de nouvelles.

Obligés d'affronter leur sensibilité, au lieu de la suivre, ils se sont aperçus que justement peut-être ç'allait être désormais en lui résistant qu'on obtiendrait d'elle le meilleur rendement. L'espèce de retour contre soi-même, de volte-face quasi agressive à laquelle la guerre les avait contraints, leur a fait découvrir une fécondité nouvelle de ce même « cœur » qu'ils combattaient.

Tandis qu'encore en 1914 l'effort de l'intelligence ne donnait à lui tout seul que des œuvres impersonnelles et étiolées, comme celles des écrivains néo-classiques, voici, semble-t-il, qu'il reprend une efficacité propre et suscite spontanément une réalité.

Le grand exemple, ici, est, comme on l'aperçoit, le roman de Marcel Proust : *À la recherche du temps perdu,* dont quatre volumes ont paru jusqu'ici. À vrai dire, il est difficile de le considérer comme un produit direct de la guerre, puisqu'il fut écrit presque tout entier avant 1914. Mais c'est assurément l'influence de la guerre qui l'accorde si merveilleusement avec nos préoccupations et lui donne tout à coup une si grande valeur représentative.

Le dessein de Proust, quand il entreprit son œuvre, fut d'une extrême modestie : il voulait retrouver, morceau par morceau, toute son expérience passée et la fixer. Aucune ambition, d'abord, d'émouvoir, ni d'étonner, ni d'induire son lecteur en extase; aucune intention d'art. Il prenait simplement l'attitude de la réflexion, il tâchait de se rappeler. Puis s'étant rappelé, il tâchait de débrouiller son souvenir, de l'analyser, d'en mettre bien proprement à part tous les éléments.

Il esquissait ainsi un mouvement de réaction contre lui-même; son esprit se reprenait à son propre flot, comme quand on fait attention; il rompait, dans le désir de la connaître, de la comprendre et de la décrire, avec sa « poussée vitale ».

Aussitôt un prodigieux jardin se mit à pousser, à fleurir. Il n'existe peut-être aucune œuvre aussi touffue, aussi luxuriante que celle de Proust. Et pourtant elle est née d'un certain refus de s'abandonner.

Oui, la grande nouveauté littéraire de l'après-guerre, celle en tout cas qui nous enseigne le plus de choses et nous ouvre le plus d'avenir, c'est cet immense roman, dans lequel l'analyse se révèle constamment créatrice et déclenche tout normalement l'imagination.

Par lui nous sortons d'un âge de production implicite pour entrer dans un âge de production explicite. Par lui, nous échappons à la monotonie du sentir pour retrouver toutes les joies de l'intellection. En lui, c'est la vérité – la vérité des caractères et des passions – qui de nouveau nous sollicite et nous touche.

Du coup, à la place du seul « émoi », comme dirait M. Benda, toute une gamme d'émotions nous redevient possible, depuis la sympathie jusqu'à l'amusement. Le rire reprend ses droits; nos facultés les plus diverses rentrent en jeu et trouvent d'alternatives satisfactions.

C'est un grand miracle que Proust a accompli en voulant tout à coup si peu de chose, en se dressant simplement contre les impulsions obscures auxquelles il était devenu de mode de toujours céder. Du fait d'un peu de contention de son esprit, de grandes sources ont jailli là même où les experts nous avaient garanti le roc désormais aride.

MARCEL PROUST

Un malheur affreux vient de nous frapper, frappe les lettres françaises : Marcel Proust est mort. Malgré la vie cloîtrée qu'il menait depuis plusieurs années déjà, rien dans sa santé ne semblait irréparablement atteint ; il avait même un fonds de résistance qui étonnait ses amis et les empêchait d'imaginer que la maladie pût jamais le vaincre. Une petite grippe qu'il n'a pas su ni voulu soigner, a traîtreusement déjoué ses défenses et nous l'a pris.

Sur cette tombe, il faut avant tout éviter l'emphase. Il faut que notre douleur se maintienne intérieure et sage, comme lui-même fut appliqué et profond.

Et pourtant c'est un ami de la plus rare bonté et d'un charme délicieux que nous perdons. Et pourtant c'est un des plus grands écrivains français qui s'en va. Et pourtant c'est la lumière la plus éclatante que la France ait projetée sur le monde, dans le moment même où on pouvait la croire épuisée par la guerre, qui s'éteint.

On ne sait pas encore, on ne peut pas savoir encore, mais on verra peu à peu combien Proust est grand. Les découvertes qu'il a faites dans l'esprit et dans le cœur humains seront considérées un jour comme aussi capitales et du même ordre que celles de Képler en astronomie, de Claude Bernard en physiologie ou d'Auguste Comte dans l'interprétation des sciences. Il a droit encore pendant longtemps à l'indifférence de ceux qui parlent au lieu de penser. Mais il faut que l'entourent et l'assiègent avec instance et fidélité, dès maintenant, la curiosité, la tendresse, la reconnaissance de tous ceux pour qui se comprendre et comprendre l'homme sont les seules occupations qui aient un sens dans cette vie.

La Nouvelle Revue Française, qui a eu l'honneur et la joie de révéler Proust au grand public, tient à montrer tout de suite l'importance qu'elle lui attribue en lui consacrant un numéro spécial. C'est l'homme d'abord que ses amis personnels tâcheront par des souvenirs, de faire revivre ; c'est l'écrivain ensuite que les critiques qui ont su, les premiers, le reconnaître, s'attacheront à définir et à situer. Un fragment inédit du volume que Proust venait de nous remettre pour l'impression, et – nous l'espérons aussi – certains témoignages étrangers, compléteront cet hommage.

Que notre deuil du moins tâche d'être fécond, s'il est impossible à consoler !

JACQUES RIVIÈRE

MARCEL PROUST ET L'ESPRIT POSITIF

Marcel Proust est mort de cette même impéritie qui lui a permis d'écrire son œuvre. Il est mort par manque d'esprit pratique, pour n'avoir pas su changer ses conditions d'existence au moment où elles étaient devenues destructrices; il est mort parce qu'il ne savait pas comment on ouvre une fenêtre, comment on allume du feu. Prisonnier d'habitudes à la fin pernicieuses, aucun moyen de les rompre, ni même de les plier ne s'est présenté à son esprit; il s'est trouvé sans aucune espèce de prise sur les choses qui l'entouraient et n'a vu à aucun instant le biais par où elles pouvaient être déplacées et réadaptées aux besoins de son organisme affaibli.

Mais cela revient à dire qu'il fut un des esprits les plus purement, les plus uniquement spéculatifs qui aient jamais paru sur cette terre. En tout, le prix de son œuvre tient, en effet, d'abord, à mon sens, à ce qu'elle est, de toutes celles qui furent jamais écrites, la plus dépourvue de rapports avec l'Utile. L'étonnement qu'elle nous a donné au début, et la résistance scandalisée qu'elle rencontre encore aujourd'hui chez certains, ne viennent-ils pas avant tout de la sérénité presque insupportable du regard qu'on découvre au fond? On sent qu'à aucun moment l'auteur ne laisse s'opérer en lui cette réaction, chez nous tous si naturelle que nous ne l'apercevons même pas, de l'intérêt sur la perception; jamais ce flot sournois qui recouvre sans cesse les plages de notre vision, n'a même mordu sur les bords de la sienne. Jamais ne s'est produit chez lui ce précipité presque immédiat que le filet de la réalité détermine, en y tombant, dans notre esprit plein de besoins. S'il y eut chez Proust quelque chose de monstrueux, ce fut la suspension en lui de toute chimie pragmatique.

Mais il ne faut pas trop lui donner ce visage impassible, indifférent que l'on attribue au pur savant. Son attitude est plus complexe. Il commence par la sensation; un rien suffit à l'ébranler et de véritables tourbillons s'ensuivent dans tout son système perceptif. Il est même, avant tout, un être exposé. Ses amis savent combien longue était la liste des influences physiques qu'il craignait. On a raconté comme des traits purement pittoresques sa peur du soleil, du bruit et l'on a épilogué sur les cloisons de liège dont il avait fait tapisser son appartement du Boulevard Haussmann. On n'a voulu voir dans ces précautions que d'amusantes manies, entièrement gratuites. Mais pourquoi douter que ses sens fussent d'une autre fabrique que les nôtres, et d'une susceptibilité anormale? Pourquoi faire de la grossièreté des nôtres la règle des siens, et imaginer d'après nous-mêmes l'intensité des courants qui le traversaient? Je suis certain que le voltage des sensations chez Proust fut toujours incommensurable avec ce qu'il est chez l'homme moyen.

Proust trempe d'abord entièrement, profondément dans la sensation, dans le sentiment. Dès son enfance *éprouver* lui prend toutes ses forces, sauf une : l'intelligence. On le voit captif de ses propres émotions, enseveli sous leur multitude, accablé, opprimé déjà; il n'y a que son esprit qui vole et le transcende, mais sans se proposer d'autre tâche que l'inspection.

Le moment où l'enfant réfléchit sur ses sensations, refuse certaines pour pouvoir utiliser les autres, ne vient pas pour lui. Aucun effort d'ajustement ni d'économie; il ne se prépare à aucun moment à vaincre la nature; le Robinson ne fait pas son apparition en lui. Dans l'épaisse forêt de ses jours et de ses nuits il ne taille aucune planche ni ne cherche à se construire aucune maison. Il restera pauvre d'abri jusqu'à son dernier jour, jusqu'à ce lit de fer dans cet appartement meublé où il mourra, face encore à ses sensations.

Il n'est fait que de multiples plans, à l'intersection capricieuse, qui plongent, selon toutes les dimensions de l'espace et du temps, dans tous les fluides sensuels et spirituels, et qui s'en imbibent indéfiniment.

On a remarqué que le personnage qui dit : *je,* dans son œuvre, est décrit, au moins dans les premiers volumes, avec des particularités si nombreuses et si différentes qu'elles finissent par être contradictoires : tantôt c'est un jeune homme, tantôt c'est un enfant. Je ne vois dans ce trait qu'une ressemblance de plus avec l'auteur du livre. Car si quelque chose peut bien caractériser Proust au principe, c'est l'épithète, chère à Freud, de *polymorphe.*

La force même avec laquelle la sensation s'impose à lui le retient dans le plan où elle se produit; mais comme il s'en produit sur lui mille à la fois, c'est de mille faces qu'il est composé, – que n'agence ensemble aucune entéléchie.

Libre à ceux pour qui la volonté et la forme qu'elle lui prête sont le propre de l'homme, de se détourner d'un si étrange objet! Mais qu'ils apprécient au moins l'importance de son apparition parmi nous. Qu'ils viennent avec nous observer sur les flancs de ce navire démoli et condamné à un éternel mouillage, l'innombrable et minutieuse végétation de pensées, de désirs, de perceptions qui les a envahis.

Un homme est entré pour nous dans les Sargasses d'un loisir infini; il a sacrifié son bonheur, toutes ses forces et jusqu'à sa vie à recevoir justement l'empreinte exacte de la vie, il a consenti au fourmillement en lui, sur lui, de ses moindres animalcules. Venons le trouver mangé, dissocié, perdu, – mais triomphant enfin, dans son démembrement, à force de fidélité.

*

Le travail de Proust sur le sentiment est d'un ordre absolument nouveau. On l'observait jusqu'ici, qu'on l'avouât ou non, en partant d'une conception de la conscience qu'il fallait retrouver au bout. Je ne dis pas que Proust n'en ait pas une lui aussi, ou plutôt qu'il n'érige pas en principe, en postulat, son doute sur l'existence même, ou sur l'unité de la conscience. Mais même ce doute ne le gêne jamais, et ne l'empêchera pas par exemple de parler de l'âme, dans le moment où il croira la constater.

L'essentiel est qu'il répudie toutes les entités psychologiques et part de l'expérience pure. Il tend vers la loi, bien entendu, et la formule dès qu'il la voit s'ébaucher, mais il la laissera aussi, l'oubliera s'il en voit paraître une autre qui la contredise.

Son esprit reprend instinctivement en sous-œuvre l'étude du sentiment; on peut être toujours sûr que c'est du plus bas qu'il part et que rien de préconçu ne se glisse dans ce qu'il nous présente.

Il aborde l'explication des faits psychologiques avec une modestie jusqu'à lui insoupçonnée, et qui peut, qui doit déchaîner le scandale, comme à chaque fois que l'esprit positif envahit un domaine qu'on avait réussi à lui interdire.

Nous sommes révoltés (je n'échappe pas à ce sentiment) de voir combien peu dernière, tout à coup, est l'explication qu'il nous propose des phénomènes que nous nous sommes habitués à intégrer dans de vastes mythes satisfaisants. Plus rien, après lui, ne se tient, de la matière psychique, que de petits anneaux, par deux, par trois, dont la chaîne nous paraît insignifiante. Oui; seulement peut-être se tiennent-ils ainsi, cette fois, pour toujours. – Une vaste anacoluthe nous paraît succéder aux harmonieuses séquences que nous avions forgées. Oui, mais nous les avions forgées...

C'est de la même façon que ce fut bien ennuyeux un jour de constater que tout le système céleste n'était pas attaché à la Terre comme un bouquet de ballons au poing d'un camelot, et se distribuait en mille couples ou groupements qui pouvaient paraître irrémédiablement épars. Pourtant c'est à partir de ce moment que l'astronomie s'est trouvée possible, et qu'une invincible explication a commencé de gagner tous les astres.

Proust me paraît procéder à l'un de ces grands renoncements intellectuels dont Auguste Comte a montré qu'ils étaient à la base de toute découverte féconde, de tout grand départ scientifique. Dans le règne des sentiments, que les psychologues de métier n'ont jamais disposé que d'instruments trop grossiers pour observer et que les romanciers ont pillé et utilisé plus qu'ils ne l'ont exploré, Proust introduit tout à coup, comme une sonde décisive, son manque total d'esprit métaphysique, d'ambition constructive et d'aptitude à la consolation. Il s'ensuit une débandade d'atomes, la décomposition de tout ce qu'on avait cru voir, mais aussi de petites agrégations de détail qui seront plus dures que l'airain.

*

Proust n'a pas de conception fixe de la conscience. On dénoncera sans peine un certain aspect bergsonien de ses réflexions sur la mémoire et même peut-être de sa théorie du Temps. Mais cet aspect n'est pas, à mon sens, le principal ni celui sous lequel son œuvre peut apparaître vraiment initiatrice au point de vue psychologique.

Bien plus importante me semble l'idée, chez lui partout latente, et parente de celle de Freud, que nos sentiments ont pour fonction principale de nous mentir et que le premier devoir du psychologue, de l'écrivain est de résister au témoignage qu'ils portent sur eux-mêmes, à la forme sous laquelle ils cherchent à nous apparaître.

Sans doute la défiance comme mère de la pénétration n'est pas une découverte moderne et il est bien certain que les grands classiques, de Montaigne à La Rochefoucauld et à La Bruyère, et de Racine à Marivaux et à Laclos, ne seraient jamais arrivés à nous donner cette sensation de vérité que nous n'avons nulle part au même degré que chez eux, s'ils n'avaient pas commencé par se révoquer eux-mêmes radicalement en doute et par s'opposer de toute la force de leur esprit aux insinuations de leur cœur.

Mais du temps a passé depuis, et ce qui a caractérisé peut-être essentiellement la littérature des trente dernières années a été un abandon complet aux Sirènes intérieures. Parallèle à la recommandation de la philosophie bergsonienne de se confier à l'élan vital pour apprendre sa vérité profonde, un mouvement a précipité tous les écrivains dans la confiance. J'en donne sans chercher et en passant deux exemples : Suarès, Péguy.

Je ne discute pas ici la valeur des œuvres qui en sont résultées. Mais la tendance deviendrait certainement pernicieuse en prolongeant ses effets, et ne pourrait que nuire à notre génie.

Proust (c'est aussi ce qui fait la grandeur de Freud) l'abandonne franchement et nous ramène à une attitude résolument critique en face du sentiment.

Non par une décision de son esprit, mais par un immense et tranquille scepticisme naturel. Dans la prostration où nous l'avons décrit tout à l'heure, nous avons dit aussi que toutes ses forces n'étaient pas englouties. L'intelligence en lui ne fait pas relâche ; elle ne se guinde ni ne se raidit ; mais avec une magnifique paresse, lente comme un filet qu'on ramène, elle rebrousse paisiblement l'énorme proie de la sensibilité ; elle la contredit en détail ; elle n'en garde entre ses mailles que le vrai.

Je ne sais comment bien décrire cette vaste opération faible, délicate et décisive. Elle aussi, elle est commandée peut-être, ou permise, il faut oser le dire, par un certain défaut de caractère chez Proust, – mais allié à la plus rare intrépidité intellectuelle.

Son inconvénient est qu'elle n'a point de fin. Les amis de Proust savent qu'ils avaient beau avoir conquis son affection : rien ne pouvait les défendre contre l'immensité de son soupçon. Tous leurs sentiments, quelque preuve qu'ils en eussent donnée, restaient à ses yeux éternellement en question. Rien n'apaisait, n'arrêtait jamais le mouvement de son esprit vers les dessous possibles de la tendresse qu'ils lui témoignaient. Rien ne terminait sa clairvoyance, et même pas le fait qu'il n'y eût rien à voir.

Mais si nous souffrîmes parfois, les uns ou les autres, de cette irrépressible suspicion, il faut oser reconnaître aussi combien souvent elle était motivée et combien la nature humaine, si elle doit être mise à nu, l'implique nécessairement chez qui s'en charge.

Au contact de Proust, on se rendait compte combien l'homme est artiste à se tromper sur lui-même et chacun voyait apparaître peu à peu, décollée de sa propre âme, cette image toute fantaisiste qu'il s'en faisait instinctivement. Sous son influence l'hypocrisie naturelle, congénitale, du sentiment se dénonçait peu à peu toute seule. On apercevait ce de quoi l'amitié qu'on avait pour lui vous rendait capable, mais aussi ce jusqu'à quoi elle ne vous donnait pas les forces pour aller. Et tous les mots que l'on pouvait inventer ensuite pour se donner à penser du bien de soi-même, ne servaient plus de rien.

Pour ce qui me concerne tout au moins, Proust aura été le révélateur le plus effrayant que je pouvais rencontrer sur moi-même.

On sent l'abîme qu'il ouvre, et avec combien peu de bruit!

Sans malveillance et sans aigreur, sans aucun pessimisme systématique, sans renoncer le moins du monde, pour son compte, à tous les enchantements du « sentir », sans rien ignorer de ce que peut embrasser le rêve, en étendant plutôt qu'en appauvrissant les ressources de l'âme, il montre simplement en plus l'illusion qui soutient notre vie; il la traverse tout doucement; il retrouve au-delà le travail qui lui donne naissance et toutes les petites impulsions vitales, à l'œuvre, dont elle est composée.

Proust et Freud inaugurent une nouvelle manière d'interroger la conscience. Ils rompent avec les indications du sens intime; ils ne veulent plus y demeurer parallèles; ils attendent, ils guettent, au lieu des sentiments, leurs effets; ils ne veulent les comprendre que par leurs signes. L'homme intérieur est ici traité pour la première fois comme un corps sur la composition duquel ne peuvent renseigner que les réactions auxquelles il donne lieu. La méthode inductive s'étend aux aspects psychologiques que nous étions habitués jusqu'ici à recevoir et à croire.

Bien des erreurs sans doute peuvent entacher la pratique de cette méthode, car l'interprétation des « symptômes » est sujette à un aléa considérable. Proust lui-même, en un certain passage encore inédit de son œuvre, avoue quel handicap représente pour lui, dans la recherche de la vérité, son sens trop développé des possibles. Pourtant – c'est ici que l'intuition reprendrait ses droits – si l'on sait garder un certain tact du vraisemblable, c'est un nouveau monde qu'ouvre au psychologue ce seul changement d'orientation dans sa recherche. Il est tout à coup doué de prise sur les choses les plus masquées, les plus courageuses à défendre leur identité qu'ait jamais recelées la nature. Car on peut bien dire que la force de dissimulation de la croûte terrestre, par exemple, ou des abîmes étoilés, n'est rien auprès de celle dont font preuve à chaque instant nos désirs et nos pensées. Et si l'on trouve le moyen, ne serait-ce qu'en tâtonnant, de la vaincre, on entre dans un royaume, bien que réel, plus pittoresque et plus émouvant que celui qu'avait découvert Jules Verne au centre de la terre.

Un problème tend ici à se poser, que Proust d'ailleurs résout comme Diogène celui du mouvement : en marchant. L'œuvre d'art proprement dite (et en particulier l'œuvre romanesque) a été jusqu'ici, en grande partie, malgré les exemples allégués plus haut, le produit de l'hypocrisie naturelle de la conscience. Elle naît au moment où l'auteur se trompe et veut tromper. En ce sens la critique psychanalytique n'a pas tort de chercher toujours à la racine un fait qu'il a voulu cacher ou transfigurer.

Plus généralement, l'œuvre d'art doit son pouvoir de séduction à un certain essor illusoire de la pensée, à un déchaînement de ses forces instinctives et menteresses. Subsisterat-elle si l'écrivain se donne pour tâche essentielle de contrarier ces forces et de les démasquer?

Tout tendrait à me faire répondre négativement si l'œuvre de Proust n'était là, devant nous, magnifique exemple d'une impossibilité réalisée, et d'une fiction organique et vivante obtenue par le seul effort pour atteindre la vérité.

Je ne pense pas que le romancier de l'avenir pourra se dispenser complètement de pactiser avec le mensonge, mais Proust en tout cas lui démontre qu'une immense fécondité imaginative reste compatible avec cette tranquille défiance qui permet de remonter le fleuve des apparences psychologiques et le courant de nos illusions.

JACQUES RIVIÈRE

LES TROIS GRANDES THÈSES
DE LA PSYCHANALYSE

MESDAMES,
MESSIEURS,

Chaque fois que j'entreprends des causeries, je fais le vœu formel d'écarter toutes précautions oratoires. Ce vœu, je l'ai fait cette fois-ci encore. Et pourtant, je ne peux me décider à aborder directement mon sujet sans quelques mots d'apologie, et surtout sans vous dire au préalable ce que j'en pense, de ce sujet.

Je vous avouerai naïvement que je le trouve à la fois d'un prodigieux intérêt et très délicat. Il a, à la fois pour lui et contre lui, d'être, du moins sous l'angle où je veux l'aborder, à peu près complètement inexploré.

Il y a, sur Freud, surtout en langue étrangère, une immense littérature – que d'ailleurs je ne connais pas. La mort si déplorable de Marcel Proust a déjà fait éclore de nombreux articles; *la Nouvelle Revue Française* du 1er janvier en contient à elle seule une cinquantaine.

Malgré cela, mon sujet, tel que je l'entends, continue à m'apparaître tout à fait inexploré, et si cela m'encourage, cela m'intimide aussi.

Cela m'intimide parce que je ne sais pas très bien où je vais, parce que je sens que je n'ai aucune chance d'arriver à des constatations définitives.

Je vois des quantités d'idées à soulever, à étudier, à suivre, mais un peu comme un ingénieur au centre d'une mine et qui se demande quels sont les filons qui vont donner, quelles galeries sont à percer, lesquelles le maintiendront le plus longtemps sur la veine. Je ne suis sûr que d'une chose, c'est que je m'engagerai dans des impasses, c'est qu'il me faudra par moments rebrousser chemin, c'est que peut-être je ne ferai qu'effleurer le principal, tandis que je m'empêtrerai dans l'accessoire. Il m'arrivera certainement de vous dire des choses qui m'apparaîtront moins vraies aussitôt que je les aurai dites et qu'il me faudra, ou retirer, ou transformer.

Excusez-moi, je vous prie. Ces mésaventures auxquelles je vous expose d'un cœur que vous pourrez trouver bien léger, elles sont la rançon de l'extrême importance, de l'extrême richesse et de l'extrême nouveauté du sujet que nous abordons. Si Proust a démontré quelque chose, c'est que rien ne pouvait suppléer le temps. En matière d'idées, moins qu'en toute autre matière. Celles que nous allons remuer n'ont pas reçu encore cette influence des années, qui, comme un lent soleil, peut seule les mûrir. Il n'y a pas là de ma faute. Je mets donc en fait, d'une façon peut-être un peu présomptueuse, mais il me semble, tout de même, justifiée, que les hésitations et peut-être les piétinements de l'étude que nous entreprenons en commun sont inévitables et ne devront pas m'être imputés à crime.

Mais ce sujet si nouveau, si admirable, et qui doit me mériter votre indulgence, il est temps de le définir, au moins en gros.

Je n'ai pas, comme vous pouvez bien penser, l'intention d'épuiser ce qu'on peut dire sur Freud et sur Proust. Non, c'est sous un angle très déterminé que j'entends les étudier. Grossièrement je voudrais étudier ce qu'ils apportent de nouveau en psychologie, je voudrais fixer les progrès qu'ils peuvent nous faire accomplir dans la connaissance de ce qu'on appelait, à l'âge classique, le cœur humain (et je vous prie de laisser ici à cœur son sens le plus vague).

Ces progrès peuvent être de deux ordres : ils peuvent consister dans la conquête de nouveaux sentiments, de nouvelles sensations, de nouvelles couches de la conscience, ou dans l'invention de nouvelles méthodes pour explorer celle-ci, dans l'invention d'une nouvelle manière d'attaquer les sentiments et les sensations. Nous distinguerons ces deux ordres de progrès, mais sans trop de rigueur pour ne pas nous interdire les points de vue qui se présenteraient et qui excluraient cette différence.

Une remarque encore. Notre étude ne sera pas un simple exposé. Il ne faudra pas vous attendre à sortir de ces causeries avec la connaissance du système de Freud et du système de Proust, comme on peut sortir d'un cours de la Sorbonne avec la connaissance du système de Platon. Je ne chercherai qu'à extraire du système de nos deux auteurs − si tant est qu'ils aient tous les deux un système − ce qui pourra être mis en rapport avec notre expérience intime et ce qui recevra de celle-ci une lumière.

Abordons maintenant l'étude de Freud.

On a reproché à Freud, Jules Romains entre autres, une certaine légèreté scientifique, c'est-à-dire une certaine tendance à transformer ses hypothèses en lois sans avoir accumulé la quantité d'expériences et de constatations objectives qui l'y autoriseraient.

« Entre deux idées de savant, dit Jules Romains, il n'hésite pas à jeter une de ces " vues brillantes " qui témoignent, à coup sûr, d'une grande activité de pensée, qu'on a envie de déclarer " géniales ", mais qu'on ne range pas ensuite dans le même coin de l'esprit que la bonne monnaie scientifique. Ce sont valeurs fiduciaires, liées au sort de la banque d'émission [1]. »

En beaucoup de passages pourtant, Freud fait preuve d'une prudence tout à fait remarquable et prend même la peine d'indiquer lui-même les lacunes de sa doctrine, et les points où l'expérience ne l'a pas encore confirmée. « La réponse à cette question, écrit-il dans l'*Introduction à la Psychanalyse*, ne me paraît pas urgente et, surtout, elle n'est pas assez sûre pour qu'on se hasarde à la formuler. Laissons se poursuivre le progrès du travail scientifique et attendons patiemment. »

Au seuil d'une généralisation tentante d'une idée qu'il vient d'émettre, il remarque : « L'explication psychanalytique des névroses n'a cependant que faire des considérations d'une aussi vaste portée [2]. »

Il examine toujours avec beaucoup de soin les objections qu'on lui présente. On trouve par exemple au dernier chapitre de l'*Introduction à la Psychanalyse* une discussion remarquable de l'idée que toutes les découvertes de la Psychanalyse pourraient n'être qu'un produit de la suggestion exercée sur les malades. Quand on songe à la gravité de cette objection et quand on voit la façon magistrale dont Freud y répond, on ressent une impression de confiance à la fois pour l'honnêteté et pour la force de son esprit.

Cependant il faut l'avouer : quelque chose subsiste de la critique de Jules Romains et il y a certains défauts de méthode chez Freud dont il faut absolument que nous soyons avertis et que nous tenions compte avant de nous engager à sa suite.

Il est évident que nous avons affaire à une imagination extrêmement vive et allante et qui réagit parfois un peu trop vite aux premières indications de l'expérience. On est frappé, en lisant Freud, de la rapidité de certaines de ses conclusions. Très souvent on le voit, d'un seul fait qu'il rapporte, faire sortir une affirmation immédiatement générale ; très souvent aussi il lui suffit de *pouvoir* interpréter un fait dans le sens de sa théorie pour que toute autre interprétation lui paraisse exclue.

D'autre part la victoire incontestable sur les énigmes de la nature que représente son idée maîtresse lui donne une espèce d'ivresse qui le conduit à l'impérialisme. Je veux dire qu'il cherche à annexer trop de phénomènes à son explication. En particulier son interprétation des rêves et des lapsus, qui est pleine de remarques profondes, me semble tout de même, dans l'ensemble, beaucoup plus factice et beaucoup moins convaincante que sa théorie des névroses. Et quand j'apprends que, historiquement, c'est par une explication des symptômes névrotiques qu'il a commencé, je me demande si toute sa théorie des rêves et des lapsus n'est pas une extension un peu arbitraire, ou du moins trop systématique, d'une idée juste à un domaine qui ne pouvait pas la recevoir, tout au moins sous sa forme textuelle.

En d'autres termes, je me demande si l'ordre d'exposition de sa doctrine que Freud a choisi dans son *Introduction à la Psychanalyse* et qui est, comme on sait, le suivant : Actes manqués, Rêves, Névroses, n'est pas extrêmement spécieux et s'il ne risque pas de tromper sur la démarche véritable de son esprit, au cours de ses découvertes et sur la valeur même de ses découvertes. Même s'il semble logique de montrer d'abord l'inconscient à l'œuvre dans les actes les plus élémentaires de la vie quotidienne normale, cela devient une erreur de méthode si l'on ne peut pas le révéler avec autant d'évidence dans ces actes que dans les actes pathologiques, si son intervention y est plus contestable et si en fait ce n'est pas d'abord dans ces actes qu'il a été décelé.

J'ai beau faire : la théorie des lapsus et la théorie des rêves m'apparaissent comme une sorte de double portique qui a été construit après coup par Freud devant le monument qu'il avait élevé. Il croit que cela peut former un accès plus agréable et plus convaincant à ce monument; mais à mon avis il se trompe parce qu'on n'a pas, dans cette première partie, assez fortement l'impression d'être en contact avec une expérience irréfutable, invincible, avec celle qui a imposé la théorie. On sent la subtilité de l'auteur, mais pas assez son bon droit.

C'est pourquoi je crois qu'il faut avoir sans cesse principalement en vue sa théorie des névroses si l'on veut saisir sa pensée en son point d'intention maximum et si l'on veut se rendre compte de toutes les conséquences qu'elle implique, de toutes les généralisations qu'elle est susceptible de recevoir, de sa plus grande portée, ou, si l'on préfère, de sa plus grande force explosive.

Je voudrais, dans ce qui va suivre, non pas analyser en détail la doctrine freudienne, mais au contraire, la supposant connue de mes lecteurs, faire apparaître, si l'on peut dire, ses virtualités. Je voudrais présenter les trois grandes découvertes psychologiques dont il me semble que nous sommes redevables à Freud et montrer quelle lumière prodigieuse elles peuvent infuser dans l'étude des faits intérieurs et en particulier des sentiments. Je voudrais surtout faire sentir combien elles sont extensibles, quelle forme plus souple et, si l'on peut dire, plus généreuse encore que celle que Freud leur a donnée, elles peuvent revêtir [3].

*

Dans l'exposé des faits qui lui ont suggéré la première idée de sa théorie et qui sont, comme on sait, l'ensemble des manifestations de l'hystérie, Freud insiste avec une force particulière sur la complète ignorance où se trouvaient ses patients des causes et des fins des actes qu'ils accomplissaient : « Pendant qu'elle exécutait l'action obsessionnelle, écrit-il, le " sens " en était inconnu à la malade aussi bien en ce qui concerne l'origine de l'action que son but. Des processus psychiques agissaient donc en elle, processus dont l'action obsessionnelle était le produit. Elle percevait bien ce produit par son organisation psychique normale, mais aucune de ses conditions psychiques n'était parvenue à sa connaissance consciente... C'est à des situations de ce genre que nous pensons lorsque nous parlons de *processus psychiques inconscients* *. » Et Freud conclut : « Dans ces symptômes de la névrose obsessionnelle, dans ces représentations et impulsions qui surgissent on ne sait d'où, qui se montrent si réfractaires à toutes les influences de la vie normale et qui apparaissent au malade lui-même *comme des hôtes tout-puissants venant d'un monde étranger, comme des immortels venant se mêler au tumulte de la vie des mortels,* comment ne pas reconnaître l'indice d'une région psychique particulière, isolée de tout le reste, de toutes les autres activités et manifestations de la vie intérieure? Ces symptômes, représentations et impulsions nous amènent infailliblement à la conviction de l'existence de l'inconscient psychique **. »

---

* *Introduction à la Psychanalyse*, troisième partie, chap. XVIII, p. 288 de la traduction française (Payot, éditeur).
** *Idem.*, p. 289.

Il ne semble pas, au premier abord, qu'il y ait, dans ces passages, une nouveauté bien extraordinaire et l'on pourra trouver paradoxal que nous y voulions apercevoir une des sublimités de la théorie freudienne. L'inconscient n'est pas une découverte de Freud. On citera tout de suite des noms qui semblent réduire aux plus minces proportions son originalité sur ce point : celui de Leibniz déjà, ceux de Schopenhauer, de Hartmann, de Bergson, de bien d'autres.

Pourtant je réponds :

1° qu'il y a une différence considérable entre une conception métaphysique et une conception psychologique de l'inconscient, qu'admettre l'inconscient comme un principe, comme une force, comme une entité, c'est tout autre chose que de l'admettre comme un ensemble de faits, comme un groupe de phénomènes ;

2° qu'en réalité beaucoup de psychologues contemporains refusent encore d'admettre un inconscient psychologique [4] ;

3° enfin qu'en admettant que l'inconscient psychologique soit reconnu de tout le monde en tant que royaume, en tant que domaine, Freud est le premier à le concevoir :

A. Comme un domaine, ou un royaume déterminé, qui a une géographie arrêtée, ou, sans métaphore : qui contient des tendances, des velléités extrêmement précises, dirigées vers des buts particuliers,

B. Comme un domaine, ou un royaume qui peut être exploré, en partant du conscient, et même qui doit l'être si l'on veut comprendre le conscient.

Ici, je retrouve confiance pour affirmer que la nouveauté me paraît entière, et d'une importance formidable. Il faut songer que jusqu'ici on a conçu le conscient comme une chambre close, où les objets, en nombre défini, étaient comme inscrits sur un inventaire et ne soutenaient de rapports qu'entre eux, et que, pour tel incident de notre vie psychique, si on voulait l'expliquer, on ne pouvait aller chercher qu'un fait dont nous nous fussions précédemment aperçus. Il faut songer que toute la psychologie se limitait à une explication logique de nos déterminations. Il faut songer au pauvre matériel causal dont elle disposait et imaginer ce qu'elle peut devenir au moment où Freud lui ouvre l'immense réservoir des causes immergées.

Lui-même d'ailleurs a conscience de la révolution que cette seule proclamation de la réalité déterminée de l'inconscient peut produire dans l'histoire des idées et il ne se défend pas d'un mouvement d'orgueil : « C'est en attribuant une importance pareille à l'inconscient dans la vie psychique, s'écrie-t-il, que nous avons dressé contre la psychanalyse les plus méchants esprits de la critique... » Et pourtant « un démenti sera infligé à la mégalomanie humaine par la recherche psychologique de nos jours qui se propose de montrer au *moi* qu'il n'est seulement pas maître dans sa propre maison, qu'il en est réduit à se contenter de renseignements rares et fragmentaires sur ce qui se passe, en dehors de sa conscience, dans sa vie psychique. Les psychanalystes ne sont ni les premiers ni les seuls qui aient lancé cet appel à la modestie et au recueillement, mais c'est à eux que semble échoir la mission de défendre cette manière de voir avec le plus d'ardeur et de produire à son appui des matériaux empruntés à l'expérience et accessibles à tous * ».

Réfléchissons. Appuyons, si j'ose dire, contre nous ce principe de l'inconscient comme siège de tendances déterminées qui viennent modifier le conscient; rapprochons-le de notre expérience. Autrement dit : *Songeons à tout ce que nous ne savons pas que nous voulons.*

Est-ce que notre vie n'est pas la recherche constante de biens, de plaisirs, de satisfactions non seulement que nous n'oserions pas avouer désirer, mais que nous ne savons même pas que nous désirons, que nous cherchons? Est-ce que ce n'est pas presque toujours *a posteriori* et au moment seulement où nous l'accomplissons que nous nous rendons compte du long travail psychique et de toute la chaîne de sentiments latents qui nous a conduits vers un acte?

Et encore : à quel moment l'inspection directe de notre

---

* *Introduction à la Psychanalyse*, même chapitre, p. 296 de la traduction française.

conscience nous renseigne-t-elle exactement sur tout ce que
nous éprouvons et sur tout ce dont nous sommes capables?
Est-ce que nous ne sommes pas dans une constante ignorance
du degré, et même de l'existence de nos sentiments? Est-ce
que, jusque dans la passion, il n'y a pas des moments où nous
ne retrouvons absolument plus rien de cette passion, où elle
nous paraît une pure construction de notre esprit? Et est-ce
qu'elle n'existe pas, pourtant, d'une façon, si j'ose dire, infiniment précise, à ce même moment, cette passion, puisque le
plus petit accident qui survient pour en encombrer la carrière,
ou rendre son but plus lointain, peut provoquer instantané-
ment un bouleversement complet de tout notre être, qui se
traduira jusque dans notre attitude physique et influera jusque
sur la circulation de notre sang?

Est-ce qu'en amour, par exemple, un amoureux sincère
n'en est pas constamment réduit à recourir à des expériences
et presque à des trucs pour ausculter son sentiment et savoir
s'il existe encore? Et cela dans le moment même où, si on
venait lui annoncer qu'il doit renoncer à ses espoirs ou qu'il
est trompé, il se découvrirait peut-être tout près du crime.

Donc une première grande découverte (qu'on pourra peut-
être présenter comme négative, mais les découvertes néga-
tives ne sont pas moins importantes que les autres) doit être
inscrite au crédit de Freud: c'est celle qu'une considérable
partie de notre vie psychique se passe, si l'on peut dire, en
dehors de nous et ne peut être décelée et connue que par un
travail patient et compliqué d'inférence. Autrement dit: Nous
ne sommes jamais tout entiers disponibles pour notre esprit,
tout entiers objets de conscience.

*

Cette première analyse doit faire comprendre dans quel
esprit j'ai abordé l'étude de Freud et de quelle façon j'entends
la poursuivre. Je ne prétends nullement accompagner pas à
pas toutes les démarches de sa pensée; je recherche simplement et je saisis les uns après les autres, sans me soucier de

marquer comment ils se rattachent, les points de sa doctrine qui me paraissent pouvoir être agrandis en vérités psychologiques d'intérêt général. Je suis un profane qui pille égoïstement un trésor et qui l'emporte loin du temple. On peut me juger sévèrement au point de vue moral; mais en tous cas on ne doit pas me considérer comme obligé à cette allure lente et processionnelle qui s'impose aux prêtres de la psychanalyse.

Qu'on veuille donc sauter avec moi à l'examen d'une autre idée de Freud, qui me paraît être d'une importance considérable; je veux parler de l'idée du refoulement, à laquelle il faut rattacher celle d'une censure des rêves.

On sait quelle en est l'essence : en se fondant sur son expérience de praticien, Freud croit constater qu'il y a chez tout sujet qu'on analyse ou même simplement qu'on interroge, une résistance instinctive à toute question, à tout effort pour pénétrer dans l'arrière-plan de sa pensée. Cette résistance est soumise d'ailleurs à des variations d'intensité. Le malade est plus ou moins hostile, plus ou moins critique, suivant que la chose que le médecin cherche à amener au jour lui est plus ou moins désagréable.

La résistance semble donc être l'effet d'une force, de nature proprement affective, et qui s'oppose à l'apparition dans la conscience claire, à l'illumination de certains éléments psychiques qu'elle considère comme incongrus, comme impossibles à regarder en face.

Cette force qu'on rencontre lorsqu'on veut travailler à la guérison du patient, est celle-là même qui a d'abord produit la maladie en refoulant un processus psychique qui de l'inconscient tendait vers le conscient; la tendance ainsi entravée s'est en effet transformée, déguisée, pour aller tout de même un peu plus loin, en un acte mécanique, sans signification apparente, mais qui s'impose invinciblement au sujet : c'est le symptôme : « Le symptôme vient se substituer à ce qui n'a pas été achevé *. »

---

* *Introduction à la Psychanalyse*, troisième partie, chap. XIX, p. 305 de la traduction française.

Freud met donc en lumière la présence dans la conscience d'une activité réductrice ou déformatrice de notre spontanéité obscure. Il la montre également à l'œuvre dans nos rêves et l'appelle alors *censure*. Exactement comme la censure, pendant la guerre, ou bien mutilait les articles de journaux, ou bien forçait leurs auteurs à ne présenter leur pensée que sous une forme approximative ou voilée, de même une force secrète modifie et travestit nos pensées inconscientes et ne leur permet d'aborder notre esprit que sous les espèces énigmatiques du rêve.

« Les tendances exerçant la censure sont celles que le rêveur, dans son jugement de l'état de veille, reconnaît comme étant siennes, avec lesquelles il se sent d'accord... Les tendances contre lesquelles est dirigée la censure des rêves... sont des tendances répréhensibles, indécentes au point de vue éthique, esthétique et social... sont des choses auxquelles on n'ose pas penser ou auxquelles on ne pense qu'avec horreur *. »

Les symptômes névrotiques sont « des effets de compromis, résultant de l'interférence de deux tendances opposées, et ils expriment aussi bien ce qui a été refoulé que ce qui a été la cause du refoulement et a ainsi contribué à leur production. La substitution peut se faire plus au profit de l'une de ces tendances que de l'autre; elle se fait rarement au profit exclusif d'une seule ** ».

Le rêve de même est une sorte de composé ou plutôt de compromis entre les tendances refoulées, à qui le sommeil rend de la force, et les tendances représentant véritablement le moi, qui continuent à s'exercer par le moyen de la censure déformatrice.

Autrement dit symptômes névrotiques et rêves correspondent à un effort de nos diverses sincérités pour se manifester à la fois.

L'ensemble de cette conception me paraît d'une impor-

* *Introduction à la Psychanalyse*, deuxième partie, chap. IX, p. 145 de la traduction française.
** *Ibid.*, troisième partie, chap. XIX, p. 313 de la traduction française.

tance et d'une nouveauté extraordinaires. Peut-être Freud n'a-t-il pas aperçu lui-même toute la généralité qu'elle était susceptible de recevoir.

La découverte en nous d'un principe trompeur, d'une activité menteresse, peut cependant fournir une vue absolument nouvelle de toute la vie consciente.

Je vais tout de suite exagérer mon idée : tous nos sentiments sont des rêves, toutes nos opinions sont le strict équivalent des symptômes névrotiques.

Il y a en nous, constante, obstinée, jamais à court d'invention, une tendance qui nous pousse à nous camoufler nousmêmes. À tout prix, en toute circonstance, nous nous voulons, nous nous construisons autres que nous ne sommes. Naturellement le sens dans lequel s'exerce cette déformation et son degré varient extraordinairement suivant les natures. Mais en toutes le même principe de ruse et d'embellissement est à l'œuvre.

Partir dans l'étude du cœur humain sans être informé de son existence et de son activité, et sans s'équiper contre ses subterfuges, c'est vouloir établir la nature des fonds marins sans sonde et en se laissant guider au seul visage des eaux. Ou mieux, comme dit Jules Romains, c'est faire comme l'analyse traditionnelle qui « lors même qu'elle cherche les dessous se laisse diriger par les indications voyantes de la surface. Elle ne soupçonne un gisement de fer que si les roches du dessus sont toutes rouillées, un de charbon, que si l'on piétine une poussière noire [5] ».

Qui de nous ne connaît ce démon que Freud appelle censure et qui fait sans cesse si subtilement notre toilette morale? À chaque instant le tout de ce que nous sommes, j'entends la masse confuse et grouillante de nos appétits, est pris en main et attifé par lui. Il glisse dans nos plus bas instincts ce qu'il faut de noblesse pour que nous puissions ne plus les reconnaître. Il nous fournit en abondance ces prétextes, ces couleurs dont nous avons besoin de couvrir les petites turpitudes qu'il nous faut accomplir pour vivre. C'est lui qui nous pourvoit de ce que nous appelons nos « bonnes raisons ». C'est lui qui nous maintient avec nous-mêmes dans cet état d'amitié et d'alliance sans lequel nous ne pouvons pas vivre et qui est pourtant si complètement dépourvu de justification qu'on ne comprend pas comment il peut naître.

Mais je sens que je m'éloigne beaucoup de l'idée de Freud. Le principe qui préside au refoulement et à la censure, loin de travailler au triomphe de nos appétits, est, dans son esprit, ce qui les combat, ce qui les arrête. Il est le représentant des idées morales, ou tout au moins de la convenance, loin d'aider à la tourner.

Oui, mais il y a des cas où il est vaincu, partiellement tout au moins : le symptôme névrotique, le rêve, le lapsus correspondent à des succès relatifs sur lui de la partie basse de nous-mêmes. Et s'il n'est pas directement agent d'hypocrisie, il le devient dans la mesure où il ne triomphe pas.

Quand je prétends que tous nos sentiments, toutes nos opinions sont des rêves ou des actes obsessionnels, je veux dire que ce sont des états impurs, masqués, hypocrites ; je veux dire une chose enfin qu'il faut bien voir en face : c'est que l'hypocrisie est inhérente à la conscience.

Poussant à bout l'idée de Freud, je dirai qu'avoir conscience, c'est être hypocrite. Un sentiment, un désir n'entrent dans la conscience qu'en forçant une résistance dont ils gardent l'empreinte et qui les déforme. Un sentiment, un désir n'entrent dans la conscience qu'à la condition de ne pas paraître ce qu'ils sont.

À ce point de vue, le chapitre que Freud consacre aux procédés qu'emploie la censure pour déformer le contenu latent du rêve et pour le rendre méconnaissable, mériterait de recevoir une extension considérable. Plusieurs de ces procédés sont utilisés certainement par nous à l'état de veille, pour nous aider à nous représenter nos sentiments sous une forme acceptable. Je n'en retiens qu'un exemple : le déplacement, le transport de l'accent sur un aspect de ce que nous ressentons, – ou avons besoin de ressentir en paix – qui n'est pas *l'essentiel*. Autrement dit : la rupture par l'imagination du centre de gravité de nos complexes sentimentaux.

Soit dit en passant, si j'ai une tendance à me montrer sévère pour la théorie freudienne du rêve, c'est beaucoup parce que je regrette de voir Freud appliquer trop minutieusement à un phénomène particulier une idée qui me paraît d'une portée infinie. Son analyse du symbolisme des rêves va beaucoup trop loin; elle réintroduit dans cette conscience dont il nous a montré la souplesse et l'extrême convertibilité quelque chose de fixe qui ne me paraît pas pouvoir y trouver place. Il faut garder à la pensée de Freud sinon un certain vague, du moins une certaine généralité pour bien en comprendre toute la valeur.

Avant de quitter cette idée de la censure, il faut encore en bien saisir un aspect qui est d'une importance considérable.

Quand je dis que l'hypocrisie est inhérente à la conscience, je dis trop ou trop peu. La censure, la force qui préside au refoulement, ce sont en partie des apports extérieurs; elles sont créées principalement par l'éducation; elles représentent l'influence de la société sur l'individu. Tout de même elles ne sont pas entièrement adventices, ni postiches; elles finissent par former corps avec le moi. Freud les représente même comme les tendances constitutives du moi.

Et en effet ce serait simplifier beaucoup les choses que de représenter nos seuls instincts inférieurs comme vraiment constitutifs de notre personnalité. Ce qui les réprime fait partie de nous aussi.

Mais alors une conclusion s'impose. C'est qu'en tant que personnes morales, et même en tant que personnes tout simplement, nous sommes condamnés à l'hypocrisie. Si l'on a des objections contre : hypocrisie, nous ne pouvons pas du moins éviter un autre mot; c'est : impureté. Vivre, agir, si ce doit être dans un seul sens et avec méthode et de façon à tracer de nous sur la rétine d'autrui une image, c'est être composite et impur, c'est être un compromis.

Sincère vient d'un mot latin qui veut dire : pur, en parlant du vin. On peut dire qu'il n'y a pas de sincérité, pour l'homme, dans l'intégrité. Il ne redevient sincère qu'en se décomposant.

La sincérité est donc le contraire exactement de la vie. Il faut choisir entre les deux.

*

Le troisième point de la doctrine de Freud, qu'il me semble que nous pouvons, bien que dans de moindres proportions peut-être, *agrandir,* c'est la théorie de la sexualité.
On se rappelle quelle en est la ligne générale.
S'interrogeant sur la nature des tendances qu'arrête le refoulement et qui s'expriment par *substitution* dans les symptômes et dans les rêves, Freud, on le sait, croit constater qu'elles sont toutes de nature sexuelle.
Plusieurs nuances sont ici à noter. Freud ne dit pas, et même se défend d'avoir dit que tout ce qui paraît dans nos rêves est d'origine sexuelle. N'est d'origine sexuelle que ce qui apparaît camouflé.
D'autre part, Freud ne dit pas et se défend d'avoir dit (par exemple dans la lettre que le professeur Claparède a publiée en appendice de la brochure : *la Psychanalyse*) que tout notre être se réduit aux tendances sexuelles, même que « l'instinct sexuel est le mobile fondamental de toutes les manifestations de l'activité psychique [6] ». Au contraire : « La psychanalyse n'a jamais oublié qu'il existe des tendances non sexuelles, elle a élevé tout son édifice sur le principe de la séparation nette et tranchée entre tendances sexuelles et tendances se rapportant au *moi,* et elle a affirmé, sans attendre les objections, que les névroses sont des produits, non de la sexualité, mais du conflit entre le *moi* et la sexualité *. »
Cependant il reste certain que l'ensemble des tendances spontanées et inconscientes de l'être lui apparaît comme identique dans son fond à l'instinct sexuel.
Il prend soin d'ailleurs, cet instinct, de le définir d'une manière très large, en le distinguant de l'instinct de procréa-

---

* *Introduction à la Psychanalyse,* troisième partie, chap. XXII, p. 365 de la traduction française.

tion et même de l'activité proprement génitale. Pour bien marquer son caractère général, il l'appelle *Libido.*

Le concept de la *libido* n'est évidemment pas absolument clair. Il prend, par moments, une valeur quasi métaphysique pour revenir l'instant d'après à signifier simplement l'appétit sexuel, le désir proprement dit.

Mais je me demande si au lieu de reprocher à Freud cette ambiguïté, si au lieu de vouloir le forcer à accrocher ce mot de *libido* à une tendance absolument particulière et bornée, on ne ferait pas mieux, au contraire, de lui savoir gré du vague où il le laisse et du battement qu'il lui permet. Je me demande si sa principale découverte, dans le domaine qui nous occupe, n'est pas celle justement d'une seule tendance transformable, qui formerait tout le fond de notre vie psychique spontanée.

En d'autres termes, l'idée que le désir est le moteur de toute notre activité, du moins de notre activité expansive, me paraît d'une nouveauté et d'une vérité admirables. Ou mieux encore l'idée que nous ne sommes créateurs, producteurs qu'en tant que nous allons dans le sens du désir.

Mais il faut se garder de trahir par trop de précipitation l'idée même de Freud, sa conception de la sublimation. Je reprends donc :

Freud, par une longue analyse, fortement appuyée de remarques expérimentales, qui remplit toute la petite brochure intitulée : *Trois essais sur la théorie de la sexualité* *, établit que l'instinct sexuel n'a d'emblée ni l'objet ni le but que nous lui connaissons. Il le montre d'abord immanent pour ainsi dire au corps de l'enfant et ne cherchant, ni ne soupçonnant même aucune satisfaction extérieure. C'est la période qu'il appelle d'autoérotisme.

Il le montre en même temps s'irradiant confusément et impartialement dans tous les organes et recevant des satisfactions presque indifféremment de tous.

Puis, l'expérience, qui peut être précédée d'ailleurs par

* Éditions de *la Nouvelle Revue Française*, série des *Documents bleus*.

des interventions étrangères, enseigne à la *libido* à s'extério-
riser. Mais même après ce bond qu'elle fait, elle reste hésitante
entre plusieurs satisfactions possibles et ne se met exclusivement au service de l'acte génital qu'au moment de la puberté
et par une sorte d'opération synthétique fort complexe et
sujette à une foule d'accidents.

Ce désir, qui à la fois est au-dessous de son objet et l'excède
ou même le transcende, est une conception d'une hardiesse
et d'une profondeur magnifiques.

On comprend tout ce qu'elle permet à Freud d'expliquer.
Que la *libido* soit refoulée : de deux choses l'une : ou elle
reviendra à un mode de satisfaction comme il dit prégénital,
et on aura une perversion, par *fixation*. Ou elle produira un
malaise qui engendrera la névrose.

Mais, d'autre part, le fait justement qu'elle n'est pas liée
d'une manière constitutionnelle avec l'acte génital, lui permettra aussi de le dépasser et de se mettre au service de
l'activité intellectuelle, d'irriguer pour ainsi dire nos facultés
spirituelles. La sublimation consistera dans cette dérivation
de la *libido* au profit de l'intelligence ou même de la moralité.

Voici comment on pourrait présenter les réflexions qu'inspire cette partie de la théorie freudienne :

1° Il est d'une importance considérable, au point de vue
de la psychologie de la création, d'avoir établi les sources, si
l'on peut dire, charnelles, de toute création spirituelle. Cela
est important non pas pour rabaisser celle-ci, mais pour faire
comprendre l'unité de notre vie psychique et pour faire apparaître que nous ne disposons en somme que d'une espèce
d'énergie dont toute notre liberté se borne à diriger l'emploi.

Cela est important pour expliquer l'émotion esthétique en
face d'une grande œuvre et pour expliquer ce qu'elle a toujours, quand elle est sincère, quel que soit l'objet représenté,
de sensuel.

Cela est important même au point de vue de la critique
esthétique, en enseignant à rechercher dans l'œuvre, non pas,
comme le font avec trop de précision à mon sens ceux qui
ont appliqué jusqu'ici la psychanalyse à l'art, la petite histoire

rentrée qui peut être à l'origine chez l'auteur, mais le courant de désir, l'entraînement d'où elle est née. Et une sorte de critérium esthétique pourrait être établi, qui permettrait de distinguer les œuvres nées d'un penchant, de celles qu'a fabriquées un vouloir – la qualité esthétique restant réservée aux premières.

2° En analysant d'une part tout ce que la *libido* construit dans l'inconscient à l'abri du refoulement, et d'autre part tout ce que peut produire le refoulement de la *libido* dans la vie consciente, Freud ouvre à la psychologie un domaine prodigieux.

Je ne crois pas que l'analyse des rêves, pratiquée suivant l'orthodoxie freudienne, puisse mener à des constatations bien intéressantes. À cause surtout de cet étrange code préalable de signaux qui emprisonne l'interprétation.

Mais songez à ce que peut découvrir un psychologue sans prévention (ni freudienne ni antifreudienne) et qui simplement est résolu à ne pas ignorer ce que je voudrais appeler la situation sexuelle des êtres qu'il étudie. Songez à cet abîme si mal exploré encore des attirances, et peut-être surtout des haines sexuelles. Songez quel accès au caractère individuel, quelle clef de toute une conduite peut donner la connaissance des expériences sexuelles faites par un être donné, et surtout des contrecoups provoqués par ces expériences.

Un romancier, jusqu'ici, même s'il ne les notait pas, prenait soin de réaliser pour son compte par la pensée la situation sociale, les conditions d'existence, la profession, les ascendances de chacun de ses héros. Il me semble impossible, après Freud, qu'il puisse se passer d'imaginer pareillement à l'avance, même s'il ne doit pas en dire un mot au cours de son récit (son récit peut même avoir pour but seulement de la suggérer) la situation sexuelle de chacun et sa relation – on comprend que j'emploie le mot dans son sens le plus général – au point de vue sexuel, avec les autres.

3° En détachant la *libido* de son objet, Freud se range implicitement à une conception subjectiviste de l'amour. Il est évident que ce désir mobile, déplaçable qu'il décrit, n'aura besoin de rien recevoir de l'objet qu'il choisira, ne pourra même rien en recevoir et que c'est de sa propre ressource toute seule que sera formée dans l'esprit de l'amoureux l'image de l'objet aimé.

Il parle quelque part de la « surestimation de l'objet sexuel », et sans doute il l'entend d'abord dans le sens physique, mais il est bien dans son esprit aussi que toutes les beautés morales dont l'amoureux pare l'objet aimé correspondent à une projection sur lui de la *libido*. Il admet donc que tout amour est hallucinatoire et ne cherche dans les êtres étrangers qu'un prétexte à se fixer. Il n'admet donc pas l'appel, l'attraction d'un être sur un autre, ni que l'amour puisse jamais naître d'affinités réelles et objectives.

*

Il nous faut maintenant essayer d'envelopper d'un regard l'ensemble de la doctrine de Freud et de l'apprécier.

Freud nous apporte deux choses : un nouveau monde de faits, une « nouvelle famille de faits » (là-dessus je me sens d'un avis tout à fait différent de Jules Romains qui lui conteste cette sorte de découverte), et sinon une nouvelle « loi » de ces faits, du moins une nouvelle méthode pour les explorer, ou plus vaguement une nouvelle attitude à prendre à leur égard.

Le nouveau monde, c'est le monde de l'inconscient pour la première fois conçu et montré comme un système de faits déterminés, de même nature, de même étoffe que ceux qui paraissent dans la conscience et en constante relation, en constant *échange* avec les faits conscients.

Parmi ces faits inconscients, Freud décèle la prodigieuse flore des tendances et des complexes sexuels. Même s'il les décrit avec trop de précision (c'est toujours un peu son défaut) et s'il les typifie par trop, c'est une nouveauté admirable que de seulement les dévoiler.

D'autres pourront entrer à sa suite avec plus de légèreté et un sens plus aigu de l'individuel dans cet étrange jardin.

Mais déjà il indique à ces autres — et c'est son deuxième

apport qui est également sans prix – l'attitude à prendre pour y faire de bonnes observations. Il nous avertit de la force qui est à l'œuvre en nous pour nous tromper sur nous-mêmes; il nous enseigne ses ruses et les moyens de les déjouer.

Plus généralement, il esquisse une nouvelle attitude introspective qui peut être l'origine de toute une nouvelle orientation des recherches psychologiques. Cette attitude consiste à ne vouloir se connaître, si j'ose dire, que par les signes. Au lieu d'écouter le sentiment lui-même ou la sensation elle-même, Freud va les chercher dans leurs effets seulement, dans leurs symptômes.

Sans doute on avait essayé bien avant lui de saisir les phénomènes psychiques pour plus de sûreté indirectement, en particulier dans leurs conditions. Toute la psycho-physiologie fut un effort pour s'instruire de la conscience en partant de l'extérieur, de quelque chose qui n'en était pas, mais qui avait l'avantage qu'on pouvait le toucher, le mesurer, le faire varier. Mais elle commettait l'erreur, qu'a bien soulignée Bergson, de passer outre à la différence de qualité des phénomènes.

L'erreur de Bergson à son tour fut peut-être (je ne l'indique ici que de la manière la plus prudente et la plus hypothétique) de se plonger avec trop de confiance dans le pur flot psychologique et d'attendre trop naïvement la connaissance de son seul décours épousé. Peut-on relever le tracé d'un fleuve en y nageant?

Freud échappe à l'erreur des psycho-physiologistes en n'acceptant comme renseignements sur la vie psychique que des faits psychiques. Il construit une psychologie indépendante, autonome. Et c'est une des raisons de la résistance qu'il a rencontrée.

Mais d'autre part, ces faits psychiques, il n'y croit pas; je veux dire qu'il n'accepte pas leur visage. Il les regarde a priori à la fois comme menteurs et comme explicables. Il s'en sert comme de signes pour remonter inductivement à une réalité psychique plus profonde et plus masquée. Il s'arc-boute à contresens du courant vital.

Et ainsi il rend à l'intelligence ce rôle actif, ce rôle de défiance et de pénétration qui, dans tous les ordres, a toujours été le seul qui permît et favorisât la connaissance. Il y aurait beaucoup à dire sur la foi complète au déterminisme psychologique. Mais comme méthode, dont il faut se servir le plus longtemps qu'on peut, le déterminisme est inattaquable. C'est en s'y rangeant seulement qu'on peut espérer remonter, avec quelque discernement et profit pour la pensée, dans le chaos que notre âme envoie à notre rencontre.

MARCEL PROUST
L'INCONSCIENT DANS SON ŒUVRE

Au moment d'aborder l'étude non pas de l'œuvre de Marcel Proust en général, bien entendu, mais de cette œuvre en tant que source d'une nouvelle orientation de la psychologie, je me sens de nouveau obligé à un certain nombre de précautions oratoires qu'il faut que vous me pardonniez, parce qu'elles sont vraiment indispensables.

Je suis gêné en effet, je vous l'avoue, de ce parallélisme que j'ai institué d'autorité entre Freud et Proust. Je suis gêné non pas parce que je le crois faux dans son fond, mais parce que pour le conserver vrai, il faut à tout prix ne pas le forcer, ne pas le rendre trop complet. Mon titre et le train de réflexions dans lequel nous sommes entrés tendent peut-être, en rapprochant Freud et Proust, à les écraser un peu l'un contre l'autre, à leur faire perdre leur volume et leurs contours respectifs. Il faut éviter cela; il faut ici d'abord nous rendre compte de tout ce qui les sépare et de tout ce qui les différencie.

Il y a d'abord l'ignorance où ils ont vécu l'un de l'autre. Même si Freud à l'heure actuelle, ce que je ne sais pas, a lu Proust, il est bien évident qu'il n'a pu être influencé en rien par lui dans ses découvertes. D'autre part je sais que Proust ne connaissait de Freud que le nom, et peut-être le sens général de sa doctrine. Mais il n'avait été informé de l'un comme de l'autre que tout récemment, et je peux affirmer qu'aucune influence n'en était résultée sur son œuvre.

En second lieu nous avons affaire à deux esprits, sinon d'essence, du moins de classe extrêmement différentes. L'un est un savant ou un philosophe, dont la seule préoccupation est de comprendre et d'expliquer les phénomènes en les groupant dans un ordre intelligible; l'autre est, − faut-il dire : avant tout, je ne crois pas, mais en tous cas : principalement un écrivain, un poète au sens large, je veux dire au sens grec de *créateur,* un fabricant de fictions.

N'insistons pas trop sur cette différence qui a besoin d'être notée, mais qui, comme nous verrons, n'est juste qu'en gros. Pensons plutôt à cette différence entre eux plus profonde et d'ailleurs en relation avec la précédente, qui consiste en ce que l'un s'occupe de la conscience humaine en général, en tant qu'elle est passible de lois générales, tandis que l'autre s'attache à peindre des individus, à tracer des caractères, à bien marquer les nuances et les moindres aspects de chaque vie. Il semble même que, sous ce rapport, les deux auteurs que nous comparons soient tournés vers des tâches radicalement antithétiques, Freud s'efforçant d'isoler le mécanisme pur de la conscience, avec le moins de référence possible à l'individualité, Proust n'ayant jamais assez de tons sur sa palette pour fixer la précarité des choses et des êtres, leur essence fugitive, la couleur qu'ils reçoivent de chaque moment du temps.

Ne renonçons pas pourtant à notre parallèle. Tenons simplement sans cesse dans un coin de notre pensée les restrictions que ces différences fondamentales entre nos deux auteurs, que nous venons d'analyser, doivent imposer à toute ressemblance entre eux que nous apercevrons. Et comme premier effet de cette précaution, tâchons de trouver un plan pour exposer les découvertes psychologiques de Proust, qui tienne compte de sa qualité de romancier ou, si vous voulez, de poète, qui ne soit pas trop systématique, qui ne fasse pas artificiellement pendant à celui que nous avons adopté pour l'étude de Freud.

Il est difficile d'ailleurs de commencer l'étude de Proust autrement qu'en considérant le point de vue qu'implique son titre général : *À la recherche du temps perdu,* point de vue qu'il a lui-même fort nettement défini dans des pages qui sont en passe de devenir célèbres, mais qui sont si belles que vous m'excuserez sans doute de vous les relire ici :

« Je trouve très raisonnable la croyance celtique que les âmes de ceux que nous avons perdus sont captives dans quelque être inférieur, dans une bête, un végétal, une chose inanimée, perdues en effet pour nous jusqu'au jour, qui pour beaucoup ne vient jamais, où nous nous trouvons passer près de l'arbre, entrer en possession de l'objet qui est leur prison. Alors elles tressaillent, nous appellent, et sitôt que nous les avons reconnues, l'enchantement est brisé. Délivrées par nous, elles ont vaincu la mort et reviennent vivre avec nous.

« Il en est ainsi de notre passé. C'est peine perdue que nous cherchions à l'évoquer, tous les efforts de notre intelligence sont inutiles. Il est caché hors de son domaine et de sa portée, en quelque objet matériel (en la sensation que nous donnerait cet objet matériel), que nous ne soupçonnons pas. Cet objet, il dépend du hasard que nous le rencontrions avant de mourir, ou que nous ne le rencontrions pas.

« Il y avait déjà bien des années que, de Combray, tout ce qui n'était pas le théâtre et le drame de mon coucher, n'existait plus pour moi, quand un jour d'hiver, comme je rentrais à la maison, ma mère, voyant que j'avais froid, me proposa de me faire prendre, contre mon habitude, un peu de thé. Je refusai d'abord et, je ne sais pourquoi, me ravisai. Elle envoya chercher un de ces gâteaux courts et dodus appelés Petites Madeleines qui semblent avoir été moulés dans la valve rainurée d'une coquille de Saint-Jacques. Et bientôt, machinalement, accablé par la morne journée et la perspective d'un triste lendemain, je portai à mes lèvres une cuillerée du thé où j'avais laissé s'amollir un morceau de madeleine. Mais à l'instant même où la gorgée mêlée des miettes du gâteau toucha mon palais, je tressaillis, attentif à ce qui se passait d'extraordinaire en moi. Un plaisir délicieux m'avait envahi, isolé, sans la notion de sa cause. Il m'avait aussitôt rendu les vicissitudes de la vie indifférentes, ses désastres inoffensifs, sa brièveté illusoire, de la même façon qu'opère l'amour, en me remplissant d'une essence précieuse ou plutôt cette essence n'était pas en moi, elle était moi. J'avais cessé de me sentir médiocre, contingent, mortel. D'où avait pu me venir cette puissante joie? Je sentais qu'elle était liée au goût du thé et du gâteau, mais qu'elle le dépassait infiniment, ne devait pas être de même nature. D'où venait-elle? Que signifiait-elle? Où l'appréhender? Je bois une seconde gorgée où je ne trouve rien de plus que dans la première, une troisième qui m'apporte un peu moins que la seconde. Il est temps que je m'arrête, la vertu du breuvage semble diminuer. Il est clair que la vérité que je cherche n'est pas en lui, mais en moi. Il l'y a éveillée, mais ne la connaît pas, et ne peut que répéter indéfiniment, avec de moins en moins de force, ce même témoignage que je ne sais pas interpréter et que je veux au moins pouvoir lui redemander et retrouver intact, à ma disposition, tout à l'heure, pour un éclaircissement décisif. Je pose la tasse et me tourne vers mon esprit. C'est à lui de trouver la vérité. Mais comment? Grave incertitude, toutes les fois que l'esprit se sent dépassé par lui-même; quand lui, le chercheur, est tout ensemble le pays obscur où il doit chercher et où tout son bagage ne lui sera de rien. Chercher? pas seulement : créer. Il est en face de quelque chose qui n'est pas encore et que seul il peut réaliser, puis faire entrer dans sa lumière.

« Et je recommence à me demander quel pouvait être cet état inconnu, qui n'apportait aucune preuve logique, mais l'évidence de sa félicité, de sa réalité devant laquelle les autres s'évanouissaient. Je veux essayer de le faire réapparaître. Je rétrograde par la pensée au moment où je pris la première cuillerée de thé. Je retrouve le même état, sans une clarté nouvelle. Je demande à mon esprit un effort de plus, de ramener encore une fois la sensation qui s'enfuit. Et pour que rien ne brise l'élan dont il va tâcher de la ressaisir, j'écarte tout obstacle, toute idée étrangère, j'abrite mes oreilles et mon attention contre les bruits de la chambre voisine. Mais sentant mon esprit qui se fatigue sans réussir, je le force au contraire à prendre cette distraction que je lui refusais, à penser à autre chose, à se refaire avant une tentative suprême. Puis une deuxième fois, je fais le vide devant lui, je remets en face de lui la saveur encore récente de cette première gorgée et je sens tressaillir en moi quelque chose qui se déplace, voudrait s'élever, quelque chose qu'on aurait désancré, à une grande profondeur; je ne sais ce que c'est, mais cela monte lentement; j'éprouve la résistance et j'entends la rumeur des distances traversées.

« Certes, ce qui palpite ainsi au fond de moi, ce doit être l'image, le souvenir visuel, qui, lié à cette saveur, tente de la suivre jusqu'à moi. Mais il se débat trop loin, trop confusément; à peine si je perçois le reflet neutre où se confond l'insaisissable tourbillon de couleurs remuées; mais je ne peux distinguer la forme, lui demander, comme au seul interprète possible, de me traduire le témoignage de sa contemporaine, de son inséparable compagne, la saveur, lui demander de m'apprendre de quelle circonstance particulière, de quelle époque du passé il s'agit.

« Arrivera-t-il jusqu'à la surface de ma claire conscience, ce souvenir, l'instant ancien que l'attraction d'un instant identique est venue de si loin solliciter, émouvoir, soulever tout au fond de moi? Je ne sais. Maintenant je ne sens plus rien, il est arrêté, redescendu peut-être; qui sait s'il remontera jamais de sa nuit? Dix fois il me faut recommencer, me pencher vers lui. Et chaque fois la lâcheté qui nous détourne de toute tâche difficile, de toute œuvre importante, m'a conseillé de laisser cela, de boire mon thé en pensant simplement à mes ennuis d'aujourd'hui, à mes désirs de demain qui se laissent remâcher sans peine.

« Et tout d'un coup le souvenir m'est apparu. Ce goût

c'était celui du petit morceau de madeleine que le dimanche matin à Combray (parce que ce jour-là je ne sortais pas avant l'heure de la messe), quand j'allais lui dire bonjour dans sa chambre, ma tante Léonie m'offrait après l'avoir trempé dans son infusion de thé ou de tilleul. La vue de la petite madeleine ne m'avait rien rappelé avant que je n'y eusse goûté ; peut-être parce que, en ayant souvent aperçu depuis, sans en manger, sur les tablettes des pâtissiers, leur image avait quitté ces jours de Combray pour se lier à d'autres plus récents ; peut-être parce que de ces souvenirs abandonnés si longtemps hors de la mémoire, rien ne survivait, tout s'était désagrégé ; les formes, – et celle aussi du petit coquillage de pâtisserie, si grassement sensuel, sous son plissage sévère et dévot – s'étaient abolies, ou, ensommeillées, avaient perdu la force d'expansion qui leur eût permis de rejoindre la conscience. Mais, quand d'un passé ancien rien ne subsiste, après la mort des êtres, après la destruction des choses, seules, plus frêles mais plus vivaces, plus immatérielles, plus persistantes, plus fidèles, l'odeur et la saveur restent encore longtemps, comme des âmes, à se rappeler, à attendre, à espérer, sur la ruine de tout le reste, à porter sans fléchir, sur leur gouttelette presque impalpable, l'édifice immense du souvenir.

« Et dès que j'eus reconnu le goût du morceau de madeleine trempé dans le tilleul que me donnait ma tante (quoique je ne susse pas encore et dusse remettre à bien plus tard de découvrir pourquoi ce souvenir me rendait si heureux), aussitôt la vieille maison grise sur la rue, où était sa chambre, vint comme un décor de théâtre s'appliquer au petit pavillon donnant sur le jardin, qu'on avait construit pour mes parents sur ses derrières (ce pan tronqué que seul j'avais revu jusque-là) ; et avec la maison, la ville, depuis le matin jusqu'au soir et par tous les temps, la Place où on m'envoyait avant déjeuner, les rues où j'allais faire des courses, les chemins qu'on prenait si le temps était beau. Et comme dans ce jeu où les Japonais s'amusent à tremper dans un bol de porcelaine rempli d'eau, de petits morceaux de papier jusque-là indistincts qui, à peine y sont-ils plongés s'étirent, se contournent, se colorent, se différencient, deviennent des fleurs, des maisons, des personnages consistants et reconnaissables, de même maintenant toutes les fleurs de notre jardin et celles du parc de M. Swann, et les nymphéas de la Vivonne, et les bonnes gens du village et leurs petits logis et l'église et tout Combray et ses environs, tout cela qui prend forme et solidité, est sorti, ville et jardins, de ma tasse de thé *. »

Ces pages sont capitales pour bien comprendre de quelle sorte de travail l'œuvre de Proust est issue. On y trouve des phrases très importantes. Par exemple, au cours de sa recherche du souvenir récalcitrant : « Il est temps que je m'arrête, la vertu du breuvage semble diminuer. Il est clair que la vérité que je cherche n'est pas en lui, mais en moi. » Et plus haut déjà : « Un plaisir délicieux m'avait envahi, isolé, sans la notion de sa cause. Il m'avait aussitôt rendu les vicissitudes de la vie indifférentes, ses désastres inoffensifs, sa brièveté illusoire, de la même façon qu'opère l'amour, en me remplissant d'une essence précieuse : ou plutôt cette essence n'était pas en moi, elle était moi. » Et encore ceci : « Arrivera-t-il jusqu'à la surface de ma claire conscience, ce souvenir, l'instant ancien que l'attraction d'un instant identique est venue de si loin solliciter, émouvoir, soulever tout au fond de moi ? »

Mais non, laissons ce passage pour le moment. (Vous vous rappelez que je cherche avec vous.) Il nous faut remonter plus haut dans l'esprit de notre auteur, tâcher de saisir son exigence, son effort sous une forme plus élémentaire encore ; il nous faut déterminer de quoi il a le plus anciennement besoin.

Eh bien! sans sortir de *Combray*, cette première partie de Swann, qui est, en même temps qu'un des plus merveilleux

---

* *Swann*, p. 45 à 49. [I, 44-48.]

poèmes que je connaisse, une sorte de Discours de la méthode,
– j'entends de la méthode que Proust se fabrique à son usage,
– sans sortir de Combray, nous trouvons un autre passage
dont notre ami Charles Du Bos a été le premier, dans sa
remarquable étude sur Marcel Proust, à souligner l'importance [1]. Ce passage, quittant momentanément le premier filon
que nous avions saisi, je vais vous le lire :

> « Combien depuis ce jour, dans mes promenades du côté
> de Guermantes, il me parut plus affligeant encore qu'au-
> paravant de n'avoir pas de dispositions pour les lettres, et
> de devoir renoncer à être jamais un écrivain célèbre. Les
> regrets que j'en éprouvais, tandis que je restais seul à rêver
> un peu à l'écart, me faisaient tant souffrir, que pour ne
> plus les ressentir, de lui-même par une sorte d'inhibition
> devant la douleur, mon esprit s'arrêtait entièrement de
> penser aux vers, aux romans, à un avenir poétique sur
> lequel mon manque de talent m'interdisait de compter.
> Alors, bien en dehors de toutes ces préoccupations litté-
> raires et ne s'y rattachant en rien, tout d'un coup un toit,
> un reflet de soleil sur une pierre, l'odeur d'un chemin me
> faisaient arrêter par un plaisir particulier qu'ils me don-
> naient, et aussi parce qu'ils avaient l'air de cacher au-delà
> de ce que je voyais, quelque chose qu'ils invitaient à venir
> prendre et que malgré mes efforts je n'arrivais pas à décou-
> vrir. Comme je sentais que cela se trouvait en eux, je
> restais là, immobile, à regarder, à respirer, à tâcher d'aller
> avec ma pensée au-delà de l'image et de l'odeur. Et s'il
> me fallait rattraper mon grand-père, poursuivre ma route,
> je cherchais à les retrouver, en fermant les yeux ; je m'at-
> tachais à me rappeler exactement la ligne du toit, la nuance
> de la pierre qui, sans que je pusse comprendre pourquoi,
> m'avaient semblé pleines, prêtes à s'entr'ouvrir, à me livrer
> ce dont elles n'étaient qu'un couvercle *. »

---

* *Swann*, p. 165. [I, 178-179.]

Proust, à ce moment-là, est imprégné d'une certaine foi *réaliste*, au sens métaphysique du mot, qui est d'autant plus importante à mettre en lumière qu'elle ne disparaîtra jamais complètement de son esprit et que même toute la vie de cet esprit consistera jusqu'au bout dans une lutte de la tendance subjectiviste et sceptique contre le penchant réaliste. On peut même dire qu'il y a un drame immanent à l'intelligence de Proust et que c'est celui-là. Son œuvre est le résultat d'un effort de connaissance objective du monde sans cesse altéré par le souvenir, par la persuasion renaissante qu'il n'y a d'autre monde que le monde psychique, dont il est une monade sans communication avec les autres monades. Et ce souvenir, cette persuasion vont en se fortifiant en lui à mesure qu'il réussit à se donner à lui-même l'objectivité littéraire, à se changer en une œuvre, comme si d'être assuré au moins de cette réalité, ressemblante mais extérieure à lui-même, lui donnait de plus en plus de force pour regarder en face la grande illusion que sont êtres et gens.

Je m'excuse d'indiquer ici aussi sèchement une idée qui aurait besoin peut-être d'être lentement dégagée par une analyse détaillée et par de nombreuses lectures. Je m'excuse de l'exprimer en termes aussi philosophiques.

Mais nous allons la reprendre. Et pour ce qui est des termes philosophiques que j'ai employés, j'ai une excuse. Remarquez-vous (les précautions que nous avons prises tout à l'heure nous permettent maintenant d'insister sur ce point), remarquez-vous combien crûment philosophique est le propos que Proust avoue dans le passage que je viens de vous lire? « Je restais là, immobile, à regarder, à respirer, à tâcher d'aller avec ma pensée au-delà de l'image et de l'odeur. » Et dans vingt autres passages, c'est ce même effort pour dépasser l'apparence avec l'esprit, pour conquérir l'absolu, qui est décrit comme celui qui lui est le plus naturel, qui s'impose le plus invinciblement à lui : « Ce qu'il y avait d'abord en moi de plus intime, la poignée sans cesse en mouvement qui gouvernait le reste, c'était ma croyance en la richesse philosophique, en la beauté du livre que je lisais, et mon désir de me les approprier quel que fût ce livre *. » Un peu plus loin il parle « du secret de la vérité et de la beauté à demi pressenties, à demi incompréhensibles dont la connaissance était le but vague, mais permanent de ma pensée ** ». Et encore, Bloch lui ayant dit que Racine et Musset « ont fait chacun dans leur vie un vers assez bien rythmé et qui a pour lui... de ne signifier absolument rien », il s'avoue profondément troublé, lui qui des « beaux vers » « n'attendait rien moins que la révélation de la vérité *** ». Et encore : « Je m'arrêtais, *croyant acquérir une notion précise,* car il me semblait avoir sous les yeux un fragment de cette région fluviatile que je désirais tant connaître depuis que je l'avais vue décrite par un de mes écrivains préférés ****. »

Proust cherche avant tout la vérité et son premier mouvement, le plus naïf sans doute, mais le plus profond, est de la croire logée sous les spectacles que lui offrent ses sens. Tout l'art littéraire ne lui paraît qu'un moyen de l'en extraire. Tel est vraiment le premier temps de son esprit, quand il s'exerce.

Il y a quelque chose en lui de platonicien, une croyance à la présence d'Idées derrière les choses, d'Idées qui seraient plus réelles qu'elles et qui en rendraient compte. Et si, tout de suite, il se veut écrivain c'est pour isoler ces Idées, pour leur communiquer une solidité. Tant qu'il n'y réussit pas, la sensation de ses dons lui fait défaut. Il a beau chercher : il ne trouve aucun autre sujet que cette fixation des Idées, et n'y arrivant pas, il se sent stérile, malgré l'espoir qui le traverse par instants que son père peut-être, grâce à ses hautes relations, pourra le faire devenir grand écrivain.

Mais voici que nous arrivons, ou que nous revenons au deuxième temps de l'opération intellectuelle qui est à la base de la Recherche du Temps Perdu et que je m'excuse de vous avoir par erreur proposé comme le premier.

Dans son premier effort pour atteindre directement la

---

* P. 81. [I, 84.]
** P. 81. [I, 84.]
*** P. 86 et 87. [I, 90-91.]
**** P. 159-160. [I, 172.]

vérité hors de lui, Proust éprouve une déception. « Si on a la sensation d'être toujours entouré de son âme, ce n'est pas comme d'une prison immobile : plutôt on est comme emporté avec elle dans un perpétuel élan pour la dépasser, pour atteindre à l'extérieur, avec une sorte de découragement, entendant toujours autour de soi cette sonorité identique qui n'est pas écho du dehors mais retentissement d'une vibration interne. On cherche à retrouver dans les choses, devenues par là précieuses, le reflet que notre âme a projeté sur elles, on est déçu en constatant qu'elles semblent dépourvues dans la nature, du charme qu'elles devaient, dans notre pensée, au voisinage de certaines idées ; parfois on convertit toutes les forces de cette âme en habileté, en splendeur pour agir sur des êtres dont nous sentons bien qu'ils sont situés en dehors de nous et que nous ne les atteindrons jamais *. » Voilà bien décrits, rendus bien sensibles à la fois le mouvement qui l'emporte vers le non-moi et l'impossibilité qu'il sent de dépasser son moi. Partout maintenant il va se heurter à une sorte de différence entre ses perceptions et leur objet, entre ses émotions et celles des autres êtres.

Vous vous rappelez comment la vraie Duchesse de Guermantes vient se substituer à celle qu'il s'aperçoit qu'il avait construite par l'imagination et qui avait un visage en tapisserie.

En proie à l'enthousiasme que vient de lui donner un paysage contemplé « c'est à ce moment-là encore, – grâce à un paysan qui passait, l'air déjà d'être d'assez mauvaise humeur, qui le fut davantage quand il faillit recevoir mon parapluie dans la figure, et qui répondit sans chaleur à mes " beau temps, n'est-ce pas, il fait bon marcher ", – que j'appris que les mêmes émotions ne se produisent pas simultanément, dans un ordre préétabli, chez tous les hommes. Plus tard chaque fois qu'une lecture un peu longue m'avait mis en humeur de causer, le camarade à qui je brûlais d'adresser la parole venait justement de se livrer au plaisir de la conversation et désirait maintenant

---

* *Swann*, p. 83. [I, 86-87.]

qu'on le laissât lire tranquille. Si je venais de penser à mes
parents avec tendresse et de prendre les décisions les plus
sages et les plus propres à leur faire plaisir ils avaient employé
le même temps à apprendre une peccadille que j'avais oubliée
et qu'ils me reprochaient sévèrement au moment où je m'élan-
çais vers eux pour les embrasser * ».

Et dans la campagne, entre Roussainville et Saint-André-
des-Champs, pour mieux conquérir le paysage, comme il
appelle de toutes ses forces une femme qui veuille bien lui
en résumer et lui en concrétiser la saveur, et comme elle ne
paraît pas : « Je cessais de croire partagés par d'autres êtres,
de croire vrais en dehors de moi les désirs que je formais
pendant ces promenades et qui ne se réalisaient pas. Ils ne
m'apparaissaient plus que comme les créations purement subjectives, impuissantes, illusoires, de mon tempérament. Ils
n'avaient plus de lien avec la nature, avec la réalité qui dès
lors perdait tout charme et toute signification et n'était plus
à ma vie qu'un cadre conventionnel comme l'est à la fiction
d'un roman le wagon sur la banquette duquel le voyageur le
lit pour tuer le temps **. »

Mais cette expression découragée ne répond pas tout à
fait au parti définitif qu'il va adopter. La déception de son
effort objectif ne sera pas purement et simplement paraly-
sante. Son esprit, pour sortir de cette situation si cruelle, pour
échapper à ce contraste trop fort entre ses besoins et les
possibilités de la connaissance va trouver un joint, – excusez
ce mot familier, il est tout à fait en place – un joint extraordinaire.

Vous vous rappelez le passage que je vous ai lu tout à
l'heure. N'ayant pu forcer le paysage à livrer son secret, pris
de lassitude et d'ailleurs rappelé par ses parents : « Je sentais,
dit Proust, que je n'avais pas présentement la tranquillité
nécessaire pour poursuivre utilement ma recherche, et qu'il
valait mieux n'y plus penser jusqu'à ce que je fusse rentré, et

---

* *Swann*, p. 145. [I, 155-156.]
** P. 147. [I, 158-159.]

ne pas me fatiguer d'avance sans résultat. Alors je ne m'oc-
cupais plus de cette chose inconnue qui s'enveloppait d'une
forme ou d'un parfum, bien tranquille puisque je la ramenais
à la maison, protégée par le revêtement d'images sous lesquelles je la trouverais vivante, comme les poissons que les
jours où on m'avait laissé aller à la pêche, je rapportais dans
mon panier couverts par une couche d'herbe qui préservait
leur fraîcheur. Une fois à la maison je songeais à autre chose
et ainsi s'entassaient dans mon esprit (comme dans ma chambre
les fleurs que j'avais cueillies dans mes promenades ou les
objets qu'on m'avait donnés) une pierre où jouait un reflet,
un toit, un son de cloche, une odeur de feuilles, bien des
images différentes sous lesquelles il y a longtemps qu'est morte
la réalité pressentie que je n'ai pas eu assez de volonté pour
arriver à découvrir *. »

Autrement dit ce qu'il n'a pu saisir hors de lui, il va
attendre jusqu'à pouvoir le saisir en lui. Et peu à peu sa
recherche va prendre ainsi une orientation intérieure. Son
besoin de vérité, de vérité absolue, que les choses ont déçu,
va se tourner vers leur reflet en lui-même. Et c'est lui-même,
en tant que système de perceptions, d'affections et d'idées
qu'il va se proposer comme objet d'étude.

Autrement dit son effort sur l'espace va se changer en un
effort sur le temps. Il ne cherchera plus à faire sortir l'espace
que du temps parfaitement reconstitué.

Ceci explique, soit dit en passant, le retard de sa vocation,
ou plutôt l'écart entre le moment où elle se fait sentir à lui
et le moment où elle trouve enfin un objet. Il fallait d'abord
que l'objet se constituât. Avec un besoin de certitude comme
celui dont Proust était doué, il ne pouvait trouver d'objet à
sa taille, si j'ose dire, qu'immédiat, c'est-à-dire qu'intérieur,
c'est-à-dire encore que tardif **.

Ce qui le ramène vers lui-même, ouvre ainsi la voie à sa
recherche, c'est la qualité affective de ses contemplations :

---

* *Swann*, p. 166. [I, 179.]
** À la rigueur on peut citer ici le passage de la p. 92 [2].

« Puis je revenais devant les aubépines comme devant ces chefs-d'œuvre dont on croit qu'on saura mieux les voir quand on a cessé un moment de les regarder, mais j'avais beau me faire un écran de mes mains pour n'avoir qu'elles sous les yeux, le sentiment qu'elles éveillaient en moi restait obscur et vague, cherchant en vain à se dégager, à venir adhérer à leurs fleurs *. »

Il sent bien que tout se passe principalement en lui-même, puisqu'il est ému avant de comprendre (« ...je ne savais pas réduire en ses éléments objectifs une impression forte ** ») et nous revenons ainsi aux passages que je citais trop tôt tout à l'heure et que cette erreur de plan me force à vous relire.

« Il est temps que je m'arrête, la vertu du breuvage semble diminuer. Il est clair que la vérité que je cherche n'est pas en lui, mais en moi... Un plaisir délicieux m'avait envahi, isolé, sans la notion de sa cause. Il m'avait aussitôt rendu les vicissitudes de la vie indifférentes, ses désastres inoffensifs, sa brièveté illusoire, de la même façon qu'opère l'amour, en me remplissant d'une essence précieuse : ou plutôt cette essence n'était pas en moi, elle était moi... Arrivera-t-il jusqu'à la surface de ma claire conscience, ce souvenir, l'instant ancien que l'attraction d'un instant identique est venue de si loin solliciter, émouvoir, soulever tout au fond de moi ? »

Les trois phrases se terminent également par : moi. Et l'on sent bien dans tout ce passage que Proust ne considère plus qu'il y ait pour lui rien d'autre, ni à atteindre ni d'accessible que ce moi qu'il a laissé s'imprégner lentement à travers les années de tant de richesses dont il vaut mieux, par sagesse et parce que le problème est insoluble, ignorer à jamais la véritable nature, ni si elles eurent jamais une existence distincte de cette conscience à laquelle elles se sont incorporées.

* *Swann*, p. 130. [I, 139.].
** P. 131. [I, 141.]

Le problème littéraire devient ainsi pour Proust étonnamment voisin de ce qu'est le problème psychologique pour Freud : il devient celui de reconstituer l'intégrité d'une vie psychique, de « combler les lacunes de la mémoire », de rendre l'existence aux petites perceptions frappées d'oubli.

Ici, je crois que nous tenons une ressemblance vraiment profonde entre nos deux auteurs, une ressemblance que nous n'avons vraiment rien fait pour produire, une ressemblance qui est du dedans et que nous pouvons explorer sans crainte d'en être les artisans. Nous le ferons d'autant plus librement que nous marquerons tout à l'heure le point où elle cesse et rendrons à chacun, au moment où elle s'imposera à nouveau, son originalité.

De même que Freud devant un malade s'efforce avant tout de supprimer ses amnésies, de « combler », comme il dit lui-même, « les lacunes de sa mémoire », de lui faire retrouver les événements de sa vie que l'inconscient a engloutis, de lui refaire une personnalité psychologique complète, afin que ses forces spirituelles circulent de nouveau normalement dans tout son être et retrouvent tous les passages auxquels elles ont droit, de même Proust, sans intention thérapeutique précise, – mais quel est l'écrivain qui dans le fond, comme Freud le remarque, ne cherche pas en écrivant avant tout à se guérir? – de même Proust se place en face de ce monde immergé qu'il se sent être, de toute cette foule de perceptions éteintes, disparues dont il se sent pourtant encore actuellement constitué, et il les appelle, et il les invoque, et il les force à remonter : « Je sens tressaillir en moi quelque chose qui se déplace, voudrait s'élever, quelque chose qu'on aurait désancré, à une grande profondeur; je ne sais ce que c'est, mais cela monte lentement; j'éprouve la résistance et j'entends la rumeur des distances traversées *. »

Et comment Proust procède-t-il pour obtenir ce rappel, cette résurrection? Exactement de la façon que Freud préconise : par l'association des idées. À vrai dire, tandis que

* P. 47. [I, 46.]

Freud, qui est extérieur à son malade, essaie de provoquer
en lui des associations, le tente, le travaille (Je ne vous ai pas
décrit la méthode analytique de traitement, mais elle
commence à être bien connue, au moins dans son principe),
– Proust, qui opère sur lui-même, est obligé d'attendre passivement la chance d'une association féconde. C'est le pur
hasard qui peut seul l'en gratifier : « Il y a beaucoup de hasard
en tout ceci, et un second hasard, celui de notre mort, souvent
ne nous permet pas d'attendre longtemps les faveurs du premier *. »

Jamais peut-être il n'eût ressuscité Combray, sans l'exci-
tation tout extérieure qu'est venue lui apporter la madeleine
trempée dans le thé.

Mais une fois le hasard obtenu, l'effort de contention qu'il
fait pour l'exploiter et lui faire rendre tout ce qu'il contient
est tout à fait voisin de la pression qu'exerce Freud sur son
malade et de ce constant appel qu'il fait à sa mémoire.

*

Ressemblance de méthode. Mais c'est parce qu'il y a une
ressemblance de conception de la vie psychique, chez nos deux
auteurs, et c'est celle-là surtout qui nous intéresse.

Proust, comme Freud, croit à l'inconscient, et, comme
Freud encore, à un inconscient déterminé, actuel, si j'ose dire,
à quelque chose d'à la fois invisible et défini, à quelque chose
que nous ne sentons pas, qu'il faut un certain nombre de
chances pour arriver à sentir, mais qui n'en est pas moins
présent, qui n'en est pas moins actif même, et qui, dans une
certaine mesure (j'emploie cette formule restrictive, parce que
là est tout de même comme nous verrons tout à l'heure le
point de divergence intéressant entre nos deux auteurs), qui,
dans une certaine mesure, modifie notre activité consciente.

Que Proust croie à l'inconscient, cela nous serait bien égal,
s'il s'en était fait un dogme qu'il cherche à nous imposer de

* P. 45. [I, 44.]

l'extérieur, par le raisonnement, par la démonstration. Mais c'est bien plus qu'un dogme qu'il nous apporte, bien plus qu'un principe. Cet inconscient, il nous le fait voir, il nous met constamment en contact avec lui.

L'autre jour, avec Freud, bien que l'inconscient soit chez lui aussi une constatation avant de devenir un principe, nous avons été tout de même obligés de mettre nous-mêmes cette constatation en rapport avec notre expérience.

Aucune opération de ce genre ne nous est demandée avec Proust. Il nous décrit simplement son expérience, avec une particularité tellement géniale que nous y retrouvons aussitôt la nôtre, et il nous décèle dans cette expérience les constantes manifestations de l'inconscient. Il fait cela sans y toucher, avec un naturel, avec un tact et une infaillibilité si extraordinaires qu'ils arrachent des cris d'admiration.

Je ne sais pas si je retrouverai jamais dans ma vie une émotion aussi intense que celle dont me submergea la lecture de *Swann* quand je la fis pour la première fois en 1914.

Et si j'en cherche maintenant les raisons, de cette émotion, il me semble qu'une des principales est que j'avais la sensation de me trouver en face d'une œuvre douée d'une dimension de plus que toutes celles que j'avais rencontrées jusque-là. Elle intéressait – au sens où l'on dit qu'une douleur intéresse un organe – toute la masse de mon être; elle m'encombrait totalement, dans tous les sens; elle reproduisait, si j'ose dire, le gâteau tout entier de mes sensations.

Mais une fois de plus je vais trop vite. Pour mieux m'expliquer, je vais vous demander la permission de vous lire quelques passages de ce prodigieux *Amour de Swann*, qui, comme l'a remarqué Edmond Jaloux [3] est un des plus beaux romans de passion de toute la littérature, et dans lequel il faut voir peut-être, sous réserve de ce qui reste encore à paraître, la plus prodigieuse réussite de Proust.

Ceci d'abord :

Swann a pris l'habitude de voir tous les soirs Odette chez les Verdurin.

« Rien qu'en approchant de chez les Verdurin quand il apercevait éclairées par des lampes, les grandes fenêtres dont on ne fermait jamais les volets, il s'attendrissait en pensant à l'être charmant qu'il allait voir épanoui dans leur lumière d'or. Parfois les ombres des invités se détachaient minces et noires, en écran, devant les lampes, comme ces petites gravures qu'on intercale de place en place dans un abat-jour translucide dont les autres feuillets ne sont que clarté. Il cherchait à distinguer la silhouette d'Odette. Puis, dès qu'il était arrivé, sans qu'il s'en rendît compte, ses yeux brillaient d'une telle joie que M. Verdurin disait au peintre : " Je crois que ça chauffe. " Et la présence d'Odette ajoutait en effet pour Swann à cette maison ce dont n'était pourvue aucune de celles où il était reçu : une sorte d'appareil sensitif, de réseau nerveux qui se ramifiait dans toutes les pièces et apportait des excitations constantes à son cœur.

« Ainsi le simple fonctionnement de cet organisme social qu'était le petit " clan ", prenait automatiquement pour Swann des rendez-vous quotidiens avec Odette et lui permettait de feindre une indifférence à la voir, ou même un désir de ne plus la voir, qui ne lui faisait pas courir de grands risques, puisque, quoi qu'il lui eût écrit dans la journée, il la verrait forcément le soir et la ramènerait chez elle.

« Mais une fois qu'ayant songé avec maussaderie à cet inévitable retour ensemble, il avait emmené jusqu'au Bois sa jeune ouvrière pour retarder le moment d'aller chez les Verdurin, il arriva chez eux si tard qu'Odette, croyant qu'il ne viendrait plus, était partie. En voyant qu'elle n'était plus dans le salon, Swann ressentit une souffrance au cœur; il tremblait d'être privé d'un plaisir qu'il mesurait pour la première fois, ayant eu jusque-là cette certitude de le trouver quand il le voulait, qui pour tous les plaisirs nous diminue ou même nous empêche d'apercevoir aucunement leur grandeur *. »

« Swann ressentit une souffrance au cœur. » C'est l'inconscient qui touché, tout à coup, affleure.

De même quand Swann cherche Odette dans tout Paris et qu'il a envoyé son cocher visiter les restaurants où elle peut être encore :

> « Le cocher revint lui dire qu'il ne l'avait trouvée nulle part, et ajouta son avis, en vieux serviteur :
> « — Je crois que Monsieur n'a plus qu'à rentrer.
> « Mais l'indifférence que Swann jouait facilement quand Rémi ne pouvait plus rien changer à la réponse qu'il apportait tomba, quand il le vit essayer de le faire renoncer à son espoir et à sa recherche :
> « — Mais pas du tout, s'écria-t-il, il faut que nous trouvions cette dame; c'est de la plus haute importance **... »

« Son indifférence tomba... » Voilà le mot à noter.

Plus loin, quand Swann commence à être jaloux, après la scène où il a cru surprendre Odette avec Forcheville, et où il s'est aperçu qu'il se trompait de fenêtre et avait pris pour une conversation entre les deux amants, celle, toute paisible, que menaient deux innocents vieux messieurs :

> « Il ne lui parla pas de cette mésaventure, écrit Proust, lui-même n'y songeait plus. Mais par moments, un mouvement de sa pensée venait en rencontrer le souvenir qu'elle n'avait pas aperçu, le heurtait, l'enfonçait plus avant et Swann avait ressenti une douleur brusque et profonde ***. »

---

* *Swann*, p. 209. [I, 226.]
** *Swann*, p. 213. [I, 230.]
*** P. 253. [I, 275.]

L'image, ici latente, du récif reparaît en d'autres endroits de l'œuvre, par exemple dans *la Prisonnière*, sous une forme explicite.

« Ma pensée qui jusqu'ici avait navigué en souriant sur ces eaux bienheureuses éclatait soudain, comme si elle eût heurté une mine invisible et dangereuse, insidieusement posée à ce point de sa mémoire *. »

Il y a des récifs en nous, des formations sous-marines que la pensée consciente, comme un navire mal piloté, rencontre tout à coup et auxquels elle se déchire. Il y a un monde immergé sur lequel nous ne pouvons avoir que des renseignements rares et accidentels.

Et je ne sais pas si on peut décrire d'une manière plus saisissante ces sortes de collisions qui se produisent de temps en temps entre le conscient et l'inconscient, que ne l'a fait Proust par exemple dans le passage suivant : C'est pendant la soirée chez Mᵐᵉ de Saint-Euverte. Et je vous rappelle que le thème de l'Andante de la Sonate de Vinteuil auquel il va être fait allusion a servi comme de devise à l'amour de Swann et d'Odette pendant toute la période où cet amour fut réciproque et heureux.

« Mais le concert recommença et Swann comprit qu'il ne pourrait pas s'en aller avant la fin de ce nouveau numéro du programme. Il souffrait de rester enfermé au milieu de ces gens dont la bêtise et les ridicules le frappaient d'autant plus douloureusement qu'ignorant son amour, incapables, s'ils l'avaient connu, de s'y intéresser et de faire autre chose que d'en sourire comme d'un enfantillage ou de le déplorer comme une folie, ils le lui faisaient apparaître sous l'aspect d'un état subjectif qui n'existait que pour lui, dont rien d'extérieur ne lui affirmait la réalité; il souffrait surtout, et au point que même le son

---

* P. 144 de la dactylographie. [III, 84.]

des instruments lui donnait envie de crier, de prolonger son exil dans ce lieu où Odette ne viendrait jamais, où personne, où rien ne la connaissait, d'où elle était entièrement absente.

« Mais tout à coup ce fut comme si elle était entrée, et cette apparition lui fut une si déchirante souffrance qu'il dut porter la main à son cœur. C'est que le violon était monté à des notes hautes où il restait comme pour une attente, une attente qui se prolongeait sans qu'il cessât de les tenir, dans l'exaltation où il était d'apercevoir déjà l'objet de son attente qui s'approchait, et avec un effort désespéré pour tâcher de durer jusqu'à son arrivée, de l'accueillir avant d'expirer, de lui maintenir encore un moment de toutes ses dernières forces le chemin ouvert pour qu'il pût passer, comme on soutient une porte qui sans cela retomberait. Et avant que Swann eût eu le temps de comprendre, et de se dire : " C'est la petite phrase de la sonate de Vinteuil, n'écoutons pas ! " tous ses souvenirs du temps où Odette était éprise de lui, et qu'il avait réussi jusqu'à ce jour à maintenir invisibles dans les profondeurs de son être, trompés par ce brusque rayon du temps d'amour qu'ils crurent revenu, s'étaient réveillés, et à tire d'aile, étaient remontés lui chanter éperdument, sans pitié pour son infortune présente, les refrains oubliés du bonheur.

« Au lieu des expressions abstraites " temps où j'étais heureux ", " temps où j'étais aimé ", qu'il avait souvent prononcées jusque-là et sans trop souffrir, car son intelligence n'y avait enfermé du passé que de prétendus extraits qui n'en conservaient rien, il retrouva tout ce qui de ce bonheur perdu avait fixé à jamais la spécifique et volatile essence; il revit tout, les pétales neigeux et frisés du chrysanthème qu'elle lui avait jeté dans sa voiture, qu'il avait gardé contre ses lèvres – l'adresse en relief de la " Maison Dorée " sur la lettre où il avait lu : " Ma main tremble si fort en vous écrivant " – le rapprochement de ses sourcils quand elle lui avait dit d'un air suppliant : " Ce

n'est pas dans trop longtemps que vous me ferez signe? ",
il sentit l'odeur du fer du coiffeur par lequel il se faisait
relever sa " brosse " pendant que Lorédan allait chercher
la petite ouvrière, les pluies d'orage qui tombèrent si souvent ce printemps-là, le retour glacial dans sa victoria, au
clair de lune, toutes les mailles d'habitudes mentales, d'impressions saisonnières, de réactions cutanées, qui avaient
étendu sur une suite de semaines un réseau uniforme dans
lequel son corps se trouvait repris. À ce moment-là, il
satisfaisait une curiosité voluptueuse en connaissant les
plaisirs des gens qui vivent par l'amour. Il avait cru qu'il
pourrait s'en tenir là, qu'il ne serait pas obligé d'en
apprendre les douleurs; comme maintenant le charme
d'Odette lui était peu de chose auprès de cette formidable
terreur qui le prolongeait comme un double halo, cette
immense angoisse de ne pas savoir à tous moments ce
qu'elle avait fait, de ne pas la posséder partout et toujours!
Hélas, il se rappela l'accent dont elle s'était écriée : " Mais
je pourrai toujours vous voir, je suis toujours libre! " elle
qui ne l'était plus jamais! l'intérêt, la curiosité qu'elle avait
eus pour sa vie à lui, le désir passionné qu'il lui fît la faveur
– redoutée au contraire par lui en ce temps-là comme une
cause d'ennuyeux dérangements – de l'y laisser pénétrer;
comme elle avait été obligée de le prier pour qu'il se laissât
mener chez les Verdurin; et, quand il la faisait venir chez
lui une fois par mois, comme il avait fallu, avant qu'il se
laissât fléchir, qu'elle lui répétât le délice que serait cette
habitude de se voir tous les jours dont elle rêvait alors
qu'elle ne lui semblait à lui qu'un fastidieux tracas, puis
qu'elle avait prise en dégoût et définitivement rompue,
pendant qu'elle était devenue pour lui un si invincible et
si douloureux besoin. Il ne savait pas dire si vrai quand,
à la troisième fois qu'il l'avait vue, comme elle lui répétait :
" Mais pourquoi ne me laissez-vous pas venir plus souvent ", il lui avait dit en riant, avec galanterie : " par peur
de souffrir ". Maintenant, hélas! il arrivait encore parfois
qu'elle lui écrivît d'un restaurant ou d'un hôtel sur du

papier qui en portait le nom imprimé ; mais c'était comme des lettres de feu qui le brûlaient. " C'est écrit de l'hôtel Vouillemont ? Qu'y peut-elle être allée faire ! avec qui ? que s'y est-il passé ? " Il se rappela les becs de gaz qu'on éteignait boulevard des Italiens quand il l'avait rencontrée contre tout espoir parmi les ombres errantes dans cette nuit qui lui avait semblé presque surnaturelle et qui en effet – nuit d'un temps où il n'avait même pas à se demander s'il ne la contrarierait pas en la cherchant, en la retrouvant, tant il était sur qu'elle n'avait pas de plus grande joie que de le voir et de rentrer avec lui, – appartenait bien à un monde mystérieux où on ne peut jamais revenir quand les portes s'en sont refermées. Et Swann aperçut, immobile en face de ce bonheur revécu, un malheureux qui lui fit pitié parce qu'il ne le reconnut pas tout de suite, si bien qu'il dut baisser les yeux pour qu'on ne vît pas qu'ils étaient pleins de larmes. C'était lui-même *. »

Je ne peux pas pousser plus loin l'analyse sans vous faire remarquer tout ce qu'un passage de cet ordre et de cette qualité apporte de nouveauté dans l'art psychologique, dans l'art de peindre les sentiments. Tout apparaît artificiel et simpliste auprès de cette description. C'est la première fois que les différents étages de la conscience sont représentés à nos yeux d'une manière sensible, la première fois qu'on nous montre à nous-mêmes que nous ne vivons pas sur un seul plan, la première fois qu'on nous fait comprendre que chacun de nous est plusieurs.

Toute la psychologie romanesque apparaît, à côté d'un tel passage, comme une sorte d'élégante simplification de l'âme, comme une mise au net, et, si j'ose dire, au simple, de sa multiplicité originelle, de ce qu'elle a d'essentiellement *polymorphe* (je reprends ici un mot de Freud dans sa définition de la disposition sexuelle des enfants).

Sans doute il y a Dostoïevski et les Russes, dont l'originalité

---

* *Swann*, p. 313. [I, 344-347.]

à ce point de vue particulier est géante. Mais la complexité, ou la polymorphie des personnages de Dostoïevski est d'un ordre très spécial; elle est surtout morale; c'est le mélange en eux du bien et du mal, des tendances moralement anti-thétiques, qui fait leur complexité; et c'est l'alternance en eux du bien et du mal comme principes de conduite qui les rend divers et complexes.

Dostoïevski ne s'est pas occupé de rendre sensible toute cette mécanique, de nature plutôt intellectuelle, par laquelle nos moi différents se commandent les uns les autres et se remplacent. Proust est vraiment le premier à avoir rendu à l'homme son hétérogénéité naturelle, à l'avoir montré non plus moralement, mais, en prenant le mot dans son sens le plus général, physiquement complexe [4].

Révélation de l'inconscient, de son immanence à toute la vie normale. Représentation merveilleuse du mécanisme par lequel il affleure de temps en temps dans la conscience. Nous sommes en plein Freud, si j'ose dire, et jusqu'ici la ressemblance entre nos deux auteurs, sous les réserves posées au début de cette causerie, est parfaite. Mais voici le point où chacun reprend son originalité.

Freud dit bien, dans un passage que je n'ai pas eu le temps de vous lire l'autre jour, de son commentaire de l'observation de Breuer [5] :

Et plus loin :

> « Pour nous la dissociation psychique ne vient pas d'une inaptitude innée de l'appareil mental à la synthèse; nous l'expliquons dynamiquement par le conflit de deux forces psychiques; nous voyons en elle le résultat d'une révolte active des deux constellations psychiques, le conscient et l'inconscient *. »

Il y a dans ces deux passages des mots très forts pour exprimer l'indépendance mutuelle du conscient et de l'in-

* Brochure, p. 38 [6].

conscient. On voit très bien ces deux constellations psychiques entrant en « révolte active » l'une contre l'autre.

Mais justement c'est le mot révolte qui va nous permettre de saisir une grande différence entre Freud et Proust. Le premier conçoit les deux systèmes dans une sorte de conflit et de lutte réciproques. Si autonomes qu'il les représente, il ne les fait se servir de leur autonomie que pour se combattre ; et c'est les ramener d'une autre façon en dépendance l'un de l'autre, c'est leur reformer une solidarité, c'est tendre à reconstituer l'unité de la conscience ou plutôt de l'être psychologique.

Il y a dans Proust beaucoup de passages qui peuvent donner l'impression qu'il conçoit de la même façon que Freud les rapports du conscient et de l'inconscient. Cette phrase par exemple : « Voici que comme un caoutchouc tendu qu'on lâche ou comme l'air dans une machine pneumatique qu'on entr'ouvre, l'idée de la revoir, des lointains où elle était maintenue, revenait d'un bond dans le champ du présent et des possibilités immédiates. » Et un peu plus bas : « Cette idée de la retrouver..., par un retour si brusque, au moment où il la croyait si loin, était de nouveau près de lui, dans sa plus proche conscience. C'est qu'elle ne trouvait plus pour lui faire obstacle le désir de chercher... à lui résister... etc. * » C'est exactement le schème freudien qui est adopté ici par Proust.

Proust nous montre même ailleurs un de ces composés de conscient et d'inconscient, un de ces résultats synthétiques du conflit des deux forces que Freud appelle des « fantaisies » et qui consistent dans un courant de réflexions, de rêveries absolument insincères parce qu'elles reflètent à la fois deux tendances inconciliables. Le passage est si beau, si profond qu'il faut encore que je vous le lise. C'est au moment où Swann se rend compte que les Verdurin cherchent à le séparer d'Odette et favorisent le flirt de celle-ci avec Forcheville :

* *Swann*, p. 280. [I, 306-307.]

« En somme la vie qu'on menait chez les Verdurin et qu'il avait appelée si souvent " la vraie vie ", lui semblait la pire de toutes, et leur petit noyau le dernier des milieux. " C'est vraiment, disait-il, ce qu'il y a de plus bas dans l'échelle sociale, le dernier cercle de Dante. Nul doute que le texte auguste ne se réfère aux Verdurin! Au fond, comme les gens du monde dont on peut médire, mais qui tout de même sont autre chose que ces bandes de voyous, montrent leur profonde sagesse en refusant de les connaître, d'y salir même le bout de leurs doigts. Quelle divination dans ce *Noli me tangere* du faubourg Saint-Germain! " Il avait quitté depuis bien longtemps les allées du Bois, il était presque arrivé chez lui, que, pas encore dégrisé de sa douleur et de la verve d'insincérité dont les intonations menteuses, la sonorité artificielle de sa propre voix lui versaient d'instant en instant plus abondamment l'ivresse, il continuait encore à pérorer tout haut dans le silence de la nuit : " Les gens du monde ont leurs défauts que personne ne reconnaît mieux que moi, mais enfin ce sont tout de même des gens avec qui certaines choses sont impossibles. Telle femme élégante que j'ai connue était loin d'être parfaite, mais enfin il y avait tout de même chez elle un fond de délicatesse, une loyauté dans les procédés qui l'auraient rendue, quoi qu'il arrivât, incapable d'une félonie et qui suffisent à mettre des abîmes entre elle et une mégère comme la Verdurin. Verdurin! quel nom! Ah! on peut dire qu'ils sont complets, qu'ils sont beaux dans leur genre! Dieu merci, il n'était que temps de ne plus condescendre à la promiscuité avec cette infamie, avec ces ordures. "

« Mais, comme les vertus qu'il attribuait tantôt encore aux Verdurin, n'auraient pas suffi, même s'ils les avaient vraiment possédées, mais s'ils n'avaient pas favorisé et protégé son amour, à provoquer chez Swann cette ivresse où il s'attendrissait sur leur magnanimité et qui, même propagée à travers d'autres personnes, ne pouvait lui venir que d'Odette, – de même, l'immoralité, eût-elle été réelle, qu'il trouvait aujourd'hui aux Verdurin aurait été impuissante, s'ils n'avaient pas invité Odette avec Forcheville et sans lui, à déchaîner son indignation et à lui faire flétrir " leur infamie ". Et sans doute la voix de Swann était plus clairvoyante que lui-même, quand elle se refusait à prononcer ces mots pleins de dégoûts pour le milieu Verdurin et de la joie d'en avoir fini avec lui, autrement que sur un ton factice et comme s'ils étaient choisis plutôt pour assouvir sa colère que pour exprimer sa pensée. Celle-ci, en effet, pendant qu'il se livrait à ces invectives, était probablement, sans qu'il s'en aperçût, occupée d'un objet tout à fait différent, car une fois arrivé chez lui, à peine eut-il refermé la porte cochère, que brusquement il se frappa le front, et, la faisant rouvrir, ressortit en s'écriant d'une voix naturelle cette fois : " Je crois que j'ai trouvé le moyen de me faire inviter demain au dîner de Chatou *! " »

L'analogie de ces déclamations de Swann avec les fantaisies de la jeune fille de Breuer [7], et plus généralement avec les rêves et avec tous les symptômes névrotiques est frappante ; elle semble impliquer, encore une fois, une conception dynamique des rapports du conscient et de l'inconscient.

Eh bien ! si l'on prend l'œuvre de Proust dans son ensemble, il faut le dire : ce n'est pas une conception dynamique de ces rapports qui y est latente. Et c'est la grande différence de notre auteur avec Freud, c'est sa grande, sa terrible originalité, c'est peut-être en quoi il est le plus dangereusement initiateur, que cette conception qu'il a d'une parfaite articulation – ou d'une parfaite étanchéité – réciproque des différents systèmes psychiques.

À la place de la conception freudienne du refoulement, il y a chez Proust la conception des intermittences du cœur. Vous connaissez l'admirable passage que nous avons publié, sous ce titre, l'an dernier, dans la N.R.F. Il fait partie de *Sodome et Gomorrhe* [8]. Permettez-moi, je vous prie, de vous le

* P. 263. [I, 287-289.]

relire : Le héros du livre revient à Balbec pour la première fois depuis la mort de sa grand'mère; le directeur de l'hôtel vient de l'installer dans sa chambre :

« Bouleversement de toute ma personne. Dès la première nuit, comme je souffrais d'une crise de fatigue cardiaque, tâchant de dompter ma souffrance, je me baissai avec lenteur et prudence pour me déchausser. Mais à peine eus-je touché le premier bouton de ma bottine, ma poitrine s'enfla, remplie d'une présence inconnue, divine, des sanglots me secouèrent, des larmes ruisselèrent de mes yeux. L'être qui venait à mon secours, qui me sauvait de la sécheresse de l'âme, c'était celui qui, plusieurs années auparavant, dans un moment de détresse et de solitude identiques, dans un moment où je n'avais plus rien de moi, était entré, et qui m'avait rendu à moi-même, car il était moi et plus que moi (le contenant qui est plus que le contenu et me l'apportait). Je venais d'apercevoir, dans ma mémoire, penché sur ma fatigue, le visage tendre, préoccupé et déçu de ma grand'mère, telle qu'elle avait été ce premier soir d'arrivée; le visage de ma grand'mère, non pas de celle que je m'étais étonné et reproché de si peu regretter et qui n'avait d'elle que le nom, mais de ma grand'mère véritable dont, pour la première fois depuis les Champs-Élysées où elle avait eu son attaque, je retrouvais dans un souvenir involontaire et complet la réalité vivante. Cette réalité n'existe pas pour nous tant qu'elle n'a pas été recréée par notre pensée (sans cela les hommes qui ont été mêlés à un combat gigantesque seraient tous de grands poètes épiques); et ainsi, dans un désir fou de me précipiter dans ses bras, ce n'était qu'à l'instant – plus d'une année après son enterrement, à cause de cet anachronisme qui empêche si souvent le calendrier des faits de coïncider avec celui des sentiments – que je venais d'apprendre qu'elle était morte. J'avais souvent parlé d'elle depuis ce moment-là et aussi pensé à elle, mais sous mes paroles et mes pensées de jeune homme ingrat, égoïste et

cruel, il n'y avait jamais rien eu qui ressemblât à ma grand'-
mère, parce que dans ma légèreté, mon amour du plaisir,
mon accoutumance à la voir malade, je ne contenais en
moi, qu'à l'état virtuel, le souvenir de ce qu'elle avait été.
À n'importe quel moment que nous la considérions, notre
âme totale n'a qu'une valeur presque fictive, malgré le
nombreux bilan de ses richesses, car tantôt les unes, tantôt
les autres sont indisponibles, qu'il s'agisse d'ailleurs de
richesses effectives aussi bien que de celles de l'imagination, et pour moi par exemple tout autant que de l'ancien
nom de Guermantes, de celles combien plus graves, du
souvenir vrai de ma grand'mère. Car aux troubles de la
mémoire sont liées les intermittences du cœur. C'est sans
doute l'existence de notre corps, semblable pour nous à
un vase où notre spiritualité serait enclose, qui nous induit
à supposer que tous nos biens intérieurs, nos joies passées,
toutes nos douleurs sont perpétuellement en notre possession. Peut-être est-il aussi inexact de croire qu'elles
s'échappent ou reviennent. En tout cas si elles restent en
nous c'est la plupart du temps dans un domaine inconnu
où elles ne sont de nul service pour nous, et où même les
plus usuelles sont refoulées par des souvenirs d'ordre différent et qui excluent toute simultanéité avec elles dans
la conscience. Mais si le cadre de sensations où elles sont
conservées est ressaisi, elles ont à leur tour ce même pouvoir d'expulser tout ce qui leur est incompatible, d'installer seul en nous, le moi qui les vécut. Or comme celui
que je venais subitement de redevenir n'avait pas existé
depuis ce soir lointain où ma grand'mère m'avait déshabi-
billé à mon arrivée à Balbec, ce fut tout naturellement,
non pas après la journée actuelle que ce moi ignorait, mais
– comme s'il y avait dans le temps des séries différentes
et parallèles – sans solution de continuité, tout de suite
après le premier soir d'autrefois, que j'adhérai à la minute
où ma grand'mère s'était penchée vers moi. Le moi que
j'étais alors et qui avait disparu si longtemps, était de
nouveau si près de moi qu'il me semblait encore entendre

les paroles qui avaient immédiatement précédé et qui n'étaient pourtant plus qu'un songe, comme un homme mal éveillé croit percevoir tout près de lui les bruits de son rêve qui s'enfuit *. »

On peut rapprocher de ce passage celui que je vous ai lu tout à l'heure, où Swann, par la vertu de la petite phrase, se trouve remis brusquement en possession de son moi ancien, de son moi heureux, et le passage d'*Une matinée au Trocadéro*, ce fragment de *la Prisonnière* qu'a publié le numéro spécial de la N.R.F., ce passage où par la lecture du *Figaro* le moi jaloux vient brusquement remplacer, chez le narrateur, le moi paisible et confiant [9]. Ce sont là des cas différents, mais symétriques, d'intermittences du cœur. Mais le cas-type reste celui de la résurrection de la grand'mère dans le cœur de Proust, et d'autant plus qu'il est accompagné d'une véritable théorie psychologique.

Cette théorie s'exprime dans les phrases suivantes :

« Bouleversement de toute ma personne. »

« À n'importe quel moment que nous la considérions, notre âme totale n'a qu'une valeur presque fictive. »

« Si [nos biens intérieurs, nos joies passées, toutes nos douleurs] restent en nous, c'est la plupart du temps dans un domaine inconnu où elles ne sont de nul service pour nous. »

Et encore ceci :

« Ce fut tout naturellement, non pas après la journée actuelle que ce moi ignorait, mais — comme s'il y avait dans le temps des séries différentes et parallèles — sans solution de continuité, tout de suite après le premier soir d'autrefois, que j'adhérai à la minute où ma grand'mère s'était penchée vers moi. »

Il est difficile d'imaginer des termes plus forts pour exprimer l'idée que si les différents systèmes d'idées et d'affections qui sont en nous, si nos différents complexes sentimentaux peuvent se remplacer sous la lumière, sous le projecteur de

---

* *Sodome II*, vol. 1, p. 176. [II, 755-757.]

la conscience, ils ne peuvent ni se pénétrer ni se modifier à distance les uns les autres. Toute contamination des uns par les autres apparaît à Proust comme impossible.

Et il en arrive à cette idée d'une hardiesse admirable que nous sommes composés « de séries différentes et parallèles », que la durée psychique se déroule sur plusieurs plans qui n'ont pas de contact, alors même qu'ils se coupent, que l'unité seule de notre corps peut nous donner l'impression que nous sommes un être unique, qu'en réalité il y a plusieurs moi qui vivent en symbiose, comme on dit en biologie, du fait qu'ils ne disposent à eux tous que d'une seule conscience, dont il leur faut, pour se connaître, emprunter tour à tour la lumière.

Autrement dit, Proust introduisit le dédoublement de la personnalité dans la vie normale.

Autrement dit encore, il dissocie l'individu, cette « fiction légale » comme dit si bien M. Paul Desjardins dans son remarquable article du numéro spécial [10], et qui est un produit par contrecoup de la Société.

Il y a là une conception psychologique qui bien entendu, dans l'esprit de Proust, n'a jamais pris une forme absolument systématique, mais qui née de l'observation et commandée par elle, a tout de même atteint un certain degré d'abstraction et a revêtu des prétentions à la généralité d'une loi.

Je la trouve bouleversante. Car vous voyez bien, je pense, comme moi, toutes les conséquences qu'elle comporte ou, si vous voulez, tous les principes qu'elle implique. Proust s'appuie tacitement, et sans bien s'en rendre compte peut-être, sur une vision purement phénoméniste de l'âme. Tout principe agglomérant, toute substance à ses passions sont exclus par lui. C'est le résultat sans doute de la formidable attention qu'il est de sa vocation de prêter au détail psychologique.

Mais justement nous retrouvons ici une nouvelle fois cette antinomie que nous avions observée, sous l'inspiration de Freud, – et remarquez que nous y arrivons par un nouveau chemin – entre connaissance et unité, entre sincérité et cohérence.

Nous ne l'examinerons pourtant pas encore en face cette

fois-ci, ni ne nous demanderons si elle est vraiment irréductible, car certaines réflexions nous manquent encore pour en décider.

Il nous faudra, au préalable, et c'est ce que nous ferons la prochaine fois, déterminer dans quel esprit Proust a abordé l'étude des sentiments et montrer qu'il est le premier écrivain ou romancier à l'avoir fait d'une façon résolument positive. Pour le prouver nous analyserons sa conception de l'amour, qui porte des marques particulièrement frappantes de la mentalité si nouvelle qu'il apporte dans l'approfondissement des choses intérieures.

MARCEL PROUST ET L'ESPRIT POSITIF : SES IDÉES SUR L'AMOUR

Après l'avoir regretté, je me demande si je ne vais pas bénir le manque de temps qui m'a empêché la dernière fois de conclure et de porter avec vous un jugement sur cette conception si frappante que nous avons trouvée chez Proust, des Intermittences du cœur. Peut-être ce jugement, auquel j'allais m'efforcer pour en faire ma conclusion, eût-il été hâtif. Peut-être faut-il considérer comme une chance l'obligation où nous nous sommes trouvés de l'ajourner. Et peut-être vaut-il mieux que nous l'ajournions plus longtemps encore, jusqu'au moment où nous aurons examiné plus complètement et plus à fond les innovations psychologiques de Proust.

Je voudrais aujourd'hui remonter aux principes que nous avons posés l'autre jour en commençant pour en tirer de nouvelles conséquences. Ou plutôt, je voudrais reprendre l'étude de ce contraste si étonnant, dans l'esprit de Proust, de la passion de la vérité et du scepticisme, de l'instinct réaliste et du subjectivisme, et montrer en quelle force simple il finit par se résoudre.

Nous ne saurions assez insister, je crois, sur l'ancienneté, sur l'antériorité à tout autre, chez Proust, du besoin de savoir, du besoin de connaître la vérité. J'ai dit que *Combray*, la première partie de *Swann*, était l'endroit où ce besoin s'exprimait le plus nettement, le plus fortement. Mais sa trace se retrouve à travers toute l'œuvre. J'ouvre maintenant les *Jeunes filles en fleurs* et voici ce que je lis dès les premières pages :

« Mais — de même qu'au voyage à Balbec, au voyage à Venise que j'avais tant désirés — ce que je demandais à cette matinée, c'était tout autre chose qu'un plaisir : des vérités appartenant à un monde plus réel que celui où je vivais, et desquelles l'acquisition une fois faite ne pourrait pas m'être enlevée par des incidents insignifiants, fussent-ils douloureux à mon corps, de mon oiseuse existence. Tout au plus, le plaisir que j'aurais pendant le spectacle, m'apparaissait-il comme la forme peut-être nécessaire de la perception de ces vérités *. »

Un peu plus loin :

« Fixant mon attention tout entière sur mes impressions si confuses, et ne songeant nullement à me faire admirer de M. de Norpois, mais à obtenir de lui la vérité souhaitée **... »

Un peu plus loin, recevant une lettre de Gilberte qu'il n'avait jamais osé espérer, croyez-vous que son premier mouvement soit la joie? Nullement, mais une anxieuse interrogation sur la réalité de ce qu'il perçoit.

« Un jour, à l'heure du courrier, ma mère posa sur mon lit une lettre. Je l'ouvris distraitement puisqu'elle ne pouvait pas porter la seule signature qui m'eût rendu heureux, celle de Gilberte avec qui je n'avais pas de relations en dehors des Champs-Élysées. Or, au bas du papier, [...] ce fut justement la signature de Gilberte que je vis. Mais parce que je la savais impossible dans une lettre adressée à moi, cette vue, non accompagnée de croyance ne me causa pas de joie. Pendant un instant elle ne fit que frapper d'irréalité tout ce qui m'entourait. Avec une vitesse vertigineuse, cette signature sans vraisemblance jouait aux quatre coins avec mon lit, ma cheminée, mon mur. Je voyais tout vaciller comme quelqu'un qui tombe de cheval et je me demandais s'il n'y avait pas une existence toute différente de celle que je connaissais, en contradiction avec elle, mais qui serait la vraie, et qui m'étant montrée tout d'un coup me remplissait de cette hésitation que les sculpteurs dépeignant le Jugement dernier ont donnée aux morts réveillés qui se trouvent au seuil de l'autre Monde *. »

Je pourrais multiplier indéfiniment les citations de ce genre. Et ce serait peut être indispensable pour vous faire éprouver la sorte de pression constante, infatigable, impossible à déjouer qu'exerce l'esprit de Proust sur toute donnée qui lui est soumise, sur le monde en général. Vous sentiriez à la longue comme physiquement l'exigence incroyable de cet esprit, son caractère despotique, inflexible et en même temps le tact respectueux qui le fait s'arrêter devant ce qu'il sent être vraiment irréductible, l'espèce de modestie qui le saisit devant le réel, devant le vrai.

L'esprit de Proust veut un objet, mais il le veut si fort, il lui faut l'embrasser d'une étreinte si serrée, qu'il s'aperçoit bien vite qu'aucun de ceux qui lui apparaissent hors de lui ne pourra la supporter. Il se tourne donc vers le dedans, vers ce royaume des sensations et des sentiments qui du moins peuvent être appréhendés directement et semblent ne pouvoir jamais tromper sur leur essence **.

Toute l'originalité de Proust, et la source de toutes ses découvertes en psychologie, doivent être cherchées dans un formidable appétit scientifique que sa force même a fait dévier sur lui-même.

Et cela est essentiel à comprendre pour bien se représenter son attitude en face de lui-même, ou mieux encore la façon dont il se regarde lui-même, dont il se considère lui-même. C'est comme une chose. Son moi pensant et sentant, Proust le regarde, le considère exactement de la même façon que,

---

* P. 64 [I, 499-500.]
** « ... La connaissance est non des choses extérieures qu'on veut observer, mais des sensations involontaires..., etc. », *La Prisonnière*, dactyl. p. 256. [III, 166.]

quand il était petit, les clochers de Martinville. Il sait s'y rendre, en tant que contemplateur, aussi étranger qu'il se sentait étranger aux paysages et aux églises. Rien de ce qui surviendra en lui ne lui apparaîtra jamais autrement que comme un phénomène physique.

Ce n'est peut-être pas la première fois dans l'histoire des sciences ou de la philosophie qu'un homme adopte une attitude aussi détachée à l'égard des phénomènes dont il est le sujet. Mais c'est certainement la première fois dans l'histoire de la littérature. Et même je crois que c'est la première fois dans l'histoire de toutes les disciplines humaines qu'elle est adoptée, à l'égard des phénomènes de la conscience, avec une aussi complète et tranquille rigueur.

C'est pourquoi j'ai pu comparer Proust dans les quelques mots de douleur que sa mort m'a arrachés, à Képler, à Claude Bernard et à Auguste Comte. Ce rapprochement a pu faire sourire, ou indigner [1]. Tant pis! Je n'y renonce pas.

Je reste persuadé que nous sommes en face d'un esprit de même trempe que ces grands savants et qui est venu accomplir dans la psychologie des sentiments une révolution du même ordre et de la même ampleur que celles qu'ils ont accomplies en astronomie, en biologie ou en méthodologie.

Naturellement il ne faut pas forcer l'analogie au point d'attendre de Proust tout un système de lois fondées sur l'expérimentation et qui permettraient à la limite la prévision mathématique des phénomènes psychologiques. C'est surtout l'esprit dans lequel Proust attaque ces phénomènes qui l'apparente aux grands noms que je viens de citer.

Je ne sais comment le définir cet esprit, tant il est d'essence particulière, tant on le trouve rarement même dans la vie commune, même chez les gens qui n'écrivent pas.

Il y a ce qu'on appelle la sincérité. Mais c'est une attitude morale. Et qui tout de suite, en tant qu'attitude morale, comporte, au point de vue de la recherche de la vérité, mille et un inconvénients. L'homme sincère tout de suite mêle de la religion à l'examen qu'il entreprend de lui-même; tout de suite il s'accuse, ce qui revient à dire qu'il se voit sous le jour

de la perfectibilité; tout naturellement il prolonge ses sentiments; s'ils sont bas il leur trace une sorte d'avenir où ils se
purifieront; il entrevoit une sorte de rachat, ou de réfection
de lui-même qui font contrepoids à sa vilenie ou à son abjection actuelles.

En d'autres termes il peuple instinctivement de forces
cachées le règne qu'il étudie; il croit que la conscience est
traversée, est dirigée par des courants moraux; les voies où
l'engage son caractère, il croit y être poussé par d'invisibles
puissances, extérieures sinon à lui-même, du moins à sa nature,
émanant de sa volonté.

Autrement dit, je ne sais si vous avez en mémoire en ce
moment la théorie d'Auguste Comte sur les trois états successifs de l'esprit humain, — autrement dit l'homme sincère
est animé, dans l'étude de lui-même, par l'esprit métaphysique.

Proust, le premier, commet cette formidable impiété, qui
me révolte, qui me ravit, de s'aborder lui-même dans un esprit
positif. Au cas où vous ne vous la rappelleriez pas, je vais vous
relire l'immortelle définition qu'a donnée Auguste Comte de
l'esprit positif :

« De tels exercices préparatoires ayant spontanément
constaté l'inanité radicale des explications vagues et arbitraires propres à la philosophie initiale, soit théologique,
soit métaphysique, l'esprit humain renonce désormais aux
recherches absolues qui ne convenaient qu'à son enfance,
et circonscrit ses efforts dans le domaine, dès lors rapidement progressif, de la véritable observation, seule base
possible des connaissances vraiment accessibles, sagement
adaptées à nos besoins réels. La logique spéculative avait
jusqu'alors consisté à raisonner, d'une manière plus ou
moins subtile, d'après des principes confus, qui, ne
comportant aucune preuve suffisante, suscitaient toujours
des débats sans issue. Elle reconnaît désormais, comme
règle fondamentale, que toute proposition qui n'est pas strictement réductible à la simple énonciation d'un fait, ou

particulier ou général, ne peut offrir aucun sens réel et
intelligible. Les principes qu'elle emploie ne sont plus eux-
mêmes que de véritables faits, seulement plus généraux
et plus abstraits que ceux dont ils doivent former le lien.
Quel que soit d'ailleurs le mode, rationnel ou expérimental, de procéder à leur découverte, c'est toujours de leur
conformité, directe ou indirecte, avec les phénomènes
observés que résulte exclusivement leur efficacité scientifique *. »

« Elle reconnaît désormais comme règle fondamentale, que
toute proposition qui n'est pas strictement réductible à la
simple énonciation d'un fait, ou particulier ou général, ne
peut offrir aucun sens réel et intelligible. »
Phrase formidable, la plus formidable peut-être qu'un cerveau humain ait jamais osé produire, et qui le devient davantage encore, quand on en suppose la règle appliquée à ce
domaine si proche de nous-mêmes que nous avions instinctivement espéré jusqu'ici pouvoir le dérober à son emprise!
Il ne faut pas que le charme de l'œuvre de Proust, ni la
poésie dont elle regorge nous fassent illusion. Ce qui est au
fond, ce qui la fait naître et ce qui l'alimente prodigieusement
jusqu'au bout (car l'abondance est toujours la récompense
d'un pareil dessein) c'est le pur et simple dessein d'énoncer
des faits, ou particuliers ou généraux, c'est le pur et simple
dessein de *décrire,* en brisant la ligne, là où elle cesse dans
l'objet, en réservant la place de tout ce qui ne se laisse pas
voir, en subordonnant strictement l'explication à l'observation.
Avant de rechercher comment ce dessein se poursuit à
travers toute l'œuvre de Proust, sans fatigue, sans émoi, sans
espoir, je voudrais analyser avec vous rapidement de quels
traits de son caractère il peut bien provenir.
Ici, je dois me munir de la même intrépidité dont il n'a
cessé de faire preuve. J'aimais Proust tendrement; je crois

* *Discours sur l'Esprit Positif,* p. 18².

qu'il avait de l'affection pour moi; mais ni chez lui ni chez moi l'amitié n'entraîna jamais l'illusion, ni ne nous fit jamais un devoir de nous imaginer l'un l'autre autrement que nous n'étions. Je ne vois donc aucune raison de ne pas dire comment il était.

Proust avait horreur d'une certaine sincérité. Il détestait le mot : authentique. « À la N.R.F., me disait-il souvent, vous n'avez que ce mot à la bouche; il est affreux; il ne veut rien dire. » Il détestait cette sincérité qui aboutit à se rendre ce témoignage que vos actes sont en accord avec vos pensées, que vous formez un tout, un bloc, que vous êtes un homme, que « vous vous posez un peu là ».

Il savait qu'il n'en est jamais ainsi. Lui-même n'était pas sincère dans ce sens-là, et il le savait bien. « Quelle chose plus usuelle que [le mensonge], – écrit-il dans la partie de son œuvre qui est encore inédite, – qu'il s'agisse de masquer par exemple les faiblesses quotidiennes d'une santé qu'on veut faire croire forte, de dissimuler un vice, ou d'aller sans froisser autrui à la chose que l'on préfère. Il est l'instrument de conservation le plus nécessaire et le plus employé *. »

« Sans doute, comme il le disait à Odette, il aimait la sincérité, mais il l'aimait comme une proxénète pouvant le tenir au courant de la vie de sa maîtresse. Aussi son amour de la sincérité n'étant pas désintéressé, ne l'avait pas rendu meilleur. La vérité qu'il chérissait c'était celle que lui dirait Odette; mais lui-même, pour obtenir cette vérité, ne craignait pas de recourir au mensonge, le mensonge qu'il ne cessait de peindre à Odette comme conduisant à la dégradation toute créature humaine **. »

Proust ne cherchait jamais à arriver à ses fins, à obtenir ce qu'il désirait que par une politique extrêmement compliquée, que par tout un système d'invitations, de rétractations

---

* *La Prisonnière*, p. 262 de la dactylographie. [III, 170.]
** *Swann*, p. 327. [I, 360.]

et de ruses qu'il jetait sur le réel comme un filet pour le ramener à lui.

M. Paul Desjardins, dans l'article auquel je faisais allusion la dernière fois et qui a paru dans le numéro spécial de la N.R.F., a bien vu cet aspect de son caractère, ou plus exactement les conditions psychologiques qui ont rendu possible, qui seules pouvaient rendre possible son extraordinaire pénétration.

J'aime le portrait qu'il trace, en quelques touches, de Proust enfant, et que voici :

> « L'enfant que Marcel Proust était en 1888 (et qui a subsisté, je crois, peu changé jusqu'à sa fin), ce jeune prince persan aux grands yeux de gazelle, aux paupières alanguies; respectueux, onduleux, caressant, inquiet; quêteur de délices, pour qui rien n'était fade; irrité des entraves que la nature met aux tentatives de l'homme, – surtout de l'homme qu'il était, si frêle; – s'efforçant à convertir en quelque chose d'actif le passif qui semblait son lot; tendu vers le *plus*, le *trop*, jusque dans sa bonté charmante : cet enfant romantique, je le dessinerais volontiers, de mémoire *. »

Et plus loin :

> « Proust lui-même, débile et retiré, ne trouve en soi rien de l'athlète. C'est en vain qu'il s'entraîne à rêver le courage militaire, en ruminant la guerre des Boers. Sa muse étant la Sympathie, d'où viendrait à ces fictions la pugnacité? Il y a bien la formidable algarade de M. de Charlus; mais c'est un monologue; l'interlocuteur (qui est l'auteur) s'est évanoui dans une brume. Le " Je " de Proust ne s'oppose jamais. Il n'a donc, à proprement dire, point d'*individualité*; il n'en saurait créer.
>
> « Cependant ce qui le rend incapable, par essence, de

---

* P. 146 du nº Proust.

représenter des personnes solides comme des choses, ce n'est pas quelque impuissance, c'est une puissance. Il a celle de descendre dans l'âme humaine assez avant pour ne s'arrêter pas à ce que feignent les dramaturges : qu'une personne vivante serait un petit système autonome *. »

Oui, en renversant les termes de cette remarque, il faut dire que la condition, chez Proust, de la façon si nouvelle, si prodigieusement féconde dont il a pu aborder la conscience et y descendre, était une certaine faiblesse, un certain renoncement non pas à vaincre, mais à prétendre, à affronter.

Il n'y a pas d'autres moyens de voir clair que de ne pas vouloir. Il n'y a pas d'autre instrument de vérité que cette sinuosité dont Proust était animé. Il n'y a rien d'autre qui permette de passer derrière les apparences du sentir.

Qui veut, qui se rassemble, qui s'oppose, qui s'affirme, il ne voit plus rien.

Autrement dit, la sincérité, pour devenir efficiente et génératrice de vérité au point où elle l'était chez Proust, il ne faut plus que ce soit une vertu, à laquelle on s'efforce, il faut que ce soit un vice, auquel on s'abandonne.

J'ai presque regret maintenant d'avoir insisté sur le côté héroïque de l'esprit positif, et d'avoir comme implicitement supposé une sorte de sursaut par lequel Proust se serait porté à la hauteur de sa tâche d'explorer scientifiquement la conscience humaine. Nous sommes toujours tentés d'introduire un élément dramatique dans notre vie ou dans celle des gens que nous aimons. Très souvent ce n'est là qu'une façon de nous, ou de les, magnifier... Très souvent il n'y a rien de tel.

En tout cas, chez Proust, il n'y a rien d'athlétique, pour reprendre le mot de M. Desjardins, ni de militaire ; il ne reçoit de lui-même aucune consigne. Même si pendant sa dernière nuit, il a tâché de corriger encore certains traits de la Mort de Bergotte, soyez sûr que ce n'est pas sous l'empire d'un devoir positif, d'une obligation active dictée par sa conscience ;

* P. 148.

c'est seulement la force de son esprit qui tendait encore spontanément à se manifester.

Et sans doute je ne peux pas ignorer une phrase poignante qui se trouve dans ce fragment de *la Prisonnière* que vient de publier la N.R.F. : « Le chagrin pénètre en nous et nous force par la curiosité douloureuse à pénétrer. D'où des vérités que nous ne nous sentons pas le droit de cacher, si bien qu'un athée moribond qui les a découvertes, assuré du néant, insoucieux de la gloire, use pourtant ses dernières heures à tâcher de les faire connaître *. » Mais vous remarquez déjà vous-même la modestie de l'expression : « des vérités que nous ne nous sentons pas le droit de cacher ». Il ne les a pas voulues, si j'ose dire, ces vérités. C'est son esprit tout seul qui a été jusqu'à elles. Et maintenant, simplement, c'est le seul hommage qu'il consente à la morale − « il ne se sent pas le droit de les cacher ».

Si nous voulons nous représenter proprement et sous son vrai jour l'esprit dont Proust est animé et qui lui permet d'introduire dans les phénomènes intérieurs une véritable positivité, il faut nous le représenter sous les espèces d'un « immense soupçon ». Cela sortait de lui, allait devant lui, se répandait hors de lui sans cesse, inlassablement, comme un acide qui rongeait toutes choses au hasard, ne laissant s'attacher la croyance qu'à celles qui avaient longuement résisté.

Ou mieux, Proust est habité par ce qu'il appelle lui-même « le sens des possibles ». Au point de vue pratique, c'est une maladie, mais au point de vue de la connaissance, c'est une arme extraordinaire. « Il n'avait jamais eu aucun soupçon des actions inconnues des êtres, de celles qui sont sans lien visible avec leurs propos », dit-il de Swann. Et c'est justement une des grandes et d'ailleurs des rares différences entre l'esprit de Swann et le sien, que cette paresse à supposer qu'il attribue au premier.

Proust lui n'est jamais las de supposer. La force de son interrogation et son besoin de certitude, après l'avoir détourné

---

* P. 308 du n° spécial. [III, 146.]

des objets extérieurs qu'il sentait ne pouvoir saisir dans leur fond, le contraignent à dépasser le donné psychologique, à ne prendre les faits de conscience à leur tour que comme des apparences. Aucune apparence psychologique ne l'arrête, ne fût-ce qu'un instant, à elle-même, ne se présente à lui comme opaque et suffisante. À aucun instant il ne songe à s'arrêter à ce qu'on lui dit, à ce qu'il dit lui-même, comme à l'expression de la vérité, mais tout de suite il aperçoit, – et spécifiées, distinctes, se présentant en balance au choix de son intuition, – tout ce qu'on peut avoir pensé, tout ce qu'il peut avoir pensé lui-même, sous ces mots, d'autre que ce qu'ils veulent dire. Et pour le pénétrer il se sert de tout ce qui peut les avoir accompagnés, ces mots, comme signes involontaires. Je vais vous lire un passage capital où se décèle merveilleusement l'opération habituelle à Proust et cette espèce de tranquille et cruelle inférence à laquelle il se livrait instinctivement et dans tous les cas : C'est dans la partie encore inédite de l'ouvrage, à la page 150 de la dactylographie de *la Prisonnière* [3] :

« N'importe, j'étais bien heureux, l'après-midi finissant, que ne tardât pas l'heure où j'allais pouvoir demander à la présence d'Albertine l'apaisement dont j'avais besoin. Malheureusement, la soirée qui vint fut une de celles où cet apaisement ne m'était pas apporté, où le baiser qu'Albertine me donnerait en me quittant, bien différent du baiser habituel, ne me calmerait pas plus qu'autrefois celui de ma mère les jours où elle était fâchée et où je n'osais pas la rappeler, mais où je sentais que je ne pourrais pas m'endormir. Ces soirées-là c'étaient maintenant celles où Albertine avait formé pour le lendemain quelque projet qu'elle ne voulait pas que je connusse. Si elle me l'avait confié, j'aurais mis à assurer sa réalisation une ardeur que personne autant qu'Albertine n'eût pu m'inspirer. Mais elle ne me disait rien et n'avait d'ailleurs besoin de ne rien dire ; dès qu'elle était rentrée, sur la porte même de ma chambre, comme elle avait encore son chapeau ou sa toque sur la tête, j'avais déjà vu le désir inconnu, rétif, acharné, indomptable. Or c'était souvent les soirs où j'avais attendu son retour avec les plus tendres pensées, où je comptais lui sauter au cou avec le plus de tendresse. Hélas, ces mésententes comme j'en avais eu souvent avec mes parents que je trouvais froids ou irrités au moment où j'accourais près d'eux débordant de tendresse, elles ne sont rien auprès de celles qui se produisent entre deux amants. La souffrance ici est bien moins superficielle, est bien plus difficile à supporter, elle a pour siège une couche plus profonde du cœur. Ce soir-là, le projet qu'Albertine avait formé, elle fut pourtant obligée de m'en dire un mot; je compris tout de suite qu'elle voulait aller le lendemain faire à Mme Verdurin une visite qui, en elle-même, ne m'eût en rien contrarié. Mais certainement, c'était pour y faire quelque rencontre, pour y préparer quelque plaisir. Sans cela elle n'eût pas tellement tenu à cette visite. Je veux dire, elle ne m'eût pas répété qu'elle n'y tenait pas. J'avais suivi dans mon existence une marche inverse de celle des peuples qui ne se servent de l'écriture phonétique qu'après n'avoir considéré les caractères comme une suite de symboles; moi qui pendant tant d'années n'avais cherché la vie et la pensée réelle des gens que dans l'énoncé direct qu'ils m'en fournissaient volontairement, par leur faute j'en étais arrivé à ne plus attacher au contraire d'importance qu'aux témoignages qui ne sont pas une expression rationnelle et analytique de la vérité; les paroles elles-mêmes ne me renseignaient qu'à la condition d'être interprétées à la façon d'un afflux de sang à la figure d'une personne qui se trouble, à la façon encore d'un silence subit. Tel adverbe (par exemple employé par M. de Cambremer quand il croyait que j'étais " écrivain " et que ne m'ayant pas encore parlé, racontant une visite qu'il avait faite aux Verdurin, il s'était tourné vers moi en disant : Il y avait *justement* de Borelli) jailli dans une conflagration par le rapprochement involontaire, parfois périlleux, de deux idées que l'interlocuteur n'exprimait pas, et duquel par telles méthodes d'analyse ou d'électrolyse appropriées, je pouvais les extraire, m'en disait plus qu'un discours. Albertine laissait parfois traîner dans ses propos tel ou tel de ces précieux amalgames que je me hâtais de " traiter " pour les transformer en idées claires. »

Je pense que vous êtes frappés comme moi de la nouvelle subite ressemblance que ces passages font éclater entre Proust et Freud. Cet effort, non, ce besoin de démasquer à tout prix le sentiment en n'en accueillant que les expressions involontaires, et principalement les expressions physiques, c'est quelque chose d'exactement correspondant à la méthode analytique, qui bien plus qu'aux déclarations délibérées du sujet, entend se fier à ses lapsus, à ses oublis, au ton de sa voix, à l'émotion dont ces déclarations sont accompagnées.

Il y a chez Proust − malgré sa conception différente des rapports entre l'inconscient et le conscient − une croyance implicite à la censure, et sous la forme généralisée où nous l'avons décrite dans notre première causerie. On peut même dire que cette idée d'une activité mensongère continuellement à l'œuvre en nous, et qu'il faut avant tout dépister, déjouer si l'on veut savoir la vérité sur la conscience, est celle qui l'a le plus constamment, le plus cruellement hanté.

Vous verrez, quand aura paru *la Prisonnière*, jusqu'à quel degré elle a pu le poursuivre ; vous verrez qu'elle s'approchait par moments, en lui, de la folie, qu'elle fut même certainement, pour lui, un facteur d'isolement et de mort.

Mais comme principe d'étude, comme guide dans l'analyse, on la retrouve partout dans son œuvre ; et c'est elle qui en conditionne la profondeur, qui donne à toutes ses constatations cette qualité stricte, modeste et définitive, qui fait leur inimitable, leur inégalable vérité.

Je pourrais vous citer cent exemples de cette lecture indirecte de pensée, que Proust pratique vis-à-vis des êtres. J'en choisirai un seul, qui est très frappant, bien que le héros en soit ce Swann dont la pensée nous est peinte comme si paresseuse.

« Quand il voulut dire adieu à Odette pour rentrer, elle lui demanda de rester encore et le retint même vivement, en lui prenant le bras, au moment où il allait ouvrir la porte pour sortir. Mais il n'y prit pas garde, car, dans la multitude des gestes, des propos, des petits incidents qui remplissent une conversation, il est inévitable que nous passions sans y rien remarquer qui éveille notre attention près de ceux qui cachent une vérité que nos soupçons cherchent au hasard, et que nous nous arrêtions au contraire à ceux sous lesquels il n'y a rien. Elle lui redisait tout le temps : " Quel malheur que toi, qui ne viens jamais l'après-midi, pour une fois que cela t'arrive, je ne t'aie pas vu. " Il savait bien qu'elle n'était pas assez amoureuse de lui pour avoir un regret si vif d'avoir manqué sa visite, mais comme elle était bonne, désireuse de lui faire plaisir, et souvent triste quand elle l'avait contrarié, il trouva tout naturel qu'elle le fût cette fois de l'avoir privé de ce plaisir de passer une heure ensemble qui était très grand, non pour elle, mais pour lui. C'était pourtant une chose assez peu importante pour que l'air douloureux qu'elle continuait d'avoir finît par l'étonner. Elle rappelait ainsi plus encore qu'il ne le trouvait d'habitude, les figures de femmes du peintre de la Primavera. Elle avait en ce moment leur visage abattu et navré qui semble succomber sous le poids d'une douleur trop lourde pour elles, simplement quand elles laissent l'enfant Jésus jouer avec une grenade ou regardent Moïse verser de l'eau dans une auge. Il lui avait déjà vu une fois une telle tristesse, mais ne savait plus quand. Et tout d'un coup, il se rappela : c'était quand Odette avait menti en parlant à Mme Verdurin le lendemain de ce dîner où elle n'était pas venue sous prétexte qu'elle était malade et en réalité pour rester avec Swann. Certes, eût-elle été la plus scrupuleuse des femmes qu'elle n'aurait pu avoir de remords d'un mensonge aussi innocent. Mais ceux que faisait couramment Odette l'étaient moins et servaient à empêcher des découvertes qui auraient pu lui créer avec les uns ou avec les autres, de terribles difficultés. Aussi quand elle mentait, prise de peur, se sentant peu armée pour se défendre, incertaine du succès, elle avait envie de pleurer, par fatigue, comme certains enfants qui n'ont pas dormi. Puis elle savait que son mensonge lésait d'ordinaire gravement l'homme à qui elle le faisait, et à la merci duquel elle allait peut-être tomber si elle mentait mal. Alors elle se sentait à la fois humble et coupable devant lui. Et quand elle avait à faire un mensonge insignifiant et mondain, par association de sensations et de souvenirs, elle éprouvait le malaise d'un surmenage et le regret d'une méchanceté.

« Quel mensonge déprimant était-elle en train de faire à Swann pour qu'elle eût ce regard douloureux, cette voix plaintive qui semblaient fléchir sous l'effort qu'elle s'imposait, et demander grâce? Il eut l'idée que ce n'était pas seulement la vérité sur l'incident de l'après-midi qu'elle s'efforçait de lui cacher, mais quelque chose de plus actuel, peut-être de non encore survenu et de tout prochain, et qui pourrait l'éclairer sur cette vérité. À ce moment il entendit un coup de sonnette. Odette ne cessa plus de parler, mais ses paroles n'étaient qu'un gémissement : son regret de ne pas avoir vu Swann dans l'après-midi, de ne pas lui avoir ouvert, était devenu un véritable désespoir.

« On entendit la porte d'entrée se refermer et le bruit d'une voiture, comme si repartait une personne – celle probablement que Swann ne devait pas rencontrer – à qui on avait dit qu'Odette était sortie. Alors en songeant que rien qu'en venant à une heure où il n'en avait pas l'habitude, il s'était trouvé déranger tant de choses qu'elle ne voulait pas qu'il sût, il éprouva un sentiment de découragement, presque de détresse. Mais comme il aimait Odette, comme il avait l'habitude de tourner vers elle toutes ses pensées, la pitié qu'il eût pu s'inspirer à lui-même ce fut pour elle qu'il la ressentit, et il murmura : " Pauvre Chérie *! " »

* *Swann*, p. 256. [I, 280-281.]

On sent bien ici le travail instinctif d'induction auquel l'esprit de Proust, qui anime Swann à cet instant, se livre. Rapprochement par association d'impressions reçues à des moments divers du temps, analyse de leurs éléments communs, bond subit de la pensée qui franchit l'obstacle dressé par la censure du sujet et trouve ce qu'il y a derrière, ce qui se cache dans sa pensée, ce qui produit tous ces symptômes si mal en place, si peu congruents avec la situation affichée et reconnue.

Plus loin Swann procède de la même façon, suivant la même méthode, que Proust compare lui-même à la méthode historique et à la critique des textes, pour découvrir – bien tardivement, il est vrai – les goûts pervers d'Odette.

« Mais à ce moment, par une de ces inspirations de jaloux, analogue à celle qui apporte au poète ou au savant, qui n'a encore qu'une rime ou qu'une observation, l'idée ou la loi qui leur donnera toute leur puissance, Swann se rappela pour la première fois une phrase qu'Odette lui avait dite il y avait déjà deux ans : " Oh! Mme Verdurin, en ce moment, il n'y en a que pour moi, je suis un amour, elle m'embrasse, elle veut que je fasse des courses avec elle, elle veut que je la tutoie. " Loin de voir alors dans cette phrase un rapport quelconque avec les absurdes propos destinés à simuler le vice que lui avait racontés Odette, il l'avait accueillie comme la preuve d'une chaleureuse amitié. Maintenant voilà que le souvenir de cette tendresse de Mme Verdurin était venu brusquement rejoindre le souvenir de cette conversation de mauvais goût. Il ne pouvait plus les séparer dans son esprit, et les vit mêlées aussi dans la réalité, la tendresse donnant quelque chose de sérieux et d'important à ces plaisanteries qui en retour lui faisaient perdre de son innocence *. »

Et quand il s'est décidé à formuler son soupçon :

* P. 328. [I, 361.]

« Elle secoua la tête en fronçant la bouche, signe fréquemment employé par les gens pour répondre qu'ils n'iront pas, que cela les ennuie à quelqu'un qui leur a demandé : " Viendrez-vous voir passer la cavalcade, assisterez-vous à la Revue? " Mais ce hochement de tête affecté ainsi d'habitude à un événement à venir, mêle à cause de cela de quelque incertitude la dénégation d'un événement passé! De plus il n'évoque que des raisons de convenance personnelle plutôt que la réprobation, qu'une impossibilité morale. En voyant Odette lui faire ainsi le signe que c'était faux, Swann comprit que c'était peut-être vrai *. »

Vous m'objecterez que cet esprit d'inquisition n'est engendré chez Swann que par la jalousie et qu'il disparaît avec elle. Oui, mais chez Proust, il ne disparaît jamais, et malgré le renforcement qu'il peut recevoir de ses affections, il reste essentiellement un besoin de l'intelligence, la forme même de son intelligence. Ne prend-il pas lui-même le soin, dans un des passages que je viens de vous lire, de marquer la parenté de la jalousie avec le génie poétique ou scientifique : « À ce moment par une de ces inspirations de jaloux, analogue à celle qui apporte au poète ou au savant, qui n'a encore qu'une rime ou qu'une observation, l'idée ou la loi qui leur donnera toute leur puissance, etc. ** »

Et plus tôt déjà, quand Swann se croit sur le point de surprendre Odette et Forcheville ensemble : « Et peut-être, observe Proust, ce qu'il ressentait en ce moment de presque agréable, c'était autre chose aussi que l'apaisement d'un doute et d'une douleur : un plaisir de l'intelligence [4]. »

D'autre part, la pénétration de Proust n'est si forte, si irrésistible, que parce qu'elle est constamment sous-tendue et conditionnée, comme nous l'avons observé déjà l'autre jour, par des affections. Vous vous rappelez la phrase que je citais tout à l'heure : « Le chagrin pénètre en nous et nous force

---

* *Swann*, p. 329. [I, 362.]
** P. 328. [I, 361.]

par la curiosité douloureuse à pénétrer *. » Il faut y joindre
celle-ci qui la précède immédiatement : « Ces contes menson-
gers... nous font souffrir dans une personne que nous aimons,
et à cause de cela nous permettent d'entrer un peu plus avant
dans la connaissance de la nature humaine au lieu de nous
contenter de nous jouer à sa surface. »

Et encore ceci :

« On n'arrive pas à être heureux mais on fait des remarques
sur les raisons qui empêchent de l'être et qui nous fussent
restées invisibles sans ces brusques percées de la déception **. »

Oui, il y a, chez Proust, – pour nous résumer sur ce point
– un immense mouvement de la pensée, entraîné et secondé,
tandis que d'habitude il est troublé, par le désir, par la tristesse, par la douleur, – un immense mouvement de la pensée
vers les faits tout purs. Et ce qui fait le prix incomparable de
son œuvre, c'est justement que ce mouvement n'est jamais
arrêté, ni modifié par aucune considération accessoire, ni par
le souci de faire plus beau, ni par celui de faire plus consolant,
ni même – car c'est un souci auquel cèdent souvent ceux qui
justement se gendarment contre la censure et s'appliquent à
lui jouer des tours – ni même par le souci de faire plus atroce.

Si bien qu'on peut appliquer à son travail sur la réalité
psychologique ce qu'il dit de Vinteuil, saisissant et modelant
cette réalité plus mystérieuse encore qu'est une idée musicale :

« Swann sentait que le compositeur s'était contenté, avec
ses instruments de musique, de la dévoiler, de la rendre visible,
d'en suivre et d'en respecter le dessin d'une main si tendre,
si prudente, si délicate et si sûre que le son s'altérait à tout
moment, s'estompant pour indiquer une ombre, revivifié
quand il fallait suivre à la piste un plus hardi contour. Et une
preuve que Swann ne se trompait pas quand il croyait à
l'existence réelle de cette phrase, c'est que tout amateur un
peu fin se fût tout de suite aperçu de l'imposture, si Vinteuil

---

* *Prisonnière*, p. 308 n° spécial. [III, 146.]
** *La Prisonnière*, p. 281. [III, 183.]

ayant eu moins de puissance pour en voir et en rendre les formes, avait cherché à dissimuler, en ajoutant çà et là des traits de son cru, les lacunes de sa vision ou les défaillances de sa main *. »

*

Mais il est temps d'en venir à l'examen des vérités que cette inspiration positive, que cette méfiance, que ce respect infini du réel ont permis à Proust de dégager et d'énoncer. Il est temps d'examiner les découvertes qu'il a faites dans l'ordre du sentiment, d'examiner les traits essentiels de cette psychologie positive dont nous le considérons comme le fondateur.

Ici il faut que je vous fasse remarquer une faute de plan que je pressentais au début de ces causeries et qui a été la raison plus ou moins consciente des précautions oratoires que j'ai cru devoir prendre.

Il eût été plus naturel de commencer notre étude de Proust par la définition, que nous venons seulement de donner, de l'esprit qu'il a apporté dans ses recherches, qui lui a permis ses découvertes. Et c'est maintenant seulement que devraient venir les réflexions, que nous avons faites la dernière fois, sur l'inconscient. La découverte, la dénonciation de l'inconscient, et sa mise en lumière et en évidence, sont le premier résultat de l'application à la vie psychique de cet esprit soupçonneux et profond que nous avons reconnu à Proust. Il n'est pas sans utilité de replacer mentalement ici cette partie de notre exposé, car il faut bien comprendre − et c'est le seul moyen − que l'inconscient n'est pas pour Proust une supposition commode, une hypothèse paresseuse, mais au contraire un fait que dégage son esprit dans son mouvement vers le réel, et le produit immédiat de ce doute qu'il élève sur les aspects spontanés de la conscience.

J'ai été égaré, malgré les précautions que j'avais prises à

* *Swann*, p. 319. [I, 351.]

l'encontre, par le souci de reproduire le plan que j'avais suivi dans l'étude de Freud. Excusez-moi, je vous prie, et veuillez rétablir l'ordre normal des idées que nous analysons.

La découverte et la description de l'inconscient sont un premier résultat de la méthode qu'applique Proust à la réalité psychologique. Mais c'est un résultat en quelque sorte général. Proust dénonce de l'inconscient derrière toutes sortes de sensations et de sentiments très divers. Il y a dans son œuvre des analyses de rêves, d'impressions de nature, d'émotions d'art et enfin de sentiments proprement dits, parmi lesquels l'amour occupe tout naturellement la place à laquelle il a droit, et qui est la première.

Je voudrais spécifier maintenant notre étude et me borner à mettre en lumière la conception que Proust se fait et cherche à nous imposer, de l'amour. Ce sujet a été abordé et excellemment esquissé dans le numéro spécial de la N.R.F. par plusieurs auteurs, en particulier par Edmond Jaloux et par Mme Emma Cabire, qui a donné une sorte de résumé fort clair et fort exact, que le manque de place m'a forcé malheureusement à abréger un peu, des idées de Proust sur ce point. Je vous y renvoie [5].

Comme préface à cette étude, il faut nous rappeler un autre aspect de la définition que donne Auguste Comte de l'esprit positif :

« Non seulement nos recherches positives doivent essentiellement se réduire, en tous genres, à l'appréciation systématique de ce qui est, en renonçant à en découvrir la première origine et la destination finale ; mais il importe, en outre, de sentir que cette étude des phénomènes, au lieu de pouvoir devenir aucunement absolue, doit toujours rester *relative* à notre organisation et à notre situation *. »

Évidemment Comte veut dire ici que toute connaissance entreprise dans un esprit positif, doit être considérée comme

* *Esprit Positif*, p. 20.

relative à l'organisation intellectuelle dont nous disposons, et que par exemple nous ne pouvons pas affirmer que les phénomènes que nous percevons sont tous les phénomènes perceptibles, ni même que l'ordre où nous les rangeons est autre chose qu'une convenance de notre esprit.

Mais on peut déduire aussi de ce texte que l'application de l'esprit positif aux phénomènes de conscience aboutira forcément à constater leur relativité à cette conscience, si j'ose dire; nous montrera les émotions, les idées, les volontés d'un individu donné comme relatives à son organisation, comme n'ayant aucun objet hors de lui, comme purement subjectives. (Je m'excuse d'employer encore ici ce qu'on appelle le jargon philosophique; mais c'est indispensable, et en somme on n'a pas encore trouvé mieux pour s'expliquer clairement.)

Eh! bien, la formidable originalité de Proust dans son analyse de l'amour est, comme l'a remarqué très justement, le premier, Edmond Jaloux, d'avoir conçu ce sentiment comme purement subjectif : « Faire entrer le relatif dans la conception de l'amour, observe Jaloux, et l'affranchir de ce mythe de l'absolu dont elle dépendait jusqu'ici aura été un des résultats essentiels obtenus par Proust *. »

Et il montre excellemment comment Proust s'y est pris pour souligner la véritable intériorité de tout ce que l'amour veut nous faire prendre pour des réalités hors de nous. Son analyse et les citations sur lesquelles il l'appuie sont trop justes pour que je puisse faire autre chose que vous y renvoyer.

Je me contenterai de compléter ici ses indications par quelques textes et quelques remarques.

Repensons à l'amour de Swann. Comme un thème constant, et comme un abîme que côtoie sa pensée sans oser jamais le regarder en face, l'idée que tout ce qu'il éprouve de si puissant, de si vraiment dionysiaque n'a peut-être aucune espèce d'objet hors de lui hante d'un bout à l'autre le cerveau de Swann.

* N° spécial, p. 153.

Je cite :

« Certes il se doutait bien par moments qu'en elles-mêmes les actions quotidiennes d'Odette n'étaient pas passionnément intéressantes, et que les relations qu'elle pouvait avoir avec d'autres hommes n'exhalaient pas naturellement d'une façon universelle et pour tout être pensant, une tristesse morbide, capable de donner la fièvre du suicide. Il se rendait compte alors que cet intérêt, cette tristesse n'existaient qu'en lui comme une maladie, et que quand celle-ci serait guérie, les actes d'Odette, les baisers qu'elle aurait pu donner redeviendraient inoffensifs comme ceux de tant d'autres femmes *. »

Et plus loin, dans un passage que nous avons déjà lu :

« Il souffrait de rester enfermé au milieu de ces gens dont la bêtise et les ridicules le frappaient d'autant plus douloureusement qu'ignorant son amour, incapables, s'ils l'avaient connu, de s'y intéresser et de faire autre chose que d'en sourire comme d'un enfantillage ou de le déplorer comme une folie, ils le lui faisaient apparaître sous l'aspect d'un état subjectif qui n'existait que pour lui, dont rien d'extérieur ne lui affirmait la réalité **. »

Et ceci encore :

« Il sentait bien que cet amour c'était quelque chose qui ne correspondait à rien d'extérieur. »

Sans cesse à travers toute l'œuvre le thème revient de la parfaite subjectivité de tout ce que l'amour nous fait éprouver. On sent Proust lutter sans cesse contre la tentation, qui est la tentation normale, d'attribuer à

---

* *Swann*, p. 256. [I, 279.]
** P. 313-314. [I, 344-345.]

l'objet aimé, à ses qualités, à ses vertus, à sa beauté une part efficiente dans le sentiment qui s'est attaché à lui.

La dissemblance entre ce sentiment et son objet n'est nulle part mieux marquée que dans ce passage : « La personne d'Odette ne tenait plus une grande place dans son amour. Quand du regard il rencontrait sur sa table la photographie d'Odette, ou quand elle venait le voir, il avait peine à identifier la figure de chair ou de bristol avec le trouble douloureux et constant qui habitait en lui. Il se disait presque avec étonnement : " C'est elle ", comme si tout d'un coup on nous montrait extériorisée devant nous une de nos maladies et que nous ne la trouvions pas ressemblante à ce que nous souffrons *. » Non seulement Proust insiste perpétuellement sur le fait que rien d'extraordinaire ne doit être supposé dans l'objet aimé pour expliquer ce qui se passe d'extraordinaire dans l'âme aimante, mais encore il montre que souvent c'est le manque de correspondance du premier avec les besoins, les désirs, les exigences physiques du second qui détermine l'amour. Vous savez qu'Odette par exemple est représentée comme n'étant absolument pas le type de beauté que Swann a toujours recherché instinctivement et vous vous rappelez la phrase d'une profondeur admirable par laquelle se termine *Un Amour de Swann* : « Dire que j'ai gâché des années de ma vie, que j'ai voulu mourir, que j'ai eu mon plus grand amour pour une femme qui ne me plaisait pas, qui n'était pas mon genre **. »

Ce dernier aspect sous lequel Proust se représente l'amour

---

* *Swann*, p. 281-282. [I, 308-309.] Cf. *Sodome et Gomorrhe*, p. 231 : « Au reste, les maîtresses que j'ai le plus aimées n'ont coïncidé jamais avec mon amour pour elles. Cet amour était vrai, puisque je subordonnais toutes choses à les voir, à les garder pour moi seul, puisque je sanglotais si, un soir, je les avais attendues. Mais elles avaient plutôt la propriété d'éveiller cet amour, de le porter à son paroxysme, qu'elles n'en étaient l'image. Quand je les voyais, quand je les entendais, je ne trouvais rien en elles qui ressemblât à mon amour et pût l'expliquer. » [II, 1126.] Cf. *La Prisonnière* p. 196 : « Tant qu'un être reste fourvoyé dans notre cœur... » [III, 114.]

** *Swann*, p. 346. [I, 382.] Cf. dans *La Prisonnière*, p. 220 : « Je ne m'étais rappelé que la petite qui m'avait déplu. Cela suffit à faire commencer un amour. » [III, 140.]

nous amène à cet autre sur lequel je voudrais insister davantage, parce que Jaloux ne l'a pas aussi fortement souligné que les autres : il s'agit de la dépendance, de la solidarité de l'amour et de la douleur, du désir et de l'angoisse.

C'est ici le centre, je crois, de la pensée de Proust sur l'amour, et en même temps le point où cette pensée atteint, si j'ose dire, le comble de la relativité. Inlassablement Proust revient sur ce thème (on sent même que le thème s'exaspère à mesure que l'œuvre avance, que Proust le creuse avec une complaisance de plus en plus cruelle), – sur ce thème que l'amour est déterminé par une certaine angoisse, et n'est entretenu que par l'inquiétude et par la douleur, qu'il est, comme il le dit lui-même dans *La Prisonnière*, « fonction de notre tristesse * ».

Déjà dans *Swann*, vous vous rappelez que ce qui déclenche l'amour de Swann pour Odette c'est le fait qu'il ne l'a pas trouvée chez les Verdurin, qu'il ne sait pas où elle est.

À cette occasion, Proust s'écrie admirablement :

« De tous les modes de production de l'amour, de tous les agents de dissémination du mal sacré, il est bien l'un des plus efficaces, ce grand souffle d'agitation qui parfois passe sur nous. Alors l'être avec qui nous nous plaisons à ce moment-là, le sort en est jeté, c'est lui que nous aimerons. Il n'est même pas besoin qu'il nous plût jusque-là plus ou même autant que d'autres. Ce qu'il fallait c'est que notre goût pour lui devînt exclusif. Et cette condition-là est réalisée quand, – à ce moment où il nous a fait défaut – à la recherche des plaisirs que son agrément nous donnait, s'est brusquement substitué en nous un besoin anxieux, qui a pour objet cet être même, un besoin absurde, que les lois de ce monde rendent impossible à satisfaire et difficile à guérir – le besoin insensé et douloureux de le posséder **. »

* *Pris.*, p. 159-160. [III, 93.]
** *Swann*, p. 213. [I, 230-231.]

Vous vous rappelez aussi certainement comment c'est la brusque révélation qu'Albertine connaît l'amie de Mlle Vinteuil et par conséquent qu'elle peut être pour lui la source de craintes infinies, qui déclenche ou plutôt qui fixe l'amour du narrateur pour elle : « Les mots : " Cette amie, c'est Mlle Vinteuil " avaient été le Sésame, que j'eusse été incapable de trouver moi-même, qui avait fait entrer Albertine dans la profondeur de mon cœur déchiré. Et la porte qui s'était refermée sur elle, j'aurais pu chercher pendant cent ans, sans savoir comment on pourrait la rouvrir *. »

Ainsi Proust arrive à ce renversement des apparences et de la conception habituelle que la douleur est la cause de l'amour dont elle semble découler, que c'est non pas la désharmonie qui se révèle, au cours d'un amour, entre les aspirations de l'amant et la nature de l'objet aimé qui entraîne la souffrance du premier, mais que c'est la souffrance que crée cette désharmonie qui, étant donné l'impénétrabilité mutuelle des êtres (« Chaque être est bien seul »), est première, est originelle, que c'est cette souffrance qui est la cause, le ferment et le levain de l'amour.

Je pourrais apporter ici d'innombrables textes où cette idée est exprimée avec une force variable, mais avec un entêtement significatif.

Tout ce que l'amour donne de plaisir ou de bonheur, Proust n'en voit la cause que dans une suspension provisoire, que dans un apaisement, par quelque geste fortuit de l'objet aimé, de la souffrance latente qui le constitue.

« En réalité dans l'amour il y a une souffrance permanente, que la joie neutralise, rend virtuelle, ajourne, mais qui peut à tout moment devenir, ce qu'elle serait depuis longtemps si l'on n'avait pas obtenu ce qu'on souhaitait, atroce **. »

* *Sodome* II, vol. III, p. 232. [II, 1127-1128.]
** *Jeunes Filles*, p. 134. [I, 582.]

Que l'angoisse diminue, qu'une certitude sur les faits et gestes de l'être aimé s'établisse dans l'esprit, et l'amour s'en ira : « Sa douleur aurait fini par s'apaiser et peut-être son amour par s'éteindre *. » Et plus loin : « Le sentiment qu'il éprouvait... n'étant plus mêlé de douleur, n'était plus guère de l'amour **. »

Dans *La Prisonnière* cette conception pessimiste de l'amour atteint une intensité effroyable. L'on y trouve des cris comme celui-ci : « J'appelle ici amour une torture réciproque ***. » Et ceci qui touche au désespoir : « Comment a-t-on le courage de souhaiter vivre, comment peut-on faire un mouvement pour se préserver de la mort, dans un monde où l'amour n'est provoqué que par le mensonge et consiste seulement dans notre besoin de voir nos souffrances apaisées par l'être qui nous a fait souffrir ****? »

Si j'insiste si longuement sur l'étroitesse des rapports que Proust dénonce entre l'amour et la douleur (il aurait fallu aussi montrer l'autre aspect de la même idée : la jalousie conçue comme cause, et non comme effet de l'amour), c'est parce que rien ne peut mieux montrer le caractère subjectif qu'il attribue à ce sentiment. C'est parce que rien ne peut nous servir à mieux souligner le genre de résultats, la sorte de constatations auxquels il parvient en appliquant son merveilleux et cruel soupçon aux sentiments.

Il faut se rendre compte de la hardiesse qu'il y avait à aborder l'amour dans cet esprit. E. Jaloux l'a bien marqué : « Il semble que les romanciers aient toujours menti sur ce point, comme s'ils n'osaient pas dire la vérité, comme s'ils poursuivaient, dans le roman, la recherche de ces illusions qui plaisent aux femmes et par lesquelles ils ont personnellement l'habitude de leur plaire *****. »

Mais ce n'est pas tout à fait par simple faiblesse, à mon

---

* *Swann*, p. 323. [I, 355.]
** P. 342. [I, 377.]
*** P. 187. [III, 109.]
**** P. 163. [III, 94-95.]
***** N° spécial, p. 153.

avis, que les romanciers ont recherché jusqu'ici ces illusions. Il faut tenir compte de la force intrinsèque de ces illusions. L'amour est tout naturellement producteur d'absolu; il a besoin d'absolu; c'est une puissance si grande qu'elle prend spontanément une sorte de vertu métaphysique et qu'elle transpose le sujet qui l'éprouve dans une autre réalité, plus grande, plus profonde et dont il lui est naturellement impossible de douter qu'elle lui soit extérieure.

Pour vaincre une illusion si forte (est-ce une illusion?) et si nécessaire à la continuation de la vie sur terre, il fallait une indépendance d'esprit que certains trouveront peut-être diabolique, qui m'apparaît parfois comme telle, mais parfois aussi comme le don le plus extraordinaire dont ait été jamais doué un être humain, comme une des manifestations les plus belles, les plus puissantes du génie humain.

Dénoncer l'amour, le traduire devant le tribunal de l'intelligence et le renvoyer à la fois démasqué, compris et absous, – Proust était un être faible et en qui d'aucuns déploreront le manque de volonté; mais en faisant cela, il a témoigné d'une force et d'une intrépidité intellectuelles qui n'ont jamais été atteintes jusqu'à ce jour.

CONCLUSIONS
UNE NOUVELLE ORIENTATION
DE LA PSYCHOLOGIE

Avant d'en venir aux réflexions générales que je me propose de faire sur l'ensemble de la psychologie de Proust et de Freud, je voudrais appeler votre attention sur une dernière analogie entre nos deux auteurs que le manque de temps ne m'a pas permis de vous signaler la dernière fois.

Cette conception subjectiviste de l'amour que nous avons extraite de l'œuvre de Proust et sommairement caractérisée, ne vous rappelez-vous pas que le fondement, je n'ose pas dire scientifique, mais au moins théorique, nous en était apparu d'abord chez Freud. La *libido*, détachée de tout objet précis, tellement détachée qu'au début, chez l'enfant, elle semble ne pas savoir qu'elle puisse s'appliquer jamais à autre chose qu'au corps qu'elle habite, cette *libido* pour ainsi dire flottante et inaffectée, qu'est-elle, dans son fond, de différent de la vague tendance à aimer que Proust nous représente comme le propre du sujet, comme un simple état de sa conscience, ou plutôt comme une simple velléité de son inconscient? Il y a chez nos deux auteurs, de toute évidence, l'idée commune que l'amour existe tout entier à l'avance chez le sujet et que l'attribution qui en est faite à telle ou telle personne n'est provoquée que par le hasard. Chez nos deux auteurs il y a une insistance pareille sur les *accidents* qui peuvent déterminer la fixation du désir; tous deux soulignent avec insistance le fait que ce ne sont jamais que des accidents, même si après coup les particularités de l'objet aimé s'étant imposées au sujet, peuvent lui faire croire que ce sont elles qui ont nécessité son choix et qu'aucun autre n'était possible.

En d'autres termes Freud comme Proust, Freud implicitement et Proust explicitement, se posent en adversaires décidés de la théorie des *Wahlverwandschaften,* des Affinités électives. Et comme Jaloux l'a remarqué, ils répondent par un scepticisme radical à l'idée qu'il peut y avoir des « coups de foudre » vraiment sincères [1].

Un autre point – mais au fond c'est le même – sur lequel nos deux auteurs se trouvent en accord secret, c'est celui des relations entre l'amour et la douleur, entre le désir et l'angoisse. Je ne fais pas allusion ici spécialement à la façon dont Freud ne cesse de souligner d'un bout à l'autre de son œuvre les rapports entre l'instinct sexuel et la cruauté, conçue tantôt comme cruauté envers soi-même, masochisme, tantôt comme cruauté envers autrui, sadisme. C'est un domaine qu'il n'est pas le premier à explorer, mais dans lequel il a introduit des lumières nouvelles et frappantes. Et chez Proust aussi on trouverait sur cette obscure et poignante question bien des réflexions profondes.

Mais en ce moment c'est à autre chose que je pense : je pense au merveilleux chapitre de Freud sur *l'Angoisse* [2]. Je pense à cette idée qu'il développe si ingénieusement que l'angoisse névrotique, c'est-à-dire sans objet, et même l'angoisse avec objet absurde, c'est-à-dire la phobie, ne sont que des substituts de la *libido,* et naissent quand la *libido* ne trouve pas son emploi naturel.

Que peut-il y avoir de plus voisin de l'idée que se fait Proust de l'inquiétude comme origine principale (et non comme effet) de l'amour? Vous vous rappelez le passage que je vous citais la dernière fois : « De tous les modes de production de l'amour, de tous les agents de dissémination du mal sacré, il est bien l'un des plus efficaces, ce grand souffle d'agitation qui parfois passe sur nous *. » Ce qui est dans la pensée de Proust, c'est évidemment que l'amour à l'état non

---

* *Swann,* p. 213. [I, 230.]

fixé est essentiellement anxiété et qu'au moment où cette anxiété est augmentée par une cause extérieure et fortuite, devenant à ce degré intolérable, elle se résout brusquement en amour, qui se trouve alors porter sur l'être que le hasard à ce moment-là place à notre portée. La symétrie des deux conceptions ici encore m'apparaît complète.

Il y aurait une symétrie à signaler encore entre l'idée de l'ambivalence chez Freud et certains passages de Proust : « Dans la mélancolie, comme dans les autres affections narcissiques, écrit Freud, se manifeste d'une manière très prononcée un trait de la vie affective auquel nous donnons généralement, depuis Breuler, le nom *d'ambivalence*. C'est l'existence, chez une même personne, de sentiments opposés, amicaux et hostiles, à l'égard d'une autre personne *. » Autrement dit, Freud nous montre qu'il n'y a rien de plus proche d'un sentiment et de plus facilement échangeable avec lui, que son contraire. On lit d'autre part chez Proust : « Ces moments brefs, mais inévitables, où l'on déteste quelqu'un qu'on aime **. »

Rien de plus profond que cette conception non seulement d'une parenté, mais encore d'une dépendance et d'un conditionnement mutuel de la haine et de l'amour ; rien de plus profond que cette façon de les représenter sur le même plan dans l'âme et comme les manifestations alternatives d'un sentiment peut-être plus général, bien que plus caché.

Il n'y a là d'ailleurs qu'une forme particulière de cette idée, latente chez Freud comme chez Proust, de la transmutabilité des sentiments et du caractère précaire et comme factice de leurs spécifications.

*

Mais il faut enfin nous arrêter dans cette analyse des ressemblances entre Freud et Proust. Non pas que je la considère comme épuisée. Mais il est temps que nous prenions un peu

---

* *Introduction à la Psychanalyse*, p. 445.
** *La Prisonnière*, p. 189. [III, 110.]

de hauteur et que nous nous appliquions à considérer, à apprécier et à critiquer l'ensemble de leurs découvertes.

Le meilleur moyen de parvenir à un jugement général me paraît être d'ailleurs de réfléchir d'abord sur leur conception de l'amour, plus spécialement sur celle que Proust nous en propose.

Vous vous rappelez que nous l'avons considérée comme le résultat le plus typique d'une application de l'esprit positif aux faits psychologiques, et que c'est pour cette raison que nous avons choisi de l'examiner. Et en effet la relativité que Proust introduit dans ce domaine jusqu'ici encombré de conceptions absolues, elle s'étend à tout ce qu'il a abordé, étudié. Elle est le produit naturel de sa considération, où qu'il la promène.

Edmond Jaloux a bien marqué le rapport entre la conception subjectiviste de l'amour chez Proust, et la conception plus générale qu'il se fait du Temps ou plutôt des effets du Temps sur les êtres :

« Chez les écrivains qui ont précédé Proust, cette mesure du temps s'exprimait par des raccourcis, par des scènes qui indiquaient le travail fait sur l'individu et laissaient prévoir celui qui restait à faire. C'étaient des vues prises obliquement à différentes périodes d'une existence. Avec Proust, il en va tout autrement, et c'est en cela que sa psychologie est si neuve. Il nous démontre en quoi consiste ce travail.

« Cette naissance, cette poussée incessante de nouvelles cellules morales, affaiblissant, chassant, remplaçant les anciennes, les modifications inconscientes d'abord, puis peu à peu révélées qui en résultent, la demi-irresponsabilité de l'être humain en face de ces métamorphoses qui ont lieu à son insu et qu'il ne peut que constater et qu'analyser quand elles se présentent à sa conscience, tel est l'énorme et unique sujet qui remplit les vastes volumes du *Temps Perdu* *. »

* N° spécial, p. 158.

Si vous apercevez bien ce rapport, si vous comprenez bien
que la seconde thèse est en germe dans la première, vous
m'ôterez un grand remords, qui est de ne pas avoir pu analyser
directement cette grande idée de la relativité des sentiments
et même de toute la vie psychique au Temps, qui est le sujet
sinon unique, du moins essentiel du *Temps Perdu.* N'oubliez
pas, je vous prie, ce lien qui vous permettra d'étendre les
remarques que nous allons faire sur la théorie de l'amour à
l'ensemble des découvertes psychologiques de Proust.

Un des premiers indices de la profondeur et de l'importance des innovations de Proust, nous le trouvons dans la
conversation même que nous tenons en ce moment, dans la
possibilité qu'il crée pour nous de nous entretenir ainsi cal-
mement, objectivement, de l'amour, sans nous laisser entraîner à aucune des déclamations habituelles que ce sujet inspire.
Il est vrai qu'un tel calme, une telle objectivité peuvent vous
paraître encore maintenant sacrilèges. Et je ne nie pas absolument qu'il n'y ait, en effet, quelque chose de sacrilège dans
le regard dont Proust nous a doués pour contempler et analyser un sentiment si proche de notre âme, si mélangé à nos
aspirations vers l'absolu, si religieux, à certains égards, dans
son fond.

Mais enfin la question n'est pas là. La question est de savoir
si ce que Proust dit de l'amour est vrai ou non. Comme dit
Freud quelque part : que vous trouviez une chose abominable,
ce n'est pas ça qui peut l'empêcher d'exister [3].

Eh bien, si nous nous demandons en toute objectivité ce
que vaut la clef que Proust nous propose pour étudier et
comprendre les phénomènes de l'amour, nous sommes obligés
de répondre qu'elle est *d'or,* et que jamais tant d'apparences
et si spécieuses n'ont été tournées par un esprit et ne se sont
effondrées devant plus de réalités, et plus incontestables.

Devant le monstre qu'est l'amour, si nous faisons preuve
de cette « virilité mentale » qu'Auguste Comte signale comme
le trait essentiel de l'esprit positif, nous le voyons aussitôt
s'évanouir ou se changer en ce monstre tout intérieur, tout
solitaire, si j'ose dire, que Proust a décrit.

Si vous vous replacez en face de votre propre expérience en faisant table rase de tous vos préjugés, de tout ce que vous avez besoin de croire pour vivre, comment pourriez-vous nier la part formidable de hasard qui fut à la naissance de vos plus grands sentiments, comment pourriez-vous nier que l'appétit de l'amour, que l'amour virtuel ait précédé chacun de vos amours pour les êtres à qui vous vous êtes enchaînés, comment pourriez-vous nier qu'une méprise sur leur caractère ait été à la racine de la valeur qu'ils ont prise pour vous, comment pourriez-vous nier que vous ayez été rivés à votre chaîne par chaque déception qu'ils vous ont donnée et que le malentendu entre eux et vous ait été la véritable cause de la persistance de votre attachement? Comment pourrions-nous nier que les êtres que nous aimons sont, comme le dit Proust, véritablement « fourvoyés dans notre cœur »?

N'est-il pas évident que c'est la douleur qui fait l'amour et qu'il n'y a pas d'amour partagé? N'est-il pas évident que « chaque être est absolument seul »?

N'est-il pas évident que lorsque vous réussissez par hasard à entraîner l'autre être dans votre amour, il évolue d'une façon absolument étrangère à la vôtre, ou plutôt n'est-il pas évident que son évolution se trouvant décalée d'avec la vôtre, il n'y a à aucun moment correspondance ni symétrie entre ses besoins et les vôtres? N'est-il pas évident que le plus grand bonheur que puisse apporter l'amour est ou bien une exaltation solitaire, dont l'autre être est le prétexte et non pas la cause, ou bien simplement un apaisement momentané, par suite d'une phrase mal comprise, de quelque douleur en nous trop aiguë?

N'est-il pas évident encore (c'est ce qui d'ailleurs doit nous faire pardonner à l'adversaire) que si nous rentrons en nous-mêmes, nous nous apercevrons qu'à aucun moment de notre amour, et même lorsqu'il était le plus grand, nous n'avons été absolument sincères? Les mots que nous avons dits, les tendresses que nous avons risquées n'étaient-ils pas toujours différents, en plus ou en moins, de ce que nous ressentions véritablement? N'avons-nous pas senti sans cesse cet intervalle, dont nous avons pu nous désespérer, mais sans l'abolir, qu'il y avait entre notre sentiment et nous-mêmes? Ne nous sommes-nous pas sans cesse sentis inertes en regard de la légèreté, de la vitesse de notre sentiment? Est-ce qu'il n'a pas été obligé de nous traîner après lui?

Pensez un peu au nombre d'idées étrangères à votre sentiment, non seulement adventices, mais dérivantes qui n'ont cessé de le traverser. Pensez aux moments où vous n'éprouviez absolument rien et qui, la plupart du temps, devaient être ceux où l'autre par hasard éprouvait quelque chose. Pensez à tout ce que vous avez fait, dans le temps où vous aimiez, qui n'avait aucun rapport avec la préoccupation exclusive dont vous étiez censé être habité, qui ne semblait aucunement pouvoir émaner de l'être pour lequel vous vouliez vous faire passer, lorsque vous vous décriviez à l'objet aimé.

Et encore, si nous prenons maintenant les deux partenaires de l'amour ensemble, n'est-il pas vrai que les moments d'accord profond entre eux, d'enthousiasme commun, de reconnaissance intime de l'un par l'autre, de véritable mutuelle possession, s'il y en eut jamais de tels, n'ont été dus, dans tous les cas, qu'à une phrase que l'un des deux avait délibéré de dire et où il ne s'était pas mis du tout d'abord, qu'à un accident de la conversation, qu'à une erreur, qu'à une parole insincère? Ne croyez-vous pas qu'entre les deux mondes que portent deux amants il puisse jamais y avoir interférence autrement que par l'effet d'une illusion d'optique?

Tout ceci qui n'a jamais été sinon vu, du moins analysé avant Proust me paraît d'une évidence cruelle, mais ineffaçable. Et pourtant je dois avouer, si mon opinion a quelque intérêt, que je ne vais pas tout à fait aussi loin que Proust dans le pessimisme, qu'il y a des moments tout au moins où sa conception de l'amour me paraît un peu partiale, ou plutôt inégale à son objet, et où certains éléments de l'amour me paraissent avoir été négligés par lui.

Je suis intimidé sans doute dans cette résistance à son scepticisme, parce que je me dis que je suis peut-être simplement repris par les illusions qu'il a combattues et qui sont si fortes. Mais je me dis aussi que son caractère n'était pas fait pour lui permettre certaines expériences, qui peuvent lui avoir manqué. C'est ainsi que je me rassure sur la valeur des quelques doutes que j'ose élever sur une aussi grande pensée.

Il y a deux points sur lesquels la conception que Proust se fait de l'amour me semble pouvoir et devoir être corrigée ou complétée. Le premier est celui-ci : même du point de vue le plus objectif, il ne me paraît pas possible d'admettre que la nature propre d'un être, que sa qualité (je ne dis pas ses qualités, ce serait tout autre chose, et Proust a certainement complètement raison de prétendre que la valeur morale n'entre pour rien dans l'amour qu'il déclenche) – mais il ne me paraît pas possible d'admettre que sa qualité physique et morale n'ait aucune influence sur le choix que nous faisons de lui pour l'aimer, et que l'amour qu'il récolte soit déterminé uniquement par des circonstances extérieures, par l'inquiétude qu'il nous donne, par son absence au moment où nous avons besoin de lui, etc. Qu'il y ait une influence spécifique des êtres les uns sur les autres, cela ne me paraît pas pouvoir être nié. Cela peut même se prouver à l'aide de certains cas négatifs. Combien de fois n'arrive-t-il pas qu'on désire aimer un être sans y réussir ? Combien de fois, et dans des instants où vraiment on a à sa disposition toute la quantité de désir nécessaire, combien de fois ne cherche-t-on pas à en faire l'application à un être donné et combien de fois, malgré toutes circonstances favorables, le sentiment ne refuse-t-il pas de se faire jour et de s'attacher à l'objet qu'on lui propose. S'il y a des échecs, dans cet ordre de tentatives, c'est donc que les réussites ne sont pas entièrement déterminées par le hasard, c'est donc que lorsqu'on aime un être, c'est bien au moins en partie à cause de quelque chose qui est en lui.

Ce qu'il y a de juste et de profond dans les vues de Proust sur ce point, c'est que ce quelque chose n'a pas besoin du tout, pour déterminer l'amour, d'être une promesse de bonheur, ni même de constituer une ressemblance positive avec nous-mêmes. Ce peut être, comme Proust l'a très bien vu, la promesse d'une certaine souffrance dont nous avons besoin.

Mais enfin je pense qu'il faut qu'il y ait quelque chose dans l'autre être qui s'annonce à notre cœur et le prévienne, je pense même que l'amour ne peut atteindre une certaine intensité et prendre la forme de la passion que s'il y a une prédestination relative des deux êtres, – prédestination sur la nature de laquelle il faut se garder de nourrir les illusions que le Romantisme a propagées, et qui peut n'avoir absolument rien de métaphysique.

Quoi qu'il en soit de ses causes, l'amour-passion est un fait. Et c'est ce fait – voici mon second reproche – que Proust ne me semble avoir ni connu, ni analysé suffisamment. Sans doute il est bien hardi de prétendre que l'Amour de Swann pour Odette n'était pas une passion. Et je ne le prétends pas non plus. Mais il me semble qu'il y manquait tout de même un élément important de la passion : le besoin de se donner au sens fort, la préférence de l'autre être à soi-même. Il est évident que c'est un sentiment si sublime qu'il est ridicule, et je comprends que Proust n'ait pas osé en reconnaître la réalité. Je crois pourtant à sa réalité, dans certains cas, dans certaines circonstances données, et j'y crois non pas d'une façon vague et mystique, ni pour avoir cru l'éprouver, mais pour avoir constaté dans l'expérience certains actes qui ne pouvaient pas s'expliquer autrement que par lui.

C'est un hôte de la conscience extrêmement rare et fugitif, mais il existe. Il existe plus souvent, je pense, chez la femme que chez l'homme. Mais justement aucune des femmes que Proust a connues et décrites, ne peut être un instant supposée avoir éprouvé ce mouvement, cette tentation du don de soi. Il faut songer que d'aucune il ne semble moralement avoir jamais rien eu. Cette privation soit dit en passant a été certainement pour lui extrêmement cruelle, et l'origine d'une nostalgie si violente que par pudeur il ne l'a jamais exprimée, sauf une fois dans *la Prisonnière* où il joue la comédie à Françoise pour lui faire croire qu'Albertine est très gentille pour lui et où il s'écrie : « Il m'était si doux d'avoir l'air d'être aimé *. »

Pour revenir à Swann, – pratiquement il est prêt à tout donner pour Odette, pour peu qu'elle songe à le lui demander, mais pas lui-même, pas son bonheur, pas sa vie, pas la satisfaction de son amour.

Proust dit de lui : « En somme il mentait autant qu'Odette parce que plus malheureux qu'elle, il n'était pas moins égoïste **. » Quand l'égoïsme survit à l'amour, on ne peut pas dire qu'il y ait passion.

Ou alors il faut qu'il prenne la forme de l'instinct de conquête.

Or, pas plus qu'il n'est prêt à se donner, Swann n'est véritablement enclin à prendre. Et c'est là encore un autre élément de l'amour que Proust semble avoir négligé, ou voulu ignorer : le besoin de saisir, de captiver au sens fort. Sans doute Swann fait tout ce qu'il peut pour s'approcher d'Odette, pour la retenir, pour lui créer des raisons extérieures d'être à lui. Mais justement il semble ne penser jamais qu'à des raisons extérieures. C'est en lui envoyant de l'argent, c'est en l'entourant de mille soins, c'est en tissant autour d'elle un réseau d'obligations qu'il espère la conserver à sa portée.

Il ne cherche pas réellement à entrer dans ses pensées, à les modifier, à les tourner vers lui. Tous les mensonges dont il use pour savoir ce qu'elle fait, la force qui les lui dicte, il ne songe pas qu'il pourrait s'en servir pour la transformer et créer en elle un sentiment qui l'empêcherait de faire ces choses. À aucun moment il ne semble ressentir cette inspiration qui permet de pénétrer dans une âme et de se l'asservir. Il ne sait pas peindre ces paysages qu'un vrai désir suggère à l'amant ; il ne sait pas violer la volonté adverse ; aller la chercher dans son réduit et la tourner vers soi ; il ne sait pas *séduire*.

Cela aussi pourtant fait partie de l'amour, sinon toujours,

---

* P. 237. [III, 154.]
** *Swann*, p. 327. [I, 360.]

du moins dans beaucoup de cas. Dire que Don Juan n'a pas connu l'amour serait vraiment un peu paradoxal. Et cela seulement il faut bien le dire, cette agression de l'esprit et du cœur convoités, par tous les moyens imaginables, cela seulement peut permettre, par modification, au moins provisoire, à notre image de l'âme adverse, une possession un peu tranquille de cette âme, une union véritable, une liaison au sens fort du mot entre elle et nous.

*

Nous touchons ici – je vous avais bien prévenu que notre critique de sa conception de l'amour nous permettrait de nous élever graduellement à un point de vue général sur l'œuvre de Proust, – nous touchons ici à une lacune, ou à une insuffisance de la psychologie de Proust, qu'on ne peut même pas songer un instant à lui reprocher, tant il était important qu'il l'acceptât pour atteindre tout ce qu'il a atteint, et qui n'était accessible qu'à ce prix, mais qu'il faut néanmoins que nous reconnaissions et que nous explorions avant d'en arriver à un jugement définitif sur son apport.

Le thème : « Chaque être est bien seul » (c'est un mot, vous vous le rappelez, qui lui est arraché par la solitude et la privation de sympathie où se trouve sa grand'mère au moment de son attaque [4]), – le thème : « Chaque être est bien seul », sur lequel Proust revient sans cesse, est hélas! d'une profondeur et d'une vérité effroyables.

Mais il y a chez lui une tendance à le pousser trop loin. Ce que nous venons de remarquer des lacunes de sa conception de l'amour pourrait se résumer ainsi : Proust nie, ou méconnaît tout contact entre les êtres, tout transfert de l'un en l'autre, tout don et toute prise.

Eh! bien, plus généralement, dans toute sa conception psychologique il y a une tendance à considérer comme séparés absolument, comme sans influence les uns sur les autres, tous les objets que son intelligence peut distinguer. Cela vaut aussi bien pour les individus, qu'il caractérise si fortement qu'ensuite il ne voit plus comment ils pourraient s'impressionner mutuellement, – que pour les groupes de faits psychiques qu'il réussit à distinguer à l'intérieur d'un même individu. Et nous rattrapons ici, vous vous en rendez compte, l'observation que nous avions faite, avec M. Desjardins, à la fin de notre deuxième causerie, sur la tendance de Proust à dissocier l'individu.

Il y aurait ici un monde de réflexions à présenter. Bornons-nous à l'essentiel.

Il est bien évident que c'est une tendance de Proust (une tendance seulement, car il analyse merveilleusement dans bien des cas l'influence exercée par un être sur un autre), une tendance pourtant réelle de Proust, que de supprimer les interactions psychiques de toute sorte, que de rendre la vie en général, et la vie de chaque être en particulier, complètement *acatène*.

Il élimine de la vie psychique tout facteur dynamique : la passion d'abord, qui dans l'ordre du sentiment, peut être considérée comme l'équivalent de ce qu'est la volonté dans l'ordre de l'action, – et la volonté ensuite, qui n'apparaît nulle part dans son œuvre, même pas comme fait, comme objet d'étude ; ce qui tout de même est une lacune assez grave, au point de vue de la pure observation des faits de conscience.

M. Ortega y Gasset, de l'Université de Madrid, qui a donné dans notre numéro spécial un fort remarquable article, insiste longuement, et à mon avis, jusqu'à l'injustice, sur la totale absence de dynamisme dans l'œuvre de Proust et sur les conséquences énervantes que cela peut avoir sur le lecteur. Je crois qu'il exagère beaucoup cette sorte d'inconvénients, mais il met tout de même le doigt sur une des lacunes de la psychologie de Proust [5].

On pourrait dire encore que Proust élimine de la vie et de la conscience l'élément dramatique. J'ai dit l'autre jour, et je le pense encore, que cet élément était souvent surajouté par nous et constituait un de ces embellissements de notre vie intime, à laquelle la censure nous incite. Souvent en effet, mais pas toujours. Il y a tout de même en nous des tendances, tout un système d'appétitions confuses, mais inflexibles qui forment le caractère et qui peuvent entrer en conflit soit entre elles, soit avec la volonté. Il y a une virtualité de drame en chacun de nous. C'est ce que Freud a beaucoup mieux vu que Proust, et qui d'ailleurs comme principe général n'est pas une découverte nouvelle.

Il y a autre chose en nous que ce remplacement de nos *moi* les uns par les autres, que ce jeu de bascule que Proust a décrit. Cela existe, cela se produit souvent. Mais sans préjuger en aucune façon de la nature de l'âme, du fond dernier de notre conscience, sans sortir du phénoménisme, on peut dire qu'il y a aussi une constante du moi, qui le pousse à fournir en réponse à des événements différents une réaction toujours la même. Il y a un caractère (ce que Proust d'ailleurs n'a pas méconnu, mais laisse seulement parfois s'obscurcir un peu).

Il y a un caractère et il y a une volonté, dont la force est variable suivant les êtres, mais qui existe toujours plus ou moins, et qui vient se ranger aux ordres de ce caractère, qui le soutient, qui l'affirme, qui l'aide à s'imposer pratiquement.

La psychologie de Proust tend à méconnaître trop complètement la ligne de nos actes, et comme l'a très fortement marqué M. Desjardins, notre *conduite* [6], qui est, au moins en partie le produit de notre volonté, au profit de tout ce qui a entouré ces actes en nous, de tout ce qui les a accompagnés, sans les déterminer.

Je reviens à l'article d'Ortega y Gasset. Il faut absolument que je vous en lise un passage :

« Quand Proust nous dit que la sonnette du jardin de Combray tinte et que, dans l'obscurité, on entend la voix de Swann qui arrive, notre attention se pose sur ce fait et se repliant sur elle-même s'apprête à sauter sur un autre fait qui, sans doute, va suivre et dont celui-ci est la préparation. Nous ne nous installons pas, inertes, dans le premier fait; mais une fois que nous l'avons connu sommairement, nous nous sentons lancés vers un autre à venir, parce que dans la vie, croyons-nous, chaque fait est l'an-

nonce et la transition à un autre et ainsi de suite jusqu'à
ce qu'une trajectoire ait été formée, de la même manière
qu'à chaque point mathématique succède un autre point
pour former une ligne. Mais Proust martyrise ce caractère
dynamique de notre être, en nous obligeant, sans rémis-
sion, à demeurer dans le premier fait, parfois pendant
cent pages et plus. Après l'arrivée de Swann, rien ne vient;
au point ne s'ajoute pas un autre point; au contraire,
l'arrivée de Swann au jardin, ce simple fait momentané,
ce point de réalité se dilate sans progrès, s'élargit sans se
changer en un autre, grossit de volume et ce sont alors
des pages et des pages, pendant lesquelles nous ne bou-
geons pas, et nous le voyons seulement croître, élastique,
se charger de nouveaux détails et de nouveaux sens, gran-
dir comme une bulle de savon et, comme elle, se parer
d'irisations et de reflets.

« Nous éprouvons donc une espèce de supplice en lisant
Proust. Son art agit sur notre dynamisme, sur notre appétit d'action, de mouvement, de progrès, à la manière d'un
frein continu qui nous retient, nous souffrons comme la
caille qui en sautant dans sa cage, se heurte à la petite
voûte de fil de fer, où finit sa prison *. »

Encore une fois je ne partage pas le genre de martyre que
M. Ortega éprouve à lire Proust et dont il note d'ailleurs lui-
même la haute qualité. Mais je ne peux m'empêcher de reconnaître qu'il touche à quelque chose d'important quand il signale
le fait que, chez Proust, les actes des personnages et même
les événements sont décrits non dans leur enchaînement, mais
si j'ose dire dans leur gonflement. Chacun est séparé du suivant par tout ce qui s'est passé en même temps que lui dans
la conscience et dans l'inconscient soit du personnage, soit de
Proust lui-même. Chacun porte son entière charge de psychologique et succombe sous elle avant que le suivant ait eu
le temps de commencer. Chacun est représenté non seulement

* *Hommage à Marcel Proust*, p. 277.

avec toutes ses racines, mais avec la motte de terre que ces racines retiennent et dont elles s'augmentent.

Ortega y Gasset voit dans ce procédé, qui n'est d'ailleurs pas un procédé, mais la façon dont fonctionne naturellement le génie de Proust, quelque chose d'analogue au procédé impressionniste. J'avoue ne pas être très sensible à cette analogie. J'en vois une au contraire, et très frappante, entre la manière de Proust et le cubisme. Le cubisme a cherché à représenter chaque face de chaque objet dans sa totalité, même si on ne pouvait pas logiquement la voir; ou plutôt il a ajouté à l'objet, et il en a retranché tout ce qu'il comportait de plus, ou de moins psychologiquement que ce qu'on pouvait voir. Il a peint, ou voulu peindre (car peut-être son dessein était-il irréalisable, ou impliquait-il pour l'être un génie qui ne s'est pas trouvé parmi ses représentants), il a donc voulu peindre l'objet tel que le démembre la conscience affective; il a peint l'objet dans la conscience, mais non plus seulement tel qu'il s'y trouve au moment où il tombe (comme le peignait l'impressionnisme), il l'a peint tel qu'il devient après y avoir séjourné, au moment où on se le rappelle, c'est-à-dire avec tous les prolongements, tous les vantaux, tous les pavillons affectifs qui se sont greffés sur lui et ont dissocié sa forme.

Oui, c'est bien quelque chose d'analogue que nous trouvons chez Proust; l'analogie serait à pousser et à mettre au point; j'en vois encore un aspect que je vous indique en courant : dans le cubisme mélange d'éléments idéaux ou psychologiques de l'objet avec des éléments au maximum concrets; je fais allusion aux fameux trompe-l'œil, bouts de carton collés sur la toile, lettres de journaux, etc.; chez Proust constant mélange, dans la description, d'un élément intérieur, émotif, d'ailleurs construit comme s'il faisait partie des choses, et d'un élément photographique (conversations, gestes, attitudes reproduites avec une fidélité absolue, presque servile). Mais je vous indique seulement l'idée, n'ayant pas le temps de la mettre au point.

Et je reviens à constater une dernière fois ceci que peut-être on n'est pas sans aucun droit de reprocher à Proust une certaine dislocation de l'activité de ses personnages, une certaine répartition un peu déroutante de leurs actes entre leurs faits de conscience, dont l'ordre et l'enchaînement sont préférés. Le résultat est un évanouissement de l'être volontaire dans l'être percevant et pensant.

Mais ce qu'il faut dire, ce qu'il faut à nouveau fortement appréhender ici, c'est que ce défaut de la psychologie proustienne, s'il est réel, était inévitable, et qu'il est la rançon, bien modique, bien bénigne de l'approfondissement colossal qu'elle fait subir à notre connaissance du cœur humain.

Il n'y a le choix qu'entre deux alternatives ; c'est un dilemme qui se pose : ou suivre la vie, ou entrer dans la conscience. Et Proust n'a même pas eu à choisir ; il s'est trouvé sinon de naissance, du moins de fatalité, si j'ose dire, et à cause de la forme même de son intelligence, tourné face à la conscience ; et il n'a pas conçu d'autre mouvement possible que de s'y enfoncer, tournant le dos à l'action. La vie de la conscience (et j'emploie le mot ici dans son sens le plus général, en y faisant entrer l'inconscient), la vie de l'âme, si vous voulez, est quelque chose en soi, quelque chose d'infiniment différent de ses produits pratiques, des actes qu'elle dépose de loin en loin dans le monde extérieur ; elle transcende infiniment ces produits, pour employer encore une expression philosophique. Elle ne peut donc pas être étudiée en partant de ces produits seulement ; pour être connue dans son fond, elle demande, elle exige une exploration directe. Dès qu'on tient compte de la volonté, ou des facteurs actifs, on lâche le fil qui peut conduire dans ce grand labyrinthe ou, comme dit Proust, « dans cette grande nuit impénétrée et décourageante de notre âme que nous prenons pour du vide et pour du néant * ».

Il fallait un Thésée qui se dévouât à cette exploration, à ce grand voyage de la psychologie pure. Et il fallait une Ariane aussi qui lui tînt la main et le guidât. Cette Ariane, je la vois dans cette muse secrète dont Proust fut dès son enfance habité,

* *Swann*, p. 318. [I, 350.]

dans cet élément féminin de son caractère, qui lui conseilla sans cesse la nonchalance et le détour, qui l'empêcha de se cristalliser jamais, qui le rendit fluide toujours assez, et persistant malgré tout, et infatigable à sentir et à comprendre.

Un de mes amis me disait, après notre dernière causerie : « Je vois bien maintenant les acquisitions supplémentaires que Proust nous apporte au point de vue de la connaissance intérieure ; je ne vois pas encore assez, malgré vos efforts pour le montrer, qu'il les ait obtenus par une méthode nouvelle, ni même par une attitude nouvelle en face de la conscience. Je vois bien l'approfondissement, je ne vois pas la révolution. »

J'ai réfléchi à cette objection : Eh! bien, si, je maintiens mon affirmation ; je maintiens que ce que Proust nous a montré de nouveau, il ne pouvait pas le découvrir à moins d'une révolution totale, au sens propre du mot, c'est-à-dire à moins de tourner complètement le fauteuil dans lequel le psychologue jusqu'ici s'asseyait. Je maintiens par conséquent que son œuvre a non seulement une extraordinaire valeur en soi, mais qu'elle ouvre, comme celle de Freud d'ailleurs (dont c'est peut-être, il faut le dire, en même temps que le principal, le seul mérite), qu'elle ouvre une voie nouvelle, une direction nouvelle à la psychologie, j'entends à la psychologie romanesque et littéraire. (Je ne m'occupe pas ici de la psychologie expérimentale.)

Elle correspond à une attitude nouvelle ; elle peut déterminer un changement d'orientation. Et voici, il me semble, en quoi.

Le psychique a été conçu jusqu'ici, à peu près sans exception, tout au moins en France, sous le signe du volontaire. Je veux dire que la pleine réalité psychique n'était attribuée qu'aux faits intérieurs qui ou bien aboutissaient à une décision, ou bien s'y opposaient ; les autres n'étaient pas inconnus, mais formaient autour des premiers une « aura », un halo considéré comme négligeable, ou qu'en mettant tout au mieux, l'écrivain se contentait de suggérer.

Cette attitude venait de ce que presque tous ceux qui s'adonnaient à l'étude du cœur humain gardaient eux-mêmes des attaches avec la volonté, lui laissaient sur leur conscience une certaine suprématie, acceptaient implicitement une hiérarchie, d'origine sociale, qui la plaçait au sommet des forces psychologiques. Ils étaient bridés par suite dans leur observation, par les brides qu'ils acceptaient pour eux-mêmes. D'où une observation, si l'on peut dire, parallèle à la volonté, qui allait dans le sens qu'elle impose normalement à la vie psychique. Stendhal, à cet égard, est très frappant : tout ce qu'il observe, si nouveau que ce soit, et si objectivement aperçu, ce n'est jamais pourtant que ce qui est parallèle à l'action : les motifs, parfois capricieux, parfois entièrement gratuits, souvent de ceux qu'on n'ose pas reconnaître, mais les motifs tout de même, les causes déterminantes de l'action. Ou quand ce sont les émotions, ce sont celles que favorisent un mouvement, qui éclosent pour ainsi dire dans son sillage. Aucun retournement face à soi-même ; aucun regard vers la « grande nuit impénétrée et décourageante de notre âme ».

Il ne faut pas croire pourtant qu'entre-temps l'inconscient dans l'être humain, toute la masse psychologique profonde, chômait. Vous pensez bien qu'il n'a pas commencé à exister du jour seulement où on l'a découvert. Il avait donné déjà une assez forte secousse avec Racine, dont il aurait peut-être brisé la frêle et sensuelle organisation, s'il n'y avait pas eu près de lui Boileau et Louis XIV. Comme un instrument où passerait tout à coup un souffle trop fort si le constructeur n'en avait été justement encore plus fort et ne l'avait fait à l'avance résistant à toute épreuve.

Mais la grande explosion de l'inconscient dans la littérature, c'est avec Rousseau et le Romantisme qu'elle se produit. L'inconscient parle tout à coup. Il parle, c'est-à-dire qu'il s'exprime, c'est-à-dire qu'il se vide pour ainsi dire de lui-même.

Cela signifie que les gens se mettent à faire des tas de choses dont ils ne donnent pas l'explication, dont ils ne savent pas eux-mêmes pourquoi ils les font. Tout le Romantisme consiste à montrer des personnages qui ne comprennent absolument rien à eux-mêmes et qui se dépensent en gestes et en émotions et en sanglots qui leur paraissent d'autant plus beaux qu'ils peuvent moins en rendre compte.

La gratuité apparaît comme valeur psychologique. C'est un commencement de révolte contre le joug de la volonté, mais on subit toujours sa direction. L'absurdité de notre conduite est soulignée avec une insistance croissante. Je cite des noms qu'il peut sembler bizarre de rapprocher, mais qui forment jalons sur cette route : Flaubert, Jarry, André Breton.

Au terme en effet nous avons Dada, qui fait systématiquement profession d'absurdité et qui d'autre part, très logiquement, se dévoue à recueillir passivement, c'est-à-dire dans le sens où on agit, les murmures de l'Inconscient.

Mais justement c'est le moment où il s'est trop dit, cet Inconscient, pour avoir gardé aucune fécondité. On ne lui a opposé aucune barrière, aucune fermeture; il en a profité pour fuir.

Alors tout à coup Proust est là qui tout simplement se retourne et le regarde. Proust, et Freud à sa place, qu'il ne faut pas faire trop grande, mais qu'il y aurait de l'injustice à faire trop petite.

Tous deux rompent avec la censure comme barrière (ce qu'avaient déjà fait le Romantisme et Dada), mais ils rompent aussi avec elle comme direction intellectuelle *. C'est-à-dire qu'ils abandonnent définitivement ce parallélisme au moi que le psychologue avait jusque-là observé. Tout ce que les écrivains se sont habitués à subir, tout à coup simplement ils le regardent; ils se servent pour le déchiffrer de toutes ces traces, de tous ces signes qu'il dépose sur les visages ou dans les paroles, de tous ces résidus inexploités, et au lieu de les reproduire, ils les interprètent.

Ou plus simplement encore : une idée cesse en eux; ils cessent de penser que « cette grande nuit impénétrée et décourageante de notre âme » puisse être ce pour quoi nous la

---

* Dada est un phénomène d'obéissance, l'œuvre de Proust est un phénomène de révolte.

prenions : « du vide et du néant ». Ils pensent que c'est quelque chose et ils cherchent quoi.

Quoi qu'en pense mon ami – je ne sais si j'arriverai cette fois à le convaincre – il y a là une révolution ; il y a là tout au moins une réforme intellectuelle, dont on peut à peine encore soupçonner la fécondité.

Pour l'exprimer en termes très généraux, car son originalité même et son importance excluent la trop grande précision, c'est une révolution classique, c'est un retour offensif que fait l'esprit classique sur l'énorme masse psychologique dégagée et vaguement dégorgée par le Romantisme. C'est l'introduction d'un instrument fixe et bien forgé dans une matière en fusion. C'est un ensemble de dispositions tactiques prises pour faire face à une grande et d'ailleurs magnifique débâcle. C'est un effort de l'esprit, de l'intelligence sur l'informe qui s'agite en nous et c'est une victoire de cet esprit, une victoire de cette intelligence.

Mais pourquoi perdrais-je mon temps à la décrire, cette victoire, alors que Proust en a donné une si magnifique description lui-même. Car ce qu'il a fait, ce qu'il a conquis sur l'inconscient, n'est-ce pas exactement la même chose que ce que Vinteuil lui a arraché par son génie, dans un passage de Swann sur lequel je vous demanderai la permission de finir ces causeries :

« Comme si les instrumentistes, beaucoup moins jouaient la petite phrase qu'ils n'exécutaient les rites exigés d'elle pour qu'elle apparût, et procédaient aux incantations nécessaires pour obtenir et prolonger quelques instants le prodige de son évocation, Swann, qui ne pouvait pas plus la voir que si elle avait appartenu à un monde ultra-violet, et qui goûtait comme le rafraîchissement d'une métamorphose dans la cécité momentanée dont il était frappé en approchant d'elle, Swann la sentait présente, comme une déesse protectrice et confidente de son amour, et qui pour pouvoir arriver jusqu'à lui devant la foule et l'emmener à l'écart pour lui parler, avait revêtu le déguisement de cette apparence sonore. Et tandis qu'elle passait, légère, apaisante et murmurée comme un parfum, lui disant ce qu'elle avait à lui dire et dont il scrutait tous les mots, regrettant de les voir s'envoler si vite, il faisait involontairement avec ses lèvres le mouvement de baiser au passage le corps harmonieux et fuyant. Il ne se sentait plus exilé et seul puisque, elle, qui s'adressait à lui, lui parlait à mi-voix d'Odette. Car il n'avait plus comme autrefois l'impression qu'Odette et lui n'étaient pas connus de la petite phrase. C'est que si souvent elle avait été témoin de leurs joies! Il est vrai que souvent aussi elle l'avait averti de leur fragilité. Et même, alors que dans ce temps-là il devinait de la souffrance dans son sourire, dans son intonation limpide et désenchantée, aujourd'hui il y trouvait plutôt la grâce d'une résignation presque gaie. De ces chagrins dont elle lui parlait autrefois et qu'il la voyait, sans qu'il fût atteint par eux, entraîner en souriant dans son cours sinueux et rapide, de ces chagrins qui maintenant étaients devenus les siens sans qu'il eût l'espérance d'en être jamais délivré, elle semblait lui dire comme jadis de son bonheur : " Qu'est-ce que cela? tout cela n'est rien. " Et la pensée de Swann se porta pour la première fois dans un élan de pitié et de tendresse vers ce Vinteuil, vers ce frère inconnu et sublime qui lui aussi avait dû tant souffrir; qu'avait pu être sa vie? au fond de quelles douleurs avait-il puisé cette force de dieu, cette puissance illimitée de créer? Quand c'était la petite phrase qui lui parlait de la vanité de ses souffrances, Swann trouvait de la douceur à cette même sagesse qui tout à l'heure pourtant lui avait paru intolérable quand il croyait la lire dans les visages des indifférents qui considéraient son amour comme une divagation sans importance.

« C'est que la petite phrase au contraire, quelque opinion qu'elle pût avoir sur la brève durée de ces états de l'âme, y voyait quelque chose, non pas comme faisaient tous ces gens, de moins sérieux que la vie positive, mais au contraire de si supérieur à elle que seul il valait la peine d'être exprimé. Ces charmes d'une tristesse intime, c'était eux qu'elle essayait d'imiter, de recréer, et jusqu'à leur essence qui est pourtant d'être incommunicables et de sembler frivoles à tout autre qu'à celui qui les éprouve, la petite phrase l'avait captée, rendue visible. Si bien qu'elle faisait confesser leur prix et goûter leur douceur divine, par tous ces mêmes assistants — si seulement ils étaient un peu musiciens — qui ensuite les méconnaîtraient dans la vie, en chaque amour particulier qu'ils verraient naître près d'eux. Sans doute la forme sous laquelle elle les avait codifiés ne pouvait pas se résoudre en raisonnements. Mais depuis plus d'une année que, lui révélant à lui-même bien des richesses de son âme, l'amour de la musique était pour quelque temps au moins né en lui, Swann tenait les motifs musicaux pour de véritables idées, d'un autre monde, d'un autre ordre, idées voilées de ténèbres, inconnues, impénétrables à l'intelligence, mais qui n'en sont pas moins parfaitement distinctes les unes des autres, inégales entre elles de valeur et de signification. Quand après la soirée Verdurin, se faisant rejouer la petite phrase, il avait cherché à démêler comment à la façon d'un parfum, d'une caresse, elle le circonvenait, elle l'enveloppait, il s'était rendu compte que c'était au faible écart entre les cinq notes qui la composaient et au rappel constant de deux d'entre elles qu'était due cette impression de douceur rétractée et frileuse; mais en réalité il savait qu'il raisonnait ainsi non sur la phrase elle-même mais sur de simples valeurs substituées pour la commodité de son intelligence à la mystérieuse entité qu'il avait perçue, avant de connaître les Verdurin, à cette soirée où il avait entendu pour la première fois la sonate. Il savait que le souvenir même du piano faussait encore le plan dans lequel il voyait les choses de la musique, que le champ ouvert au musicien n'est pas un clavier mesquin de sept notes, mais un clavier incommensurable, encore presque tout entier inconnu, où seulement çà et là, séparées par d'épaisses ténèbres inexplorées, quelques-unes des millions de touches de tendresse, de passion, de courage, de sérénité, qui le composent, chacune aussi différente des autres qu'un univers d'un autre univers, ont été découvertes par quelques grands artistes qui nous rendent le service, en éveillant en nous le correspondant du thème qu'ils ont trouvé, de nous montrer quelle richesse, quelle variété, cache à notre insu cette grande nuit impénétrée et décourageante de notre âme que nous prenons pour du vide et pour du néant. Vinteuil avait été l'un de ces musiciens. En sa petite phrase, quoiqu'elle présentât à la raison une surface obscure, on sentait un contenu si consistant, si explicite, auquel elle donnait une force si nouvelle, si originale, que ceux qui l'avaient entendue la conservaient en eux de plain-pied avec les idées de l'intelligence. Swann s'y reportait comme à une conception de l'amour et du bonheur dont immédiatement il savait aussi bien en quoi elle était particulière, qu'il le savait pour la *Princesse de Clèves*, ou pour *René*, quand leur nom se présentait à sa mémoire. Même quand il ne pensait pas à la petite phrase, elle existait latente dans son esprit au même titre que certaines autres notions sans équivalent, comme les notions de la lumière, du son, du relief, de la volupté physique, qui sont les riches possessions dont se diversifie et se pare notre domaine intérieur. Peut-être les perdrons-nous, peut-être s'effaceront-elles, si nous retournons au néant. Mais tant que nous vivons nous ne pouvons pas plus faire que nous ne les ayons connues que nous ne le pouvons pour quelque objet réel, que nous ne pouvons, par exemple, douter de la lumière de la lampe qu'on allume devant les objets métamorphosés de notre chambre d'où s'est échappé jusqu'au souvenir de l'obscurité. Par là, la phrase de Vinteuil avait, comme tel thème de *Tristan* par exemple, qui nous représente aussi une certaine acquisition sentimentale, épousé notre condition mortelle, pris quelque chose d'humain qui était assez touchant. Son sort était lié à l'avenir, à la réalité de notre âme dont elle était un des ornements les plus particuliers, les mieux différenciés. Peut-être est-ce le néant qui est le vrai et tout notre rêve est-il inexistant, mais alors nous sentons qu'il faudra que ces phrases musicales, ces notions qui existent par rapport à lui, ne soient rien non plus. Nous périrons mais nous avons pour otages ces captives divines qui suivront notre chance. Et la mort avec elles a quelque chose de moins amer, de moins inglorieux, peut-être de moins probable *. »

* *Swann*, p. 316 à 319. [I, 347-350.]

LA N.R.F. RÉPOND

Une heure avec M. Jacques Rivière,
Directeur de la *Nouvelle Revue Française*,
par Frédéric Lefèvre

M. Jacques Rivière, directeur de la *Nouvelle Revue Française*, publia, l'année dernière, un roman, un récit psychologique plus exactement, qui sut conquérir le plus discrètement du monde l'estime des lettrés... C'est à la fois l'étude d'un caractère et l'histoire d'un sentiment : la naissance, la vie et la mort de l'amour dans un cœur d'homme et un portrait de femme qui vient s'ajouter à la galerie des femmes célèbres de notre littérature.

Certes, *Aimée* ne donne pas l'impression du « déjà rencontré » et cependant la « stylisation » n'est pas telle qu'*Aimée* apparaisse comme un caractère imaginé, créé de toutes pièces, inventé.

Aimée appartient à la réalité, à la vie. On se reproche seulement de ne pas avoir assez bien regardé. On sent qu'on l'aurait découverte. On regrette d'avoir négligé un beau spectacle et on remercie M. Rivière de nous l'avoir restitué si fidèlement.

Depuis *Aimée*, M. Rivière n'avait rien publié, nous sommes allé lui demander quels étaient ses projets et ses travaux en cours...

— Dans les très rares loisirs que me laisse la direction de la *Nouvelle Revue Française*, nous confie M. Rivière, je travaille à un nouveau roman [1]. Je corrige aussi les épreuves de mes *Études* sur Baudelaire, Claudel, Gide, etc., qui vont être réim-

primées. Enfin, je pense à transformer en articles les conférences que j'ai faites, en janvier dernier, au Vieux-Colombier,
sur Freud et Proust.

FREUD ET LA LITTÉRATURE FRANÇAISE CONTEMPORAINE

— Freud exerce-t-il déjà une influence sur la littérature
française contemporaine, sur le roman contemporain en
particulier?

— Je ne crois pas. Ce n'est pas le *Mangeur de rêves*, de
M. Lenormand [2], qui peut, à lui seul, faire la preuve de cette
influence. D'ailleurs, si elle doit s'exercer jamais, ce que je
ne me charge pas de prédire, ce sera, je crois, d'une manière
beaucoup moins littérale, et simplement par une direction
nouvelle qu'elle pourra donner à l'attention de l'écrivain et
du romancier. J'ai horreur, pour ma part, de toute littérature qui prétend poser et traiter le problème sexuel. Et
d'ailleurs il n'y a pas de problème sexuel. Mais ce que Freud
nous enseigne d'extraordinairement nouveau et fécond, c'est
l'attention aux signes involontaires, c'est à ne pas croire ce
que nous disent les gens et à ne chercher la vérité de ce
qu'ils ressentent ou pensent que dans les accidents de geste
ou de parole qui leur arrivent. Cette combinaison de défiance
et d'intuition, dont il a voulu faire une méthode scientifique
d'exploration de l'inconscient, n'a peut-être aucune valeur
en médecine (bien que les psychiatres qui prétendent réagir
contre Freud me semblent lui emprunter bien curieusement
l'essentiel de ses procédés) : je suis persuadé qu'elle a, en
tout cas, une grande valeur pour l'observation psychologique
courante, telle que doit la pratiquer le romancier.

FREUD ET PROUST

— Proust connaissait-il Freud?

— De nom seulement; je crois pouvoir affirmer qu'il n'avait jamais lu une ligne de ses ouvrages.

— Voyez-vous cependant des points de contact entre les deux œuvres.

— Certainement, très nombreux et très importants. D'abord, Proust a instinctivement appliqué la méthode que Freud a définie : pour reprendre un mot de Stendhal, qu'Henri Pourrat me remettait récemment en mémoire, Proust a eu « le génie du soupçon ». *La Prisonnière,* qui va paraître ces jours-ci, vous montrera jusqu'à quel degré vraiment tragique cette faculté s'était développée en lui. C'est elle qui lui a permis la description la plus nue, la plus nette, la plus dépouillée d'illusions, la plus profonde qu'on ait jamais donnée du cœur humain. (Ce qui nous ravit chez Stendhal et ce dont aucun reflux de la mode ne pourra nous dégoûter, n'est-ce pas déjà cette façon directe et perçante de chercher la vérité des sentiments à travers tous les masques qui la défendent?)

« D'autre part, Proust est le premier romancier qui ait osé tenir compte, dans l'explication des caractères, du facteur sexuel. Et si, comme je vous le disais tout à l'heure, la question sexuelle ne m'intéresse nullement en tant que problème, je trouve qu'il y a quelque chose de vertigineux à penser qu'on a cru jusqu'ici pouvoir faire de la psychologie tant soit peu pertinente en omettant de s'interroger sur les dispositions et sur l'orientation amoureuses des personnages qu'on voulait peindre.

L'APPORT ESSENTIEL DE MARCEL PROUST

— L'apport essentiel de Proust vous paraît-il avoir consisté uniquement dans cette prise en considération du facteur sexuel?

— Non, certainement. Proust est bien plus grand que tout ce qu'on peut dire de lui. Je cherchais seulement à marquer ses ressemblances avec Freud. L'apport essentiel de Proust me paraît être plus généralement d'avoir introduit l'esprit positif dans la peinture des sentiments.

HENRI BERGSON
ET LE ROMAN CONTEMPORAIN

— Peut-on établir des rapports entre le roman tel que Proust l'a réalisé et la philosophie d'Henri Bergson?

— Des rapports apparents, oui, en très grand nombre. Proust avait d'ailleurs une grande estime pour Bergson. Mais je crois qu'il a fait sans le vouloir exactement le contraire de ce que Bergson préconisait : sa psychologie est fondée sur la défiance envers le moi, celle de Bergson sur la confiance dans le moi. Sur cette question, vous pourrez lire d'ailleurs bientôt une très intéressante étude de mon ami Ramon Fernandez [3].

— Voyez-vous des rapports entre le Freudisme et le Bergsonisme?

— En gros, je vois entre ces doctrines la même opposition qu'entre celle de Proust et celle de Bergson. Mais c'est une opposition grossière et que je n'ai pas sondée suffisamment. Freud n'est d'ailleurs pas philosophe et n'a pas de théorie proprement dite de la conscience.

— Sur qui voyez-vous que l'influence de Proust se soit déjà exercée?

— Elle a donné lieu à quelques pastiches, comme ceux qu'a signés M. Martin-Chauffier [4].

« Mais il ne me semble pas qu'elle ait encore eu le temps d'impressionner intérieurement les jeunes écrivains; seul le procédé résolument analytique de M. Jacques Sindral [5] a peut-être eu pour origine une lecture en profondeur de Proust.

Mais je sens que Proust travaille en ce moment les esprits les plus divers et les force à mettre en œuvre leur meilleure sagacité. »

AU CŒUR D'UN GRAND DÉBAT

– Vous comprendrez que je ne puisse pas laisser passer cette occasion de vous demander ce que vous avez pensé des attaques dont la *N.R.F.* et vous-même avez été récemment l'objet. Et quelles sont les raisons du silence que vous avez gardé?

– Ce n'est nullement un dédain systématique. J'ai tâché d'être blessé. Mais j'ai dû constater bientôt ce phénomène fort curieux et dont je vous laisse à trouver l'explication : c'est que M. Béraud pouvait m'appliquer cent fois sa matraque sur le dos : je ne sentais rien, absolument rien [6].

« Je n'ai commencé à sentir quelque chose que tout récemment, lorsque M. Massis m'a attaqué dans le plan des idées proprement dites et a essayé de vous faire croire que j'étais l'apologiste d'une littérature de l'obscurité et le champion du subjectivisme littéraire. M. Massis connaît un peu moins mal que M. Béraud nos positions, mais il commet encore, – par ignorance, j'espère – de graves erreurs.

« D'abord, il veut à tout prix me considérer comme le disciple intégral d'André Gide. En un sens, c'est me flatter beaucoup. J'ai pour Gide une très grande admiration et une très grande amitié; je ne cherche pas du tout à nier l'influence qu'il a eue sur moi. Mais si j'ose me mettre un instant sur le même plan que lui – ce n'est que pour la commodité de la conversation – je vous dirai que nos points de divergence sont, à l'heure actuelle, beaucoup plus nombreux que nos points d'accord. Je suis d'éducation et de tempérament catholiques, et ne partage nullement les préoccupations morales de Gide. Gide, d'autre part, n'est nullement inquiet de ce qui m'intéresse avant tout : l'analyse du sentiment, la peinture du détail et des mouvements moléculaires de la conscience.

« Je l'accuse parfois, en plaisantant, d'être " globaliste " et il se fait un titre d'honneur de ce reproche. Nos conceptions du roman (si je prétendais généraliser celle que je me suis forgée pour m'aider dans mon travail) sont diamétralement opposées. Gide croit de plus en plus au " roman d'idées ", à un roman, non pas à thèse, bien entendu, mais qui se jouerait dans un plan abstrait et quasi mental (ex. : *Les Caves du Vatican*). Tout en admirant vivement les réussites qu'il a obtenues dans ce genre, je ne crois, moi, qu'au roman d'observation, j'entends d'observation intérieure, au roman dans lequel un, deux ou plusieurs personnages, si l'auteur est assez puissant pour les évoquer à la fois, sont lentement conduits à vivre à l'aide de notations sensibles et vraies. L'idée d'un roman ne peut jamais naître, me semble-t-il, que d'une crise d'*admiration*, au sens le plus fort du mot, qui prend l'écrivain devant un être rencontré.

L'OBJET PERDU!

« Vous comprenez, par suite, combien le reproche de subjectivisme littéraire que M. Massis m'a adressé, en même temps qu'à tous les écrivains de la N.R.F., a pu me toucher. Mon article sur le " roman d'aventure ", sur lequel il a voulu l'étayer et dont il vous a fait une citation inexacte, soutenait déjà très explicitement une thèse directement contraire à celle qu'il m'attribue. Cet article est de 1913 [7], et bien que je l'aie écrit sans avoir en vue aucun livre déterminé, il m'apparaît aujourd'hui comme l'annonce et presque la prophétie d'une œuvre qui devait voir le jour vers la fin de cette même année : l'œuvre de Proust, justement. M. Massis considère à coup sûr cette œuvre comme un monument d'horreur et d'impiété; mais moi, je reste assez fier de l'avoir définie par anticipation dans ce qu'elle a de contraire à la tendance romantique et subjectiviste, dans ce qui fait sa ressemblance avec les grandes œuvres classiques.

« Reprenant une formule d'Henri Ghéon, M. Massis représente la " jeune littérature " (et il entend par là le groupe de la N.R.F.) " à la recherche de l'objet perdu ". Or, en 1920, j'ai publié dans cette même N.R.F. un article intitulé : *Reconnaissance à Dada* [8], dont le sens général était celui-ci : Dada représente l'agonie d'une littérature qui s'est détachée de l'objet et qui n'a plus cherché qu'à incarner en des œuvres de plus en plus implicites, inexpliquées et inexplicables, la personne même de l'écrivain. Dada a le mérite de mettre en lumière ce qu'une telle tendance avait de mortel. Et voici quelle était ma conclusion :

« " Il faut que nous renoncions au subjectivisme, à l'effusion, à la création pure, à la transmigration du moi et *à cette constante prétérition de l'objet qui nous a précipités dans le vide.* Il faut qu'un mouvement subtil de notre esprit l'amène à se dédoubler à nouveau ; il faut qu'il reprenne foi en une réalité distincte de sa puissance, qu'il arrive à distinguer à nouveau en lui un instrument et une matière. Il importe surtout que l'esprit critique cesse de nous apparaître comme essentiellement stérile et que nous sachions redécouvrir sa vertu créatrice, son pouvoir de transformation. Nous ne pourrons nous renouveler que si l'acte de l'écrivain se rapproche franchement de l'effort pour comprendre. C'est non pas en imitant le savant, mais en s'apparentant à nouveau à lui, que l'écrivain verra la fécondité lui revenir. Et sans doute, il restera toujours, à la différence du savant, un inventeur, un trompeur. Mais il faudra qu'il n'en ait plus l'air et qu'il ne se sache plus tel. Il faudra que le monde irréel qu'il a pour mission de susciter *naisse seulement de son application à reproduire le réel*, et que le mensonge artistique ne soit plus engendré que par la passion de la vérité. "

« Je serais vraiment curieux de savoir si le diagnostic porté par MM. Massis et Ghéon sur le mal dont souffre la jeune littérature se serait formulé dans les mêmes termes s'ils n'avaient pas lu mon article. Je me permets d'en douter.

« En tout cas, vous avouerez qu'il y a quelque ironie de leur part à me reprocher, en même temps qu'aux principaux écrivains de la N.R.F., une tendance que j'ai été le premier à dénoncer dans la littérature contemporaine et à définir comme un danger.

UNE RÉACTION CONTRE LE SYMBOLISME

« L'œuvre de la N.R.F. s'est lentement constituée, et en dehors de tout programme systématique; elle correspond à l'épanouissement progressif d'esprits très différents et qui ne se sont pas toujours développés dans le même sens exactement. Pourtant, il me semble qu'à considérer ce qui en est dès maintenant réalisé, on ne peut se défendre de l'impression que cela constitue une réaction très nette contre le Symbolisme, c'est-à-dire justement contre la littérature subjectiviste par excellence, contre cette obéissance immédiate et endormie à l'inconscient qui avait fini par passer pour la seule forme possible de la création littéraire.

« C'est en dehors de la N.R.F. que se sont produites, remarquez-le bien, toutes les manifestations importantes de cette tendance depuis 1909 : l'œuvre d'Apollinaire d'abord, le dadaïsme ensuite, que la N.R.F. a étudié comme un phénomène hautement significatif, mais n'a jamais patronné. »

LA RÉPONSE DES ŒUVRES

– Sans doute; et les nouvelles recrues que vous faites, c'est parmi des écrivains orientés, en effet, beaucoup plutôt vers le roman psychologique ou d'événements que vers le roman poétique et subjectif.

« Pourquoi d'ailleurs tant vous débattre? Les plus sages de vos amis estiment qu'il suffirait peut-être de présenter le catalogue des livres que vous avez édités depuis l'armistice...

« Je ne veux retenir que les ouvrages de la semaine dernière, *L'équipage*, de J. Kessel et le *Rabevel* de Lucien Fabre. *Rabevel* ou *Le mal des ardents*, ce livre puissant qui est à la fois un roman de caractère, un roman de mœurs et un roman d'aventures. Pour la composition, la simplicité des lignes, la générosité de l'inspiration, Lucien Fabre fait songer à Balzac et au père Hugo. Mais les nuées humanitaires de l'ancêtre n'obscurcissent pas le ciel de Lucien Fabre. Élevé sous la discipline scientifique, durement éduqué par la guerre, le poète de *Vanikoro* est un homme de raison et de bon sens. Ses " ardents " ont beau danser une effrénée sarabande, ils ne perdent jamais pied complètement SON TALENT EST SOLIDEMENT ANCRÉ DANS LE RÉEL [9].

— Il y a, voyez-vous, au fond de ce reproche de subjectivisme qu'on nous adresse, une équivoque grave et qui le rend absolument caduc. MM. Massis et Maritain ont cru découvrir chez tous les auteurs que j'ai défendus ou présentés dans la N.R.F. un commun intérêt pour le moi saisi dans ce qu'il a de plus individuel. Et c'est de là qu'ils concluent à notre subjectivisme.

« Ils confondent par conséquent " individualisme " et " subjectivisme " ; ils considèrent du moins le second comme une conséquence inévitable du premier. C'est parce qu'ils " aggravent, prétendent-ils, l'individualisme contemporain " que Freud et Proust travaillent à nous détourner des objets!

« Ainsi, pour Massis et Maritain, s'occuper de son moi, tâcher de le comprendre, de le saisir, c'est tourner le dos à toute réalité, c'est priver son esprit de tout objet. Ils n'admettent pas que l'écrivain puisse prendre pour objet ses sentiments, son caractère, sa " différence essentielle ", sans tomber dans un vague rêve qui n'aura de valeur que pour lui-même ; ils pensent que l'intelligence est inapplicable aux réalités intérieures ; ce dédoublement de l'esprit en une matière et un instrument, que je recommande dans la conclusion de mon article sur Dada, ils le croient impossible. Cela revient à nier qu'il puisse y avoir une connaissance positive de soi-même, cela revient à nier le classicisme. (Et comment MM. Massis et Maritain ne le nieraient-ils pas dans son essence, s'ils prennent parti pour saint Thomas contre Descartes?)

« Si vous voulez toucher d'une autre façon leur erreur, réfléchissez à ceci : Quelle contradiction y a-t-il à vouloir se rapprocher de plus en plus de sa " différence essentielle " tout en cherchant à tenir un compte de plus en plus exact de son " équation personnelle "? En termes moins savants, en quoi est-il contradictoire de poursuivre ce que l'on sent en soi de plus original pour tâcher de le définir, et de travailler en même temps à éliminer toute influence de sa personnalité (de ses manies, de ses défauts d'esprit) sur la réflexion que l'on mène? En fait, et quoi qu'en pensent MM. Massis et Maritain, c'est dans ce double sens que se développe l'effort de la psychologie contemporaine.

BARRÈS ET LE CULTE DU MOI

« Dans leur façon de se représenter l'étude du moi, MM. Massis et Maritain, et avec eux l'opinion moyenne, en sont encore à Barrès. Je suis bien loin de méconnaître ce que Barrès a fait pour maintenir la tradition française de l'introspection. Il a joué, par rapport à la mine du moi, le rôle d'une vigilante sentinelle : il s'est posté à quelque distance du puits et l'a protégé contre les grévistes et les saboteurs qui, à ce moment-là, foisonnaient; il a réservé ainsi pour la génération suivante la possibilité d'y descendre à nouveau.

« Mais il est responsable aussi du fait qu'on ne peut plus parler du moi sans qu'on vous suppose aussitôt le dessein de le " cultiver ". D'emblée on vous imagine sous les traits d'un monsieur qui, s'étant fait mesurer sur toutes les coutures, ouvre les *Exercices spirituels* d'Ignace de Loyola et se met à la tâche de produire en lui-même les plus intéressantes monstruosités. Que tel ait été à un moment l'idéal de beaucoup de jeunes gens, et mon idéal à moi-même, je ne le nierai pas. Mais ne fut-ce pas aussi, par hasard, celui de M. Massis?

« En réalité, il n'y avait là qu'une conception très superficielle de la connaissance de soi, et cette connaissance, c'est en un tout autre sens que je voudrais, pour ma part, la poursuivre, et que la N.R.F. peut être accusée de la favoriser. Il n'est plus question pour aucun de nous, je crois (contrairement à ce que M. Massis insinue constamment), de travailler notre moi, de le faire fleurir en étrangetés; nous cherchons simplement à savoir ce qu'il est. Et même, dans l'ensemble, il ne faut pas croire qu'il nous apparaisse comme une fin absolue, ni que ce soit à le peindre uniquement que tous nos soins se bornent.

« Au contraire, le désintéressement de soi-même me paraît une des qualités essentielles de l'artiste. À méconnaître cette vérité on tomberait dans l'erreur de certains romantiques qui, dans leur légitime réaction contre l'impersonnalité, s'imaginèrent nous intéresser par de petites histoires intimes dépourvues de toute signification universelle.

« Pour ma part, je ne vois dans le moi qu'une étape, mais inévitable, sur le chemin de ce qu'on a pris l'habitude d'appeler vaguement " la vie ". Je m'éloigne de plus en plus de toute délectation intérieure gratuite; et même j'ai la sensation de ne m'être tourné vers mon moi que sous l'influence de cet appétit réaliste que M. Massis me dénie; oui, nous nous tournons vers le moi, parce qu'il est ce que nous pouvons saisir d'abord de la réalité, parce que c'est en lui que nous rencontrons d'abord, pesante, complexe, résistante, et pourtant pénétrable, cette réalité.

« Je laisse ici toute philosophie et le problème si délicat et que MM. Massis et Maritain tranchent si allègrement, du passage au non-moi. Une chose est certaine, c'est qu'il n'y a aucun sens dans cette affirmation constamment répétée par M. Massis, et même par nos autres adversaires, que nous avons perdu " tout contact avec la vie, avec l'humanité réelle ", et que nous ne sommes " occupés qu'à interroger et à morceler notre propre conscience ". Je demande ce que pourrait bien

être une peinture de " la vie ", de l'" humanité réelle ", faite
par des gens qui ignoreraient tout d'eux-mêmes, qui n'auraient pas d'abord fortement appréhendé leur propre réalité
spirituelle. À vrai dire, une telle peinture existe : c'est le
naturalisme. Est-ce l'idéal que M. Massis entend nous proposer ?

« Il y a des chemins vers les autres êtres qu'ont suivis de
tout temps les grands créateurs; mais ce sont des chemins
intérieurs. Comment faire vivre des personnages si on ne les
saisit pas d'abord dans la joie, dans la souffrance que l'on a
reçues d'eux ? Et où sont-elles, cette joie, cette souffrance, si
ce n'est en nous-mêmes ? Savez-vous ce qu'on nous recommande sous le nom de " littérature objective ", de " peinture
de la vie " et de " l'humanité réelle " ? Un art de silhouettes,
cet art purement pittoresque et schématique qui, à chaque
époque, a eu ses représentants, et qui, à chaque époque, a
sombré corps et biens.

LE MOI CHEZ LES CLASSIQUES

« C'est le moi qui fait l'éternelle fécondité des classiques,
le moi connu, le moi compris, le moi dépassé. Si M. Massis
ne sait pas le reconnaître dans Racine, dans Molière, dans
Bossuet lui-même (je n'ai pas besoin de citer Pascal, je pense),
c'est que sa myopie atteint d'étranges proportions.

« Inversement, s'il ne sait pas voir dans l'œuvre de Gide,
et dans celle de Proust, des personnages aussi vivants, aussi
humains, aussi réels que ceux qu'a engendrés notre littérature
classique, ce n'est plus qu'il est myope, c'est qu'il ferme les
yeux. Oui, il faut qu'il les ferme pour en arriver à écrire,
parlant des écrivains du noyau de la N.R.F. et " de la ligne
qui va de Gide à Proust " : " Ce sont avant tout des critiques,
ce ne sont pas des créateurs. Leurs œuvres sont sans événements, sans personnages; il n'y arrive rien. Peuvent-elles prétendre à enrichir notre humanité ? "

« Ainsi, ce qui enrichit notre humanité, c'est Chesterton,

et le nommé Jeudi, par exemple, est un personnage beaucoup plus vivant que l'Immoraliste, qu'Alissa, que le pasteur de la *Symphonie pastorale*, d'une part ; que Swann, Odette, Mme Verdurin, M. de Charlus, les Guermantes, Mme de Villeparisis, Saint-Loup, la Grand'mère, M. de Cambremer, et Forcheville, et Françoise, d'autre part.

« Je ne sais ce que vous pensez de mon énumération, mais il me semble que si, dans cette querelle, quelqu'un soutient un paradoxe, ce n'est pas moi. N'y a-t-il pas quelque chose d'exorbitant à prétendre que Proust n'a pu sortir de sa propre conscience, et n'y a-t-il pas une faute, à tout le moins, contre l'opportunité à choisir le moment où la littérature française s'enrichit de la plus formidable galerie de portraits, pour crier " à l'objet perdu " ?

Frédéric Lefèvre

L'ANNIVERSAIRE DE LA MORT
DE MARCEL PROUST

Un an s'est écoulé déjà depuis que Marcel Proust nous a quittés. Sommes-nous consolés? Ce mot rend un son affreux pour ceux qui ont vécu dans l'intimité de ce grand esprit, de cette âme délicieuse. Non, nous ne pouvons, nous ne voulons nous sentir à jamais, de sa perte, qu'inconsolables.

Mais « aux vitrines éclairées, ses livres disposés trois par trois veillaient comme des anges aux ailes éployées et semblaient pour celui qui n'était plus, le symbole de sa résurrection [1] ».

Cet espoir de survivre et de revivre par son œuvre, qui, traversé d'inquiétudes, hanta pourtant sans cesse Marcel Proust, voici qu'il est en train de recevoir la plus éclatante confirmation. Chaque jour lui apporte de nouveaux lecteurs, autant dire de nouveaux amis. Chaque jour Proust est « découvert » par quelqu'un, chaque jour quelqu'un entre dans son livre avec un long émerveillement. Et peu à peu ainsi s'organise et se développe sa résurrection. Il ne mourra plus jamais, par tous les esprits qu'il ira séduisant, il trouvera un éternel accroissement d'existence, la plus véritable immortalité.

MARCEL PROUST

MONSEIGNEUR,
MESDAMES, MESSIEURS,

Je ne saurais assez m'excuser de l'audace, – on dit souvent qu'il n'y a que les timides pour se montrer audacieux, – qui me fait m'attaquer aujourd'hui devant vous au sujet le plus difficile, le plus délicat, le plus périlleux qui puisse être traité en conférence. Il est peut-être possible déjà d'écrire sur Marcel Proust sans tomber dans trop de sottises; la plume admet le temps de la réflexion et si l'on se sent sur le bord d'une idée fausse ou seulement imprécise, on peut toujours la garder suspendue, attendre que l'esprit ait achevé son travail. Mais la parole! C'est une terrible mécanique, à qui les pannes sont interdites. Quel conférencier ne se croirait pas déshonoré s'il laissait une phrase sans la terminer et même sans lui donner cette sorte de *coda* qu'implique la cadence oratoire?

Or, Proust est le génie de la réflexion. Or, Proust ne pense qu'à serrer sur un plateau, par tout un système de petites vis réglables et qu'il modifie sans cesse, un objet défini et toujours modique d'observation. C'est l'écrivain le plus minutieux, le plus attentif aux degrés de la vérité qui ait jamais paru. L'étudier par le discours, c'est-à-dire en obéissant aux lois grossissantes de l'éloquence, en cherchant à frapper ses auditeurs, à leur « enfoncer bien ça dans la tête », comme dit la réclame, à les convaincre, à les séduire (car parler, on n'y peut rien, c'est vouloir séduire), – une telle entreprise apparaît donc comme le comble du paradoxe et risque d'aboutir à l'écrasement, ou à une complète déformation de l'œuvre que l'on voudrait faire comprendre et aimer.

Je m'y lance néanmoins, dans cette entreprise, mais avec l'intention de résister aux exigences de l'éloquence et en vous demandant pardon si ma causerie vous apparaît par trop dépourvue de ces ornements, de ces grâces, de ces bons mots, et de ces tirades aussi, qu'un véritable conférencier se doit de prodiguer à son public. Songez que toute fusée que je manquerai à lancer se soldera peut-être à la fin pour vous par une compréhension plus exacte, plus prochaine d'un auteur qui, en définitive (bien peu de gens le contestent encore et bien peu de temps se passera avant qu'il cesse de se trouver quelqu'un pour le contester), est le plus important de notre époque.

I

J'aimerais vous conduire à l'œuvre de Proust en vous faisant d'abord l'histoire de ma rencontre avec elle, puis avec son auteur, en vous montrant par quels états d'esprit et d'âme j'ai passé successivement à leur double égard.

C'est vers le printemps de 1914 que je lus pour la première fois *Du côté de chez Swann*, qui avait paru en novembre de l'année précédente, aux frais de l'auteur, à la librairie Bernard Grasset. Je n'oublierai jamais l'émerveillement, l'émotion profonde où je fus tout de suite plongé. C'est la deuxième partie de l'ouvrage : *Un amour de Swann*, qui me bouleversa d'abord le plus fortement. J'entrais dans un nouveau monde. J'avais la sensation de voir s'ouvrir sur l'amour une porte que jamais personne n'avait remarquée et qui donnait accès sous un ciel sombre et magnifique, peuplé d'une multitude de douloureuses petites étoiles.

Je parle par métaphore; mais mon émotion était surtout de voir un sentiment et des êtres peints à la fois avec poésie et sans aucune déformation, dans un esprit de sympathie sans doute, mais de sympathie presque scientifique. Jamais encore on n'avait osé être abstrait à ce point dans l'étude des passions et jamais pourtant peut-être livre n'avait distillé pour moi plus de sensations concrètes, n'avait garni mes yeux, tous mes sens, de plus d'images singulières.

Je cherche à vous rendre mon impression dans ce qu'elle avait encore d'obscur et d'incohérent. C'était en tout cas, du premier coup, l'impression d'une sorte de miracle devant moi soudain réalisé.

Je dois vous avouer pourtant que mes habitudes symbolistes, que mon goût de la phrase glissante, toute chargée de mélodie, comme une barque, étaient légèrement froissés par le style de Proust, par ses phrases toutes dépliées, comme attachées par des épingles à tous les coins de la page, si visibles au-dedans, si actualisées qu'on pouvait s'y promener sans plus de surprise que dans du Descartes. Je sentais dans cette façon d'écrire une nouveauté d'une importance considérable, mais qui rebroussait encore mes tendances profondes à la musique.

Dans les derniers mois qui précédèrent la guerre, j'avais noué quelques relations par lettre avec Proust, qui se montra pour moi du premier coup de la plus exquise gentillesse.

La guerre survint avant que j'aie pu le voir; car, dès ce moment, il menait une vie très retirée et ne recevait plus guère que ses anciens amis.

Je perdis contact avec lui et avec son œuvre; frappé par tout ce que je voyais autour de moi d'énorme et d'horrible, je sentis une sorte de scrupule se mélanger à ce moment à mon admiration. Je me demandai si vraiment il était permis de peindre la vie dans ce qu'elle avait de plus immobile, quand elle était susceptible d'aussi affreuses catastrophes que celle à laquelle je me trouvais mêlé; je me demandai, plus généralement, s'il était permis d'adopter à son égard (quel qu'en fût le fond) une attitude aussi tranquille, aussi objective, aussi purement historique que celle que Proust avait choisie.

Je vous livre tous ces doutes pour vous faire bien sentir

que mon admiration actuelle pour notre auteur est loin d'être fondée sur un coup de foudre imbécile.

Pourtant quelque chose me rassurait. Au fond de l'Allemagne, où les hasards de la guerre m'avaient relégué, je relisais Racine et Molière et une parenté m'apparaissait entre leurs propos, tout au moins, mais même quelquefois entre leurs procédés, et ceux de Proust. Un même esprit, à voir les choses en gros, me semblait avoir donné naissance à Célimène et à Odette. Je sentais dès ce moment chez Proust l'héritier direct de nos grands peintres de caractères.

Enfin la guerre passa. Mais l'œuvre de Proust ne passa pas. Je la relus dès mon retour; et j'eus l'impression que sa jeunesse avait augmenté, qu'elle était rayonnante de grâces et de forces qui m'avaient d'abord échappé. Je compris tout de suite que c'était la grande œuvre de notre époque et que son influence, son succès allaient être immenses.

Je ne tardai pas à faire la connaissance de Proust. Il faut que vous me pardonniez. Je n'ai pas le don pittoresque. Je ne saurai pas vous faire son portrait physique, ni vous décrire son apparence.

Vous trouverez d'ailleurs dans le numéro spécial que la *Nouvelle Revue Française* lui a consacré après sa mort, une foule de renseignements, qui vous aideront à vous imaginer sa tournure, son vêtement et ses moindres tics. Je vous mets simplement en garde contre les photographies, qui sont presque toutes d'une époque bien antérieure à celle où naquit vraiment Proust l'écrivain, et qui donnent de lui une image beaucoup trop mièvre. Il y avait dans sa figure quelque chose de beaucoup plus net et accusé, en même temps que dans son regard une flamme beaucoup plus chaude et lumineuse qu'on ne l'imaginerait d'après ces portraits de jeunesse.

C'est de Proust au moral, tel que je l'ai connu ou tel que j'ai cru le voir, que je voudrais vous tracer maintenant une esquisse. Mais d'abord je voudrais vous lire quelques lignes de M. Paul Desjardins, qui vous l'évoqueront adolescent :

« L'enfant que Marcel Proust était en 1888 (et qui a subsisté, je crois, peu changé jusqu'à sa fin), ce jeune prince persan aux grands yeux de gazelle, aux paupières alanguies; respectueux, onduleux, caressant, inquiet; quêteur de délices, pour qui rien n'était fade; irrité des entraves que la nature met aux tentatives de l'homme, – surtout de l'homme qu'il était, si frêle; – s'efforçant à convertir en quelque chose d'actif le passif qui semblait son lot; tendu vers le *plus*, le *trop*, jusque dans sa bonté charmante : cet enfant romantique, je le dessinerais volontiers, de mémoire *. »

Je retiens principalement de ce portrait en abrégé les mots : « respectueux et onduleux », et cette remarque : « s'efforçant à convertir en quelque chose d'actif le passif qui semblait son lot ».

Oui, il y avait chez Proust, je ne veux pas dire une faiblesse, mais, pour emprunter encore un mot à M. Desjardins, un manque de « pugnacité », une répugnance à serrer les poings, à se faire un chemin par la force, à déranger à son profit l'ordre du monde, ou, si vous voulez, à agir, qui doivent être soulignés avant tout autre trait.

Il était pourtant aux antipodes de la lâcheté et de la timidité. Il s'était battu en duel avec Jean Lorrain [1] et je le revois, voulant entrer de force en pleine nuit chez un de ses amis et abrutissant la porte, et la concierge derrière la porte, de coups de poings impératifs.

Mais, en général, il avait quelque chose d'exposé, de livré, de démantelé. Son organisme moral n'était pas fait pour la concentration, l'affirmation et la conquête. Les moindres choses, les plus petits accidents de la vie prenaient sur lui de l'ascendant; ils n'étaient jamais prévus par lui, ni parés.

Il faut d'abord vous faire l'idée de quelqu'un d'extrêmement inégal à la vie, d'absolument incapable de répondre à ses provocations. Tout cet aspect de son caractère se résume

* *Hommage, Nouvelle Revue Française* du 1er janvier 1923, p. 146.

pour moi dans l'anecdote suivante : je sortais un soir de son appartement avec lui, vers minuit. (C'était l'heure où il allait faire ses visites.) Céleste, qui était à la fois sa gouvernante, sa bonne et sa secrétaire, nous accompagnait. L'escalier avait été fraîchement repeint. Du premier coup Proust posa la main sur la peinture et en enduisit complètement son gant. Aussitôt il se mit à diriger de doux et compliqués reproches vers Céleste, qui aurait dû le prévenir, qui savait pourtant bien que l'escalier était repeint, etc. Il semblait admettre que l'écran seul de Céleste eût pu le protéger de cette peinture, il n'avait pas l'idée qu'il pût se défendre des choses, ni d'ailleurs non plus d'agir sur elles, *par ses propres moyens.*

Mais ceci étant bien noté, il faut maintenant nous rendre attentifs à un autre aspect très différent de son caractère, et qui n'est pas moins important. « Onduleux », dit M. Desjardins, et « s'efforçant à convertir en quelque chose d'actif le passif qui semblait son lot ». Il y a là une indication très précieuse et qu'il nous faut développer.

Proust était exposé, démuni, mais exigeant. Tenons-nous-en pour l'instant au simple domaine pratique. Il y avait des tas de choses que Proust désirait, voulait et même s'entendait à obtenir. Il avait pour les obtenir une méthode extraordinaire, d'ailleurs purement instinctive. C'était plutôt une ligne brisée qu'il suivait, et qui lui permettait de passer entre tous les obstacles.

Ici encore prenons un exemple. Son dévouement pour ses amis, sa générosité étaient admirables; il avait toujours à chacun quelque chose à demander pour un autre. À moi, c'était le plus souvent une insertion de manuscrit dans la *Nouvelle Revue Française.* (Je ne parle pas des innombrables services qu'il m'a rendus et qui dépassent infiniment tous ceux, non seulement que j'ai pu lui rendre, mais même qu'il a pu jamais me demander.)

Eh! bien, pour parvenir à ses fins, il déployait une énergie et une ruse formidables. Il laissait la conversation suivre tous les méandres de l'association des idées, et pourtant le nom de la personne qu'il voulait me recommander y revenait vingt

fois, accompagné de tous les commentaires les plus propres,
étant donné mes goûts et mon caractère qu'il connaissait
mieux que moi, à me la rendre sympathique. Si le talent de
cette personne manquait d'évidence, Proust ne cherchait pas
à me le démontrer de force; il en parlait même, pour me
désarmer, avec une liberté un peu dédaigneuse; mais il me
citait tous les auteurs que j'avais publiés, qui, à son avis, en
avaient moins que son protégé. Dès qu'il me sentait résistant
ou gendarmé, il cédait et passait à des considérations générales; mais il ne tardait pas, par tout un système de tranchées
défilées à mes vues, à rallier ses arguments et à reprendre
son offensive.

Si, par malheur je restais inflexible, il ne se résignait pas,
et dans chacune de nos conversations ultérieures il me reprochait régulièrement le refus que je lui avais opposé. Son grief
revenait indéfiniment, comme une vague d'ailleurs amicale,
battre ma position. Il trouvait même, dans mes choix et mes
décisions concernant la revue, de quoi souligner ce qu'il y
avait eu de scandaleux dans ma résistance à ses vœux.

D'ailleurs, dans sa prodigieuse mémoire, rien jamais ne se
perdait et il était capable de vous répéter, à des années de
distance, une phrase que vous lui aviez dite et dont aucun
souvenir ne vous était resté.

Il faut même noter ici, bien que cela nous fasse sortir de
la description de son caractère pour entrer dans celle de son
intelligence, qu'il souffrait d'une sorte de monstruosité, qui
était de ne pouvoir parvenir au présent qu'en parcourant à
nouveau toute une partie de son passé. Il ne débouchait dans
le présent que par le lacis, complexe et distinct, des mille
canaux de sa vie antérieure. Il ne se produisait chez lui presque
aucun allègement du souvenir et c'est, de toute évidence, ce
qui l'handicapait si fort dans la vie pratique, car agir c'est
d'abord avoir oublié.

Mais laissons ce point pour l'instant. Je tiens surtout à vous
faire sentir ce quelque chose dans son caractère, à côté de sa
passivité, que j'ai appelé de l'exigence, cet effort constant,

comme a si bien dit M. Desjardins, « pour convertir en quelque chose d'actif le passif qui semblait son lot ».

On ne peut comprendre Proust et son œuvre que si l'on se représente à la fois son impéritie, son immense maladresse, sa complète infirmité pratique et en même temps son appétit, cette direction de tout son être vers les choses, vers les gens, vers la vie, sa continuelle application à leur dérober quelque chose, à les exproprier de quelque chose.

II

En effet, le premier caractère qui doit frapper, me semble-t-il, quiconque aborde son œuvre sans prévention, c'est sa densité. Et je vous vois sourire. Car c'est cette densité qui arrête aussi tant de gens et les fait s'écrier à l'ennui, avant même qu'ils aient lu trois pages.

Pourtant je n'hésite pas à en faire la première, sinon la plus importante qualité de l'œuvre de Proust. C'est aussi qu'il faut bien voir la nature de cette densité. C'est celle même du concret. Ce sont des sensations, des impressions, des émotions massées en quantités incalculables sur chaque centimètre carré de la page, qui la produisent. Jamais peut-être la réalité n'avait été perçue d'une façon aussi fine et aussi touffue.

Écoutez plutôt ce passage de Combray :

« L'appartement particulier de ma tante Léonie donnait sur la rue Saint-Jacques, qui aboutissait beaucoup plus loin au Grand-Pré (par opposition au Petit-Pré, verdoyant au milieu de la ville, entre trois rues), et qui, unie, grisâtre, avec les trois hautes marches de grès presque devant chaque porte, semblait comme un défilé pratiqué par un tailleur d'images gothiques à même la pierre où il eût sculpté une crèche ou un calvaire. Ma tante n'habitait plus effective-ment que deux chambres contiguës, restant l'après-midi dans l'une pendant qu'on aérait l'autre. C'étaient de ces chambres de province qui, – de même qu'en certains pays des parties entières de l'air ou de la mer sont illuminées ou parfumées par des myriades de protozoaires que nous ne voyons pas, — nous enchantent des mille odeurs qu'y dégagent les vertus, la sagesse, les habitudes, toute une vie secrète, invisible, surabondante et morale, que l'atmosphère y tient en suspens; odeurs naturelles encore, certes, et couleur du temps comme celles de la campagne voisine, mais déjà casanières, humaines et renfermées, gelée exquise, industrieuse et limpide, de tous les fruits de l'année qui ont quitté le verger pour l'armoire, saisonnières, mais mobilières et domestiques, corrigeant le piquant de la gelée blanche par la douceur du pain chaud, oisives et ponctuelles comme une horloge de village, flâneuses et rangées, insoucieuses et prévoyantes, lingères, matinales, dévotes, heureuses d'une paix qui n'apporte qu'un surcroît d'anxiété et d'un prosaïsme qui sert de grand réservoir de poésie à celui qui la traverse sans y avoir vécu. L'air y était saturé de la fine fleur d'un silence si nourricier, si succulent, que je ne m'y avançais qu'avec une sorte de gourmandise, surtout par ces premiers matins encore froids de la semaine de Pâques où je le goûtais mieux parce que je venais seulement d'arriver à Combray : avant que j'entrasse souhaiter le bonjour à ma tante, on me faisait attendre un instant dans la première pièce, où le soleil, d'hiver encore, était venu se mettre au chaud devant le feu, déjà allumé entre les deux briques et qui badigeonnait toute la chambre d'une odeur de suie, en faisait comme un de ces grands " devants de four " de campagne, ou de ces manteaux de cheminée de châteaux, sous lesquels on souhaite que se déclarent dehors la pluie, la neige, même quelque catastrophe diluvienne, pour ajouter au confort de la réclusion la poésie de l'hivernage ; je faisais quelques pas du prie-Dieu aux fauteuils en velours frappé, toujours revêtus d'un appui-tête au crochet ; et le feu cuisant comme une pâte les appétissantes odeurs dont l'air de la chambre était tout grumeleux et qu'avait déjà fait travailler et " lever " la fraîcheur humide et ensoleillée du matin, il les feuilletait, les dorait, les godait, les boursouflait, en faisant un invisible et palpable gâteau provincial, un immense " chausson ", où, à peine goûtés les arômes plus croustillants, plus fins, plus réputés, mais plus secs aussi du placard, de la commode, du papier à ramages, je revenais toujours avec une convoitise inavouée m'engluer dans l'odeur médiane, poisseuse, fade, indigeste et fruitée du couvre-lit à fleurs *. »

Je vous lis ce passage pour vous faire sentir ce que Barrès, dans la lettre que nous avons publiée dans le numéro d'hommage, a appelé « l'incroyable surabondance des enregistrements » de Proust [2].

Et cet autre passage, que je vais vous lire, vous fera sentir d'une autre manière la quantité, non plus de sensations, mais de sentiments que Proust est capable de faire tenir dans une simple demi-page décrivant un espace de temps de quelques secondes. C'est au moment où Odette conquise s'abandonne dans les bras de Swann :

« Il élevait son autre main le long de la joue d'Odette ; elle le regarda fixement, de l'air languissant et grave qu'ont les femmes du maître florentin avec lesquelles il lui avait trouvé de la ressemblance ; amenés au bord des paupières, ses yeux brillants, larges et minces comme les leurs, semblaient prêts à se détacher ainsi que deux larmes. Elle fléchissait le cou comme on leur voit faire à toutes, dans les scènes païennes comme dans les tableaux religieux. Et, en une attitude, qui sans doute lui était habituelle, qu'elle savait convenable à ces moments-là et qu'elle faisait attention à ne pas oublier de prendre, elle semblait avoir besoin de toute sa force pour retenir son visage, comme si une force invisible l'eût attiré vers Swann. Et ce fut Swann, qui, avant qu'elle le laissât tomber, comme malgré elle, sur ses lèvres, le retint un instant, à quelque distance,

---

* *Du côté de chez Swann*, t. I, p. 50. [I, 49-50.]

entre ses deux mains. Il avait voulu laisser à sa pensée le temps d'accourir, de reconnaître le rêve qu'elle avait si longtemps caressé et d'assister à sa réalisation, comme une parente qu'on appelle pour prendre sa part du succès d'un enfant qu'elle a beaucoup aimé. Peut-être aussi Swann attachait-il sur ce visage d'Odette non encore possédée, ni même encore embrassée par lui, qu'il voyait pour la dernière fois, ce regard avec lequel, un jour de départ, on voudrait emporter un paysage qu'on va quitter pour toujours *. »

Je cherche encore une fois à vous faire sentir l'extraordinaire bourrage du livre, que la disposition typographique (j'entends celle des premiers volumes) ne faisait que reproduire et matérialiser.

Chaque page est, si j'ose dire, au psychologique, ce qu'elle est au typographique : une myriade de perceptions et d'émotions diverses et simultanées y sont tassées, en étroit contact, en étroite liaison mutuels, et pourtant dans un état de distinction parfaite. On voit, on touche, on respire le tout d'un spectacle, le tout d'un sentiment, d'une pensée. C'est un véritable gâteau, pour reprendre sa métaphore, un véritable gâteau d'impressions que Proust offre à la faim de notre esprit.

Et je tiens à vous faire observer que ce que nous constatons ici n'est que le résultat positif, la rançon esthétique de cette maladresse, de cette lâcheté, au sens physique du mot, de ce manque de tension et d'adaptation nerveuses, de cette exposition à toutes choses, que nous avons signalés tout à l'heure comme le premier trait du caractère de Proust.

Si vous me permettez de me citer moi-même, je vous lirai ici une page de l'article que j'ai donné dans le numéro d'hommage :

« Proust trempe d'abord entièrement, profondément dans la sensation, dans le sentiment. Dès son enfance *éprou-*

---

* *Du côté de chez Swann*, t. II, p. 19. [I, 233.]

ver lui prend toutes ses forces, sauf une : l'intelligence. On le voit captif de ses propres émotions, enseveli sous leur multitude, accablé, opprimé déjà; il n'y a que son esprit qui vole et le transcende, mais sans se proposer d'autre tâche que l'inspection.

« Le moment où l'enfant réfléchit sur ses sensations, refuse certaines pour pouvoir utiliser les autres, ne vient pas pour lui. Aucun effort d'ajustement ni d'économie; il ne se prépare à aucun moment à vaincre la nature; le Robinson ne fait pas son apparition en lui. Dans l'épaisse forêt de ses jours et de ses nuits il ne taille aucune planche ni ne cherche à se construire aucune maison. Il restera pauvre d'abri jusqu'à son dernier jour, jusqu'à ce lit de fer dans cet appartement meublé où il mourra, face encore à ses sensations *. »

Vous voyez de quelle façon on peut, et, je crois qu'on doit mettre en relation le manque d'industrie de Proust et l'épaisseur magnifique de son livre.

Cette épaisseur est un miracle qui ne pouvait se produire que par le moyen, ou par la médiation d'un organisme moral complètement privé de défense. C'est parce qu'il ne s'est jamais disputé avec la vie que Proust a pu en recevoir l'empreinte avec cette prodigieuse minutie. C'est parce qu'il n'a rien voulu d'abord qu'il a tant recueilli.

Oui, décidément, cette descente de son escalier, que je vous racontais tout à l'heure, m'apparaît de plus en plus symbolique. La peinture *devait* venir se coller à son gant et il n'y avait qu'un autre être s'interposant, le protégeant, qui pût empêcher cette adhésion du monde extérieur sur lui.

Si vous voulez mesurer d'une première façon l'importance et l'originalité de l'œuvre de Proust, songez que c'est l'œuvre de quelqu'un qui n'a rien évité. Cette danse à laquelle nous nous livrons instinctivement dès l'enfance et qui nous permet de tourner certains obstacles, d'éluder certains encombre-

* *Hommage*, p. 180.

ments, de nous rapprocher de certains objets, de nous éloigner de certains autres, de fournir une carrière, au sens propre du mot, Proust n'en a jamais été capable. Et par là même, par cette impuissance première, il a pu recueillir tout ce que nous secouons, enregistrer tout ce que nous dépassons, s'alourdir de tout ce que nous écartons.

Son œuvre nous apparaît donc en ceci d'abord prodigieuse, qu'elle représente la totalité d'une expérience spirituelle, la somme de tout ce qui assaille notre conscience et ne réussit en général à y pénétrer que partiellement.

On y trouve par exemple des descriptions infiniment détaillées de rêves que nous reconnaissons avec une sorte de coup au cœur, mais dont jamais nous n'avions été capables de ressaisir en nous-mêmes le souvenir, une fois éveillés.

On y trouve une peinture des dessous de l'amour, si j'ose dire, j'entends par là de tout ce que nous éprouvons réellement dans cet état mystérieux qu'un mot sert à simplifier, mais qui est fait de mille mouvements profonds et absurdes, de mille petites pensées que nous ne prenons même pas la peine de nous traduire à nous-mêmes, et qui sont comme les molécules obscures de notre sentiment.

À travers tout cet *Amour de Swann*, qui forme la deuxième partie de *Du côté de chez Swann* et qui, comme l'a remarqué Edmond Jaloux, est à lui tout seul un des plus beaux romans de passion de toute la littérature française [3], les sentiments du héros sont constamment figurés, si j'ose dire, sur plusieurs étages. On voit ce qui se passe à la surface de sa conscience, tout ce qu'il appréhende immédiatement, et en même temps des vues nous sont ouvertes brusquement sur le courant secret qui la parcourt.

Je vous donne quelques exemples.

Swann a pris l'habitude de voir tous les soirs Odette chez les Verdurin.

« Rien qu'en approchant de chez les Verdurin, quand il apercevait, éclairées par des lampes, les grandes fenêtres dont on ne fermait jamais les volets, il s'attendrissait en pensant à l'être charmant qu'il allait voir épanoui dans leur lumière d'or. Parfois les ombres des invités se détachaient minces et noires, en écran, devant les lampes, comme ces petites gravures qu'on intercale de place en place dans un abat-jour translucide dont les autres feuillets ne sont que clarté. Il cherchait à distinguer la silhouette d'Odette. Puis, dès qu'il était arrivé, sans qu'il s'en rendît compte, ses yeux brillaient d'une telle joie que M. Verdurin disait au peintre : " Je crois que ça chauffe. " Et la présence d'Odette ajoutait en effet pour Swann à cette maison ce dont n'était pourvue aucune de celles où il était reçu : une sorte d'appareil sensitif, de réseau nerveux, qui se ramifiait dans toutes les pièces et apportait des excitations constantes à son cœur.

« Ainsi le simple fonctionnement de cet organisme social qu'était le petit " clan ", prenait automatiquement pour Swann des rendez-vous quotidiens avec Odette et lui permettait de feindre une indifférence à la voir, ou même un désir de ne plus la voir, qui ne lui faisait pas courir de grands risques, puisque, quoi qu'il lui eût écrit dans la journée, il la verrait forcément le soir et la ramènerait chez elle.

« Mais une fois qu'ayant songé avec maussaderie à cet inévitable retour ensemble, il avait emmené jusqu'au Bois sa jeune ouvrière pour retarder le moment d'aller chez les Verdurin, il arriva chez eux si tard qu'Odette, croyant qu'il ne viendrait plus, était partie. En voyant qu'elle n'était plus dans le salon, Swann ressentit une souffrance au cœur ; il tremblait d'être privé d'un plaisir qu'il mesurait pour la première fois, ayant eu jusque-là cette certitude de le trouver quand il voulait, qui pour tous les plaisirs nous diminue ou même nous empêche d'apercevoir aucunement leur grandeur *. »

---

* *Du côté de chez Swann*, t. II, p. 13. [I, 226.]

« Swann ressentit une souffrance au cœur. » C'est l'inconscient qui se révèle tout à coup. Tout à coup, et en même
temps que lui, nous sentons dans cet être quelque chose de
plus qu'il ne sentait, nous le voyons constitué d'un élément
de plus que nous ne savions, et qu'il ne savait.

Un peu plus tard, quand Swann cherche Odette dans tout
Paris et qu'il a envoyé son cocher visiter les restaurants où
elle peut être encore :

> « ... Le cocher revint lui dire qu'il ne l'avait trouvée
> nulle part, et ajouta son avis, en vieux serviteur :
> « – Je crois que Monsieur n'a plus qu'à rentrer.
> « Mais l'indifférence que Swann jouait facilement quand
> Rémi ne pouvait plus rien changer à la réponse qu'il appor-
> tait, tomba, quand il le vit essayer de le faire renoncer à
> son espoir et à sa recherche *. »

« Son indifférence... tomba. » C'est ici le mot à noter. Il
est d'une simplicité absolue ; mais il nous montre dans toute
sa force le procédé de Proust, cette façon qu'il a de toujours
nous présenter les autres êtres et lui-même dans leur profondeur, avec ce qui se passe en eux de supplémentaire, si je puis
dire, avec la totalité de leurs impressions, dans tout leur volume
psychologique.

Bien que ce soit une qualité d'ordre plus pittoresque, il
nous faut noter ici, – car il provient également de « l'incroyable surabondance de ses enregistrements », – l'art qu'a
Proust de reproduire presque sténographiquement les paroles
de ses personnages. Là encore il embrasse le tout de ce qu'on
pourrait appeler leur être verbal, comme ailleurs le tout de
leurs sentiments. Il disparaît vraiment, comme auteur, sous
le flot de leurs paroles ; il ne lui impose aucune limite, ni
aucune direction. On peut en ressentir parfois de l'agace-
ment ; mais le personnage s'impose ainsi à nous avec une
réalité, une abondance, une variété qu'aucun portrait délibéré
ne pourrait produire.

* *Du côté de chez Swann*, t. II, p. 17. [I, 230.]

Rien ne peut être plus exaspérant que les propos de M. de Norpois, l'ambassadeur en visite chez les parents de Proust, au début des *Jeunes filles en fleurs*. Écoutez plutôt (je ne puis vous donner qu'un tout petit échantillon) :

« Une des choses qui contribuent certainement au succès de Mme Berma, dit M. de Norpois en se tournant avec application vers ma mère pour ne pas la laisser en dehors de la conversation et afin de remplir consciencieusement son devoir de politesse envers une maîtresse de maison, c'est le goût parfait qu'elle apporte dans le choix de ses rôles et qui lui vaut toujours un franc succès, et de bon aloi. Elle joue rarement des médiocrités. Voyez, elle s'est attaquée au rôle de Phèdre. D'ailleurs, ce goût elle l'apporte dans ses toilettes, dans son jeu. Bien qu'elle ait fait de fréquentes et fructueuses tournées en Angleterre et en Amérique, la vulgarité, je ne dirai pas de John Bull, ce qui serait injuste, au moins pour l'Angleterre de l'ère Victorienne, mais de l'oncle Sam, n'a pas déteint sur elle. Jamais de couleurs trop voyantes, de cris exagérés. Et puis cette voix admirable qui la sert si bien et dont elle joue à ravir, je serais presque tenté de dire en musicienne *. »

Tous les poncifs, toute la vétusté d'expression, toute la timidité devant l'exactitude des mots d'un vieux diplomate de carrière, apparaissent dans ce court passage et là encore nous avons, il me semble, cette même impression d'intégrité, de parfaite prépondérance de la réalité sur les goûts, le choix, les réactions possibles de l'auteur, que nous éprouvions tout à l'heure quand Proust nous décrivait les odeurs de Combray ou nous montrait Swann perdant tout à coup son indifférence. Quelque chose s'installe devant nous, sur nous, qui peut nous gêner, mais que nous ne pouvons ni récuser, ni écarter.

J'aimerais à vous donner encore des échantillons de cette magnifique habitation par le concret de l'œuvre de Proust.

* *À l'ombre des jeunes filles en fleurs*, t. I, p. 30. [I, 457.]

Mais je dois m'arrêter, content si j'ai pu vous faire sou-
peser l'extraordinaire richesse de cette œuvre, son caractère
volumineux et, pour reprendre une expression que Proust
applique aux imaginations de Swann amoureux, « cette sorte
de douceur surabondante et de densité mystérieuse », qui en
font le premier charme.

Je serai content aussi si vous avez bien compris qu'une
telle œuvre ne pouvait naître que de l'être exposé et immobile
que je vous décrivais en commençant, que de « ce navire
démoli et condamné à un éternel mouillage » que fut Proust
dès son enfance.

III

Pourtant, de même que nous avons reconnu, à côté de
sa passivité et de son impressionnabilité radicales, un trait
positif dans le caractère de Proust, de même nous devons
rechercher, ou nous devons nous attendre à voir apparaître
un second aspect de son œuvre, une autre originalité de sa
manière.

Il y a la tache de peinture sur le gant; mais il y a aussi
l'entêtement de Proust, son art de demander et d'obtenir,
cet appétit, cette exigence, cet effort « pour convertir en
quelque chose d'actif le passif qui semblait son lot », et plus
généralement encore, dans le plan intellectuel, sa défiance
des apparences, son besoin de saisir quelque chose de plus
solide que ce qui s'offre d'abord à ses sens, sa passion de la
vérité.

Écoutez ce passage de Combray. Il va vous faire sentir
l'attitude que Proust prenait instinctivement en face de ses
sensations et vous montrera par quelle inspiration vraiment
philosophique sa merveilleuse réceptivité se prolongeait :

« Combien depuis ce jour, dans mes promenades du côté
de Guermantes, il me parut plus affligeant encore qu'au-

paravant de n'avoir pas de dispositions pour les lettres, et de devoir renoncer à être jamais un écrivain célèbre! Les regrets que j'en éprouvais, tandis que je restais seul à rêver un peu à l'écart, me faisaient tant souffrir, que pour ne plus les ressentir, de lui-même, par une sorte d'inhibition devant la douleur, mon esprit s'arrêtait entièrement de penser aux vers, aux romans, à un avenir poétique sur lequel mon manque de talent m'interdisait de compter. Alors, bien en dehors de toutes ces préoccupations littéraires et ne s'y rattachant en rien, tout d'un coup un toit, un reflet de soleil sur une pierre, l'odeur d'un chemin me faisaient arrêter par un plaisir particulier qu'ils me donnaient, et aussi parce qu'ils avaient l'air de cacher au-delà de ce que je voyais quelque chose qu'ils invitaient à venir prendre et que malgré mes efforts je n'arrivais pas à découvrir. Comme je sentais que cela se trouvait en eux, je restais là immobile, à regarder, à respirer, à tâcher d'aller avec ma pensée au-delà de l'image ou de l'odeur. Et s'il me fallait rattraper mon grand-père, poursuivre ma route, je cherchais à les retrouver, en fermant les yeux; je m'attachais à me rappeler exactement la ligne du toit, la nuance de la pierre qui, sans que je pusse comprendre pourquoi, m'avaient semblé pleines, prêtes à s'entr'ouvrir, à me livrer ce dont elles n'étaient qu'un couvercle *. »

Ainsi, dès l'enfance, en même temps qu'il recevait le monde en lui comme une envahissante merveille, Proust sentait un « devoir de conscience ardu » – c'est sa propre expression – qui le poussait à le comprendre, à lui arracher quelque chose de plus que lui-même, à découvrir la réalité (matérielle ou idéale, il ne savait encore) cachée « sous le revêtement des images ».

Reynaldo Hahn, dans le numéro d'hommage, a raconté une anecdote très significative qui montre combien, dans la pratique, il était fidèle à ce devoir :

* *Du côté de chez Swann*, t. I, p. 165. [I, 178-179.]

« Le jour de mon arrivée, nous allâmes ensemble nous promener dans le jardin. Nous passions devant une bordure de rosiers du Bengale, quand soudain il se tut et s'arrêta. Je m'arrêtai aussi, mais il se remit alors à marcher, et je fis de même. Bientôt il s'arrêta de nouveau et me dit avec cette douceur enfantine et un peu triste qu'il conserva toujours dans le ton et dans la voix : " Est-ce que ça vous fâcherait que je reste un peu en arrière? Je voudrais revoir ces petits rosiers. " Je le quittai. Au tournant de l'allée, je regardai derrière moi. Marcel avait rebroussé chemin jusqu'aux rosiers. Ayant fait le tour du château, je le retrouvai à la même place, regardant fixement les roses. La tête penchée, le visage grave, il clignait des yeux, les sourcils légèrement froncés comme par un effort d'attention passionnée, et de sa main gauche il poussait obstinément entre ses lèvres le bout de sa petite moustache noire, qu'il mordillait. Je sentais qu'il m'entendait venir, qu'il me voyait, mais qu'il ne voulait ni parler ni bouger. Je passai donc sans prononcer un mot. Une minute s'écoula, puis j'entendis Marcel qui m'appelait. Je me retournai; il courait vers moi. Il me rejoignit et me demanda si " je n'étais pas fâché ". Je le rassurai en riant et nous reprîmes notre conversation interrompue. Je ne lui adressai pas de question sur l'épisode des rosiers; je ne fis aucun commentaire, aucune plaisanterie : je comprenais obscurément qu'il ne fallait pas *... »

C'est dans la même hypnose consciente, et qui était plutôt un effort passionné d'application aux choses sensibles pour leur dérober leur secret, que Proust lui-même se représente à plusieurs reprises au cours de son livre.
Devant les aubépines d'abord :

« Mais j'avais beau rester devant les aubépines à respirer, à porter devant ma pensée qui ne savait ce qu'elle devait

---

* *Hommage*, p. 39.

en faire, à perdre, à retrouver leur invisible et fixe odeur, à m'unir au rythme qui jetait leurs fleurs, ici et là, avec une allégresse juvénile et à des intervalles inattendus comme certains intervalles musicaux, elles m'offraient indéfiniment le même charme avec une profusion inépuisable, mais sans me laisser approfondir davantage, comme ces mélodies qu'on rejoue cent fois de suite sans descendre plus avant dans leur secret *. »

Et ailleurs :

« Au tournant d'un chemin j'éprouvai tout à coup ce plaisir spécial qui ne ressemblait à aucun autre, à apercevoir les deux clochers de Martinville, sur lesquels donnait le soleil couchant et que le mouvement de notre voiture et les lacets du chemin avaient l'air de faire changer de place, puis celui de Vieuxvicq, qui, séparé d'eux par une colline et une vallée, et situé sur un plateau plus élevé dans le lointain, semblait pourtant tout voisin d'eux.

« En constatant, en notant la forme de leur flèche, le déplacement de leurs lignes, l'ensoleillement de leur surface, je sentais que je n'allais pas au bout de mon impression, que quelque chose était derrière ce mouvement, derrière cette clarté, quelque chose qu'ils semblaient contenir et dérober à la fois **. »

Tout ce qui le frappe, tout ce qui émeut ses sens lui semble ainsi à la fois « contenir et lui dérober » quelque chose. Et le premier mouvement de son génie est de poursuivre ce quelque chose, de tâcher de le reprendre, de l'extorquer au paysage ou à l'être vivant qui se proposent à lui.

« De même qu'au voyage à Balbec, au voyage à Venise, que j'avais tant désirés, – ce que je demandais à cette matinée, c'était tout autre chose qu'un plaisir : des vérités

---

* *Du côté de chez Swann*, t. I, p. 129. [I, 138.]
** *Du côté de chez Swann*, t. I, p. 166. [I, 180.]

appartenant à un monde plus réel que celui où je vivais, et desquelles l'acquisition une fois faite ne pourrait pas m'être enlevée par des incidents insignifiants, fussent-ils douloureux à mon corps, de mon oiseuse existence. Tout au plus, le plaisir que j'aurais pendant le spectacle, m'apparaissait-il comme la forme peut-être nécessaire de la perception de ces vérités *. »

Un auteur anglais a pu écrire tout un article sur le Platonisme de Proust [4]. Ce sont en effet comme des Idées du monde sensible, comme des archétypes de chaque objet ou de chaque être que Proust au début semble vouloir à tout prix découvrir. Il a une véritable faim de vérité, et de réalité immuable, soustraite au temps, donc autre que celle que ses sens lui présentent.

Je crois qu'on ne saurait assez insister sur ce point, ni assez montrer que toute la *recherche du temps perdu* est née du besoin de saisir, de posséder l'insaisissable et de l'éterniser en le ramenant à quelque chose de l'ordre de la vérité.

Nous n'y comprendrons rien si nous ne nous rappelons sans cesse la phrase : « Je restais là immobile, à regarder, à respirer, à tâcher d'aller avec ma pensée au-delà de l'image et de l'odeur », si nous ne nous représentons pas sans cesse cet esprit qui cherche, qui désire...

(D'ailleurs, Proust, au début, ne concevait la possibilité pour lui d'écrire une grande œuvre littéraire que s'il réussissait à trouver un sujet philosophique. Et c'est parce qu'il n'en trouvait pas qu'il se croyait dépourvu de talent...)

Pourtant ce qu'il cherche, ce qu'il désire, Proust perd assez vite l'idée que ce puisse être quelque chose de vraiment extérieur, quelque chose comme une statue idéale qui serait logée derrière les spectacles qu'il contemple et qu'il n'aurait qu'à dévoiler.

Son appétit se transforme et sans devenir moins intense,

* *À l'ombre des jeunes filles en fleurs*, t. I, p. 17. [I, 442-443.]

se fait plus modeste. Son besoin réaliste se change en le simple besoin de savoir la vérité, et ce qu'il cherche désormais à arracher à ses impressions, à tout ce qui vient ébranler ses sens, ce n'est plus qu'une formule où soit décelé ce qu'ils peuvent avoir de général, de perceptible par tous les esprits.

Vous voyez le double mouvement de son esprit. La force d'abord en est si grande qu'il va frapper la réalité sensible comme un mur et qu'il cherche à la faire écrouler pour voir ce qu'il peut y avoir derrière. C'est exactement le pendant de ses coups de poing dans la porte pour réveiller la concierge.

Mais la porte, mais le mur résistent. Et l'esprit de Proust alors, sans rien perdre de son entêtement objectif, s'assoupit, devient « onduleux » si vous voulez, et ne cherche plus, de cette réalité sensible, qui, après tout, il s'en aperçoit, lui est intérieure, qu'à extraire la généralité, ou qu'à exprimer les lois.

En d'autres termes, sa tendance métaphysique se transforme en une tendance positive, en un effort pour découvrir au sein de cette masse énorme de sensations et d'émotions dont il est encombré les éléments reconnaissables par tous les hommes, les éléments humains.

Et je crois que nous sommes munis maintenant pour comprendre tout ce que j'ai appelé le deuxième aspect de l'œuvre de Proust, ce qui fait, non plus seulement son charme, mais sa grandeur, ce qui lui donne un caractère classique.

Nous ne manquons pas de livres d'évocation, de livres de souvenirs. Combien de gens nous ont raconté leur enfance, ont travaillé à nous émouvoir par le récit de leurs émotions passées, ou par des descriptions détaillées du milieu où ils ont grandi ! Vous sentez bien pourtant que ce que nous donne Proust est non seulement d'une beaucoup plus grande perfection sous ce rapport, d'un beaucoup plus grand achèvement, mais en même temps d'un autre ordre.

Oui, je n'hésite pas à le dire, cet acharnement à comprendre, à dépasser l'apparence avec l'esprit, que je vous ai fait saisir, a fini par transformer un livre de pure réminiscence en une extraordinaire peinture de l'homme, des hommes, en une peinture aussi vraie, aussi puissante, aussi approfondissante de nos abîmes, si j'ose dire, que les grandes œuvres classiques. Le livre de Proust est aussi satisfaisant pour notre intelligence que pour toutes nos autres facultés. Il ne nous caresse pas seulement, il ne nous envoie pas seulement des bouffées de parfum vers les narines; il ne nous fait pas seulement entrevoir, comme un étang souterrain qui luirait dans l'ombre la complexité et la bizarrerie de notre moi; il nous enseigne, il nous explique la nature humaine; il nous en découvre de nouveaux rouages; il lui arrache tout un tas de petites lois; il la porte, il l'élève lentement, même dans ce qu'elle a de plus obscur, jusqu'au niveau de notre raison.

Je voudrais vous faire sentir maintenant par des lectures jusqu'à quel degré cette masse formidable de sensibilité que nous avons soupesée au début et dont nous avons admiré la densité, est imprégnée en même temps de vérité et rayonne pour l'esprit. Je vais prendre d'abord un passage pittoresque, un passage comique, mais dont vous ne manquerez pas d'apercevoir la valeur d'humanité, où vous distinguerez cette sorte de lumière explicative de notre nature qui illumine par exemple les pièces de Molière :

« Mme Verdurin était assise sur un haut siège suédois en sapin ciré, qu'un violoniste de ce pays lui avait donné et qu'elle conservait, quoiqu'il rappelât la forme d'un escabeau et jurât avec les beaux meubles anciens qu'elle avait, mais elle tenait à garder en évidence les cadeaux que les fidèles avaient l'habitude de lui faire de temps en temps, afin que les donateurs eussent le plaisir de les reconnaître quand ils venaient. Aussi tâchait-elle de persuader qu'on s'en tînt aux fleurs et aux bonbons, qui du moins se détruisent; mais elle n'y réussissait pas et c'était chez elle une collection de chauffe-pieds, de coussins, de pendules, de paravents, de baromètres, de potiches, dans une accumulation de redites et un disparate d'étrennes.

« De ce poste élevé elle participait avec entrain à la

conversation des fidèles et s'égayait de leurs " fumiste-
ries ", mais depuis l'accident qui était arrivé à sa mâchoire,
elle avait renoncé à prendre la peine de pouffer effecti-
vement et se livrait à la place à une mimique convention-
nelle qui signifiait, sans fatigue ni risques pour elle, qu'elle
riait aux larmes. Au moindre mot que lâchait un habitué
contre un ennuyeux ou contre un ancien habitué rejeté
au camp des ennuyeux, – et, pour le plus grand désespoir
de M. Verdurin, qui avait eu longtemps la prétention d'être
aussi aimable que sa femme, mais qui riant pour de bon
s'essoufflait vite et avait été distancé et vaincu par cette
ruse d'une incessante et fictive hilarité, – elle poussait un
petit cri, fermait entièrement ses yeux d'oiseau qu'une
taie commençait à voiler, et brusquement, comme si elle
n'eût eu que le temps de cacher un spectacle indécent ou
de parer à un accès mortel, plongeant sa figure dans ses
mains qui la recouvraient et n'en laissaient plus rien voir,
elle avait l'air de s'efforcer de réprimer, d'anéantir un rire
qui, si elle s'y fût abandonnée, l'eût conduite à l'évanouissement. Telle, étourdie par la gaîté des fidèles, ivre de
camaraderie, de médisance et d'assentiment, Mme Verdurin,
juchée sur son perchoir, pareille à un oiseau dont on eût
trempé le colifichet dans du vin chaud, sanglotait d'ama-
bilité *. »

En apparence rien qu'une description admirablement
amusante ; mais ne sentez-vous pas la pénétration qu'implique
ce petit tableau, et le profond effort de l'esprit qui a été
chercher ce trait si juste, à la fois si particulier et si général :
« Ivre de camaraderie, de médisance et d'assentiment. » Vraiment, c'est bien de la même pression que l'esprit de Proust
exerçait sur les clochers de Martinville, qu'il est né. La nature
humaine a été sollicitée par lui dans sa profondeur et amenée
au grand jour, exprimée, fixée.
Voyons maintenant un passage où l'intelligence de Proust

---

* *Du côté de chez Swann*, t. I, p. 190. [I, 205.]

a appuyé, comme on dit d'un crayon qu'il appuie, un peu davantage. Il s'agit encore d'émotions infiniment particulières, en l'espèce des émotions de Swann, trahi, abandonné par Odette, et à qui, dans un concert chez Mme de Saint-Euverte, où il se sent seul et misérable, la petite phrase de la sonate de Vinteuil vient brusquement apporter le souvenir du temps où son amour était partagé et heureux :

« ... Le concert recommença et Swann comprit qu'il ne pourrait pas s'en aller avant la fin de ce nouveau numéro du programme. Il souffrait de rester enfermé au milieu de ces gens dont la bêtise et les ridicules le frappaient d'autant plus douloureusement qu'ignorant son amour, incapables, s'ils l'avaient connu, de s'y intéresser et de faire autre chose que d'en sourire comme d'un enfantillage ou de le déplorer comme une folie, ils le lui faisaient apparaître sous l'aspect d'un état subjectif qui n'existait que pour lui, dont rien d'extérieur ne lui affirmait la réalité; il souffrait surtout, et au point que même le son des instruments lui donnait envie de crier, de prolonger son exil dans ce lieu où Odette ne viendrait jamais, où personne, où rien ne la connaissait, d'où elle était entièrement absente.

« Mais, tout à coup, ce fut comme si elle était entrée, et cette apparition lui fut une si déchirante souffrance qu'il dut porter la main à son cœur. C'est que le violon était monté à des notes hautes où il restait comme pour une attente, une attente qui se prolongeait sans qu'il cessât de les tenir, dans l'exaltation où il était d'apercevoir déjà l'objet de son attente qui s'approchait, et avec un effort désespéré pour tâcher de durer jusqu'à son arrivée, de l'accueillir avant d'expirer, de lui maintenir encore un moment de toutes ses dernières forces le chemin ouvert pour qu'il pût passer, comme on soutient une porte qui sans cela retomberait. Et avant que Swann eût eu le temps de comprendre, et de se dire : " C'est la petite phrase de la sonate de Vinteuil, n'écoutons pas!" tous ses souvenirs du temps où Odette était éprise de lui, et qu'il avait réussi jusqu'à ce jour à maintenir invisibles dans les profondeurs de son être, trompés par ce brusque rayon du temps d'amour qu'ils crurent revenu, s'étaient réveillés, et à tire-d'aile, étaient remontés lui chanter éperdument, sans pitié pour son infortune présente, les refrains oubliés du bonheur.

« Au lieu des expressions abstraites " temps où j'étais heureux ", " temps où j'étais aimé ", qu'il avait souvent prononcées jusque-là et sans trop souffrir, car son intelligence n'y avait enfermé du passé que de prétendus extraits qui n'en conservaient rien, il retrouva tout ce qui de ce bonheur perdu avait fixé à jamais la spécifique et volatile essence; il revit tout, les pétales neigeux et frisés du chrysanthème qu'elle lui avait jeté dans sa voiture, qu'il avait gardé contre ses lèvres – l'adresse en relief de la " Maison Dorée " sur la lettre où il avait lu : " Ma main tremble si fort en vous écrivant " – le rapprochement de ses sourcils quand elle lui avait dit d'un air suppliant : " Ce n'est pas dans trop longtemps que vous me ferez signe? ", il sentit l'odeur du fer du coiffeur par lequel il se faisait relever sa " brosse " pendant que Lorédan allait chercher la petite ouvrière, les pluies d'orage qui tombèrent si souvent ce printemps-là, le retour glacial dans sa victoria, au clair de lune, toutes les mailles d'habitudes mentales, d'impressions saisonnières, de réactions cutanées, qui avaient étendu sur une suite de semaines un réseau uniforme dans lequel son corps se trouvait repris. À ce moment-là, il satisfaisait une curiosité voluptueuse en connaissant les plaisirs des gens qui vivent par l'amour. Il avait cru qu'il pourrait s'en tenir là, qu'il ne serait pas obligé d'en apprendre les douleurs; comme maintenant le charme d'Odette lui était peu de chose auprès de cette formidable terreur qui le prolongeait comme un trouble halo, cette immense angoisse de ne pas savoir à tous moments ce qu'elle avait fait, de ne pas la posséder partout et toujours! Hélas, il se rappela l'accent dont elle s'était écriée : " Mais je pourrai toujours vous voir, je suis toujours libre! " elle qui ne l'était plus jamais! l'intérêt, la curiosité qu'elle avait eus pour sa vie à lui, le désir passionné qu'il lui fît la faveur — redoutée au contraire par lui en ce temps-là comme une cause d'ennuyeux dérangements — de l'y laisser pénétrer; comme elle avait été obligée de le prier pour qu'il se laissât mener chez les Verdurin; et, quand il la faisait venir chez lui une fois par mois, comme il avait fallu, avant qu'il se laissât fléchir, qu'elle lui répétât le délice que serait cette habitude de se voir tous les jours dont elle rêvait alors qu'elle ne lui semblait à lui qu'un fastidieux tracas, puis qu'elle avait prise en dégoût et définitivement rompue, pendant qu'elle était devenue pour lui un si invincible et si douloureux besoin. Il ne savait pas dire si vrai quand, à la troisième fois qu'il l'avait vue, comme elle lui répétait : " Mais pourquoi ne me laissez-vous pas venir plus souvent? ", il lui avait dit en riant, avec galanterie : " par peur de souffrir ". Maintenant, hélas! il arrivait encore parfois qu'elle lui écrivît d'un restaurant ou d'un hôtel sur du papier qui en portait le nom imprimé; mais c'était comme des lettres de feu qui le brûlaient. " C'est écrit de l'hôtel Vouillemont? Qu'y peut-elle être allée faire! avec qui? que s'y est-il passé? " Il se rappela les becs de gaz qu'on éteignait boulevard des Italiens quand il l'avait rencontrée contre tout espoir parmi les ombres errantes dans cette nuit qui lui avait semblé presque surnaturelle et qui en effet — nuit d'un temps où il n'avait même pas à se demander s'il ne la contrarierait pas en la cherchant, en la retrouvant, tant il était sûr qu'elle n'avait pas de plus grande joie que de le voir et de rentrer avec lui, — appartenait bien à un monde mystérieux où on ne peut jamais revenir quand les portes s'en sont refermées. Et Swann aperçut, immobile en face de ce bonheur revécu, un malheureux qui lui fit pitié parce qu'il ne le reconnut pas tout de suite, si bien qu'il dut baisser les yeux pour qu'on ne vît pas qu'ils étaient pleins de larmes. C'était lui-même *. »

Je ne veux pas pousser plus loin sans vous faire remarquer tout ce qu'un passage de cet ordre et de cette qualité apporte de nouveau dans l'art psychologique, dans l'art de peindre les sentiments. Que peut-il y avoir de plus confus, de plus organique et informe, que la réminiscence du bonheur au sein du malheur? Ou plutôt ces vagues embaumées du souvenir qui viennent battre un esprit souffrant, à quoi semblaient-elles pouvoir prêter en littérature sinon à quelque thrène harmonieux et obscur où l'écrivain eût tâché de faire passer toutes ses puissances de poésie? Imaginez-vous ce qu'un Barrès par exemple eût écrit, d'ailleurs d'admirable, sur ce thème?

Chez Proust, il y a la poésie; mais, il y a quelque chose de plus. De cette tempête sentimentale, son intelligence arrive à fixer les moindres contours. Les alternatives de souvenir et de conscience actuelle, les comparaisons détaillées que fait l'esprit de Swann entre le passé et le présent, la rencontre et l'enchevêtrement de ses états d'âme nous sont montrés avec une distinction extraordinaire, sont cristallisés pour nous sur la page. Et ils prennent ainsi une sorte de vérité qui les dépasse; ils deviennent un moment de l'âme humaine, une forme générale du sentiment. Si bien, – je pense que vous l'aurez remarqué, – qu'au moment où Proust écrit : « Il se rappela les becs de gaz qu'on éteignait boulevard des Italiens, quand il l'avait rencontrée contre tout espoir parmi les ombres errantes dans cette nuit qui lui avait semblé presque surnaturelle... », il continue tout naturellement : « et qui, en effet, appartenait bien à un monde mystérieux où *on* ne peut jamais revenir quand les portes s'en sont refermées ». Le *on* remplace insensiblement le *il*, et le mouvement de généralisation est si profond, si intime, se confond si bien avec la phrase qu'à ce moment-là, en effet, nous ne pensons plus seulement à Swann,

* *Du côté de chez Swann*, t. II, p. 117 et suivantes. [I, 344-347.]

mais nous faisons instinctivement l'application à nous-mêmes
de tout ce que Proust nous raconte qui se passe en lui.

Et quand Swann nous est montré face à lui-même et ne
se reconnaissant plus, c'est nous-mêmes aussitôt que nous
revoyons dans cette même attitude de profond partage intime
où le retour du passé parfois vient nous induire.

Une vérité a donc été extraite, sans effort, sans système,
d'un complexe de sentiments décrits comme appartenant à
un personnage déterminé. Je dis que c'est là le grand art
classique. Et je dis que Proust, de par son besoin de solidité,
de par son appétit de quelque chose de plus réel que les
impressions qu'il subit, nous en donne sans cesse des exemples.

Nous pourrions suivre plus loin son effort vers la vérité,
sa recherche des lois. À mesure que le livre avance, on trouve
ces lois du cœur humain exprimées sous une forme de plus
en plus abstraite, et même de plus en plus didactique.

Celle, par exemple, qui est latente dans le passage que je
viens de vous lire et qu'on pourrait formuler à peu près ainsi :
« Nos états de conscience passés ne subsistent en nous habi-
tuellement que sous une forme virtuelle, et nous ne pouvons
les ressentir vraiment à nouveau que si le hasard nous fait
retrouver une sensation qui leur était associée », cette loi
implicite se transforme dans *Sodome et Gomorrhe* en une loi
formelle, dont Proust nous donne, à l'occasion de la révivis-
cence en lui du souvenir de sa grand'mère, l'exposé détaillé,
et qu'il baptise même du titre d'« Intermittences du Cœur ».

Mais nous ne pouvons pas l'accompagner jusqu'au bout
de son effort pour schématiser son expérience. Il me suffit
de vous avoir marqué et fait sentir, d'une part, sa tendance
à extraire de ses impressions quelque chose qui les transcende,
et d'autre part le résultat de cette tendance : à savoir le caractère d'admirable généralité que revêtent toutes ses peintures
soit du monde et des autres êtres, soit de sa propre âme.

Certes, nous nous en rendons compte maintenant, s'il fut
« onduleux », « respectueux », s'il commença par subir la forme
et tous les angles des choses, s'il céda de toute sa sensibilité
sous le sceau de la vie, s'il en reproduisit la confuse empreinte

avec une fidélité presque révoltante, il sut tout de même, par la seule puissance de l'intelligence, par la grande et inflexible exigence de son esprit, « changer en quelque chose d'actif le passif qui semblait son lot ». Quand on y réfléchit, quelqu'un de si susceptible, quelqu'un que la réalité extérieure et intérieure opprima, dès l'enfance, si prodigieusement, si cruellement parfois, quelqu'un sur les chemins nerveux de qui tant de blocs bruts de sensations voyageaient et faisaient obstruction, n'aurait pas dû pouvoir écrire, en tous cas n'aurait pas dû pouvoir dépasser le plus désordonné des impressionnismes. D'ailleurs, dans un passage que je vous ai lu tout à l'heure, vous avez dû remarquer quels malaises sa vocation dut traverser avant de se déterminer : les éléments en étaient pour ainsi dire épars. D'un côté, il cherchait un beau sujet philosophique et n'en trouvait pas; de l'autre, il éprouvait des sensations, mais si particulières et si vives qu'il ne voyait pas ce qu'il pourrait jamais en faire.

Il fallut en effet d'abord qu'elles disparussent, qu'il fût débarrassé de leur intensité pour que son esprit pût mordre sur elles et les traduire et les dominer. Mais comme il les a dominées! Comme il a bien su entraîner vers la plus délicate abstraction tous ces impédiments sensibles dont son organisme moral était tout encombré.

Il s'est produit chez Proust un phénomène, ou mieux un miracle, qui compense, à mon avis, l'absence complète de valeur morale qu'on peut reprocher à son œuvre. Vous vous rappelez que le dessein explicite de la tragédie classique était de « purger les passions », en les représentant avec toute la force possible et dans leurs effets les plus déplorables. Eh! bien, Proust, d'une façon un peu différente, sans ce vigoureux effort de synthèse que nous admirons chez Racine ou chez Corneille, avec une patience plus lente, mais non pas avec une moindre volonté d'éclaircissement, par l'attention, par la curiosité inflexible de l'esprit, par un constant cheminement vers l'évidence, Proust « purge » lui aussi sa sensibilité, et dans la mesure où il a intéressé la nôtre, la nôtre aussi. Il procède à une sublimation, d'ordre purement intellectuel, c'est vrai, mais qui peut finir par avoir des effets moraux, de tout ce qu'il y a en lui de l'ordre du θυμός et de l'ἐπιθυμία [5], de tout ce qui occupe sa poitrine et pèse sur ses nerfs.

Et si nous jetons maintenant, pour finir, un coup d'œil d'ensemble sur son œuvre, je crois que ce que nous y admirerons surtout, c'est quelque chose d'assez voisin de ce que Swann admirait dans la sonate de Vinteuil, et particulièrement dans la petite phrase :

« Quand après la soirée Verdurin, se faisant rejouer la petite phrase, il avait cherché à démêler comment à la façon d'un parfum, d'une caresse, elle le circonvenait, elle l'enveloppait, il s'était rendu compte que c'était au faible écart entre les cinq notes qui la composaient et au rappel constant de deux d'entre elles qu'était due cette impression de douceur rétractée et frileuse; mais en réalité il savait qu'il raisonnait ainsi non sur la phrase elle-même mais sur de simples valeurs substituées pour la commodité de son intelligence à la mystérieuse entité qu'il avait perçue, avant de connaître les Verdurin, à cette soirée où il avait entendu pour la première fois la sonate. Il savait que le souvenir même du piano faussait encore le plan dans lequel il voyait les choses de la musique, que le champ ouvert au musicien n'est pas un clavier mesquin de sept notes, mais un clavier incommensurable, encore presque tout entier inconnu, où seulement çà et là, séparées par d'épaisses ténèbres inexplorées, quelques-unes des millions de touches de tendresse, de passion, de courage, de sérénité, qui le composent, chacune aussi différente des autres qu'un univers d'un autre univers, ont été découvertes par quelques grands artistes qui nous rendent le service, en éveillant en nous le correspondant du thème qu'ils ont trouvé, de nous montrer quelle richesse, quelle variété, cache à notre insu cette grande nuit impénétrée et décourageante de notre âme que nous prenons pour du vide et pour du néant. Vinteuil avait été l'un de ces musiciens. En sa petite phrase, quoiqu'elle présentât à la raison une surface obscure, on sentait un contenu si consistant, si explicite, auquel elle donnait une force si nouvelle, si originale, que ceux qui l'avaient entendue la conservaient en eux de plain-pied avec les idées de l'intelligence. Swann s'y reportait comme à une conception de l'amour et du bonheur dont immédiatement il savait aussi bien en quoi elle était particulière, qu'il le savait pour la *Princesse de Clèves* ou pour *René*, quand leur nom se présentait à sa mémoire. Même quand il ne pensait pas à la petite phrase, elle existait latente dans son esprit au même titre que certaines autres notions sans équivalent, comme les notions de la lumière, du son, du relief, de la volupté physique, qui sont les riches possessions dont se diversifie et se pare notre domaine intérieur. Peut-être les perdrons-nous, peut-être s'effaceront-elles, si nous retournons au néant. Mais tant que nous vivons nous ne pouvons pas plus faire que nous ne les ayons connues que nous ne le pouvons pour quelque objet réel, que nous ne pouvons, par exemple, douter de la lumière de la lampe qu'on allume devant les objets métamorphosés de notre chambre d'où s'est échappé jusqu'au souvenir de l'obscurité. Par là, la phrase de Vinteuil avait, comme tel thème de *Tristan* par exemple, qui nous représente aussi une certaine acquisition sentimentale, épousé notre condition mortelle, pris quelque chose d'humain qui était assez touchant. Son sort était lié à l'avenir, à la réalité de notre âme dont elle était un des ornements les plus particuliers, les mieux différenciés. Peut-être est-ce le néant qui est le vrai et tout notre rêve est-il inexistant, mais alors nous sentons qu'il faudra que ces phrases musicales, ces notions qui existent par rapport à lui, ne soient rien non plus. Nous périrons mais nous avons pour otages ces captives divines qui suivront notre chance. Et la mort avec elles a quelque chose de moins amer, de moins inglorieux, peut-être de moins probable *. »

---

* *Du côté de chez Swann*, t. II, p. 122. [I, 349-350.]

Sans doute c'est ici du miracle musical qu'il est question. Et une assimilation systématique de l'œuvre de Proust à celle d'un grand musicien, nous conduirait à la déformer bien plus qu'à l'éclairer. Pourtant c'est aussi le mérite essentiel de Proust, comme aux yeux de Swann c'était celui de Vinteuil, d'avoir frappé sur « quelques-unes des millions de touches de tendresse, de passion, de courage, de sérénité, séparées par d'épaisses ténèbres inexplorées, chacune aussi différente des autres qu'un univers d'un autre univers », qui composent le clavier obscur de notre inconscient. C'est aussi le mérite de Proust d'avoir frappé sur ces touches d'un doigt constamment infaillible et de leur avoir fait rendre toujours un son parfaitement pur. C'est son mérite de nous « avoir montré quelle richesse, quelle variété cache à notre insu cette grande nuit impénétrée et décourageante de notre âme que nous prenons pour du vide et pour du néant ».

Mais, d'autre part, dans chacune de ses phrases, comme dans la petite phrase de Vinteuil, « quoiqu'elle présente parfois à la raison une surface obscure », on sent « un contenu si consistant, si explicite, auquel elle donne une force si nouvelle, si originale, que ceux qui l'ont entendue la conservent en eux de plain-pied avec les idées de l'intelligence ».

Voilà peut-être le dernier mot, – nous le trouvons dans Proust lui-même, – sur le génie de Proust et sur l'essentielle nouveauté et l'essentielle beauté de son œuvre. Alors que toute la littérature depuis le Romantisme a tendu vers l'expression aussi directe que possible, sans doute, mais par là même aussi informe, aussi inassimilable que possible aux idées, de nos émotions et de nos perceptions inconscientes, Proust au contraire, sans d'ailleurs vouloir en faire une révolution, sans menacer personne, sans lancer aucun manifeste, – Proust a travaillé à une fixation, et non plus à une simple expression, de tout ce qui s'ébat d'obscur dans l'homme, jusqu'à lui communiquer « une force si nouvelle, si originale » que nous pouvons le « conserver de plain-pied en nous avec les idées de l'intelligence ».

Son premier rêve, celui qui le hantait dans ses promenades

du côté de Roussainville et de Montjouvain, est donc pleinement réalisé. Sa sensibilité a pris une valeur éternelle. Elle échappe au temps. Et tout un monde avec elle, qui y était pris. Le grand malade, le grand désarmé qu'était Proust, du fond de son lit, grâce à ce doux et inflexible entêtement que je vous décrivais, a fini par remporter la plus difficile des victoires : il s'est imposé tout entier à la mort, et elle reflue intimidée devant sa forme morale intégralement conservée.

NOTES

Page 31.

PROUST. DÉTAILS BIOGRAPHIQUES *(17 mars 1923)*

Inédit.

Afin de faciliter la lecture de ces notes elliptiques, nous transcrivons en entier les très nombreux mots qui, sur le manuscrit, sont écrits en abrégé. On complétera ces souvenirs de Jacques Rivière par ceux qu'il a livrés au public de Monaco au cours d'une conférence sur Proust (voir *supra*, p. 204).

1. Numéro spécial de la *N.R.F.* consacré à Proust (1er janvier 1923).
2. Le père de Proust se prénommait Adrien. Antonin Proust (1832-1905), homme politique français, ministre des Arts de 1881 à 1882, ami de Manet qui fit son portrait.
3. Fragments parus dans la *N.R.F.*, 1er juin et 1er juillet 1914.
4. Sur cet épisode, voir *Correspondance* Proust-Rivière, lettres 13 à 26. Le titre auquel Rivière fait allusion est : « Légère esquisse du chagrin que cause une séparation et des progrès irréguliers de l'oubli » (*N.R.F.*, 1er juin 1919).
5. Allusion au célèbre portrait de Proust par Jacques-Émile Blanche (1895).
6. André Dunoyer de Segonzac et Paul Helleu firent tous deux le portrait de Proust sur son lit de mort. Man Ray prit également une photographie.
7. Odilon Albaret, mari de Céleste. Proust lui faisait parfois faire des courses en taxi.
8. Le portrait de Mme Proust est de Mme Beauvais, peintre de genre et de portraits, née à Cusy-sur-Yonne (Nièvre), morte en 1898, élève de Lazarus, Wihl, Carolus Duran et Henner. – Louis-Gustave Ricard, peintre et portraitiste français (1823-1872).
9. Paul-Louis Baignères (1869-1936), ami de Proust dont il fit le portrait.
10. Poudre antiasthmatique dont Proust faisait des fumigations (voir Céleste Albaret, *Monsieur Proust*, Paris, Laffont, 1973, p. 84-86).
11. Painter relate ainsi cet épisode : Proust « offrit de prêter de l'argent à Rivière, qui était pauvre, anxieux au sujet de sa femme enceinte, [...] épuisé par ses soucis d'éditeur, et qui avait grand besoin de prendre des vacances ; Proust l'adressa à son cousin le docteur Roussy, qui lui donna d'excellents conseils et refusa les honoraires » (George D. Painter, *Marcel Proust*, Paris, Mercure de France, 1966, t. II, p. 373 ; cf. *Correspondance* Proust-Rivière, p. 97-100, 118).

12. Allusion probable au séjour de Proust dans le sanatorium du docteur Sollier en décembre1905-janvier 1906.

13. Dans son article du numéro d'hommage à Proust, Lucien Daudet parle du goût que Proust avait, quand il lisait un livre ou discutait avec des amis, de se renseigner sur les situations sociales : « Quand cette curiosité, par indifférence du mémorialiste ou par oubli de la maîtresse de maison, était seulement provoquée et non satisfaite, Marcel Proust disait : " Quelle méchanceté! " » (*N.R.F.*, 1ᵉʳ janvier 1923, p. 51).

14. Proust, qui faisait partie du jury du prix Blumenthal en compagnie de Barrès, Bergson, Gide, Valéry, fit attribuer la bourse de 6 000 francs à Jacques Rivière en 1920 (6 000 francs de 1920 valent à peu près 15 000 francs aujourd'hui).

15. En décembre 1919, Léon Daudet joua un rôle important lors des débats qui décidèrent de l'attribution du prix Goncourt à Marcel Proust.

16. Cette anecdote est développée dans la conférence de Monaco (*supra*, p. 209).

17. Cf. Céleste Albaret, *op. cit.*, p. 426-428.

18. L'abbé Arthur Mugnier (1853-1944), « confesseur des poètes », entretint une correspondance avec plusieurs écrivains de ce siècle, dont Proust lui-même (voir Painter, *op. cit.*, t. II, p. 344-347). Sur son lit de mort, Proust exprima le souhait que l'abbé Mugnier vînt prier pour lui.

Page 38.

L'ÉVOLUTION DU ROMAN APRÈS LE SYMBOLISME (EXTRAIT) *(27 mars 1918)*

Inédit.

Vers la fin de la Grande Guerre, Jacques Rivière, qui avait été capturé par les Allemands le 24 août 1914, est transféré en Suisse, avec le statut de « prisonnier de guerre interné » sous le contrôle de la Croix-Rouge. Il y reste du 15 juin 1917 au 16 juillet 1918 – dans le village d'Engelberg, puis à Genève – et ne tarde pas à reprendre son activité intellectuelle.

Ainsi donne-t-il, à l'Athénée de Genève, une série de conférences consacrées à l'évolution de la littérature après le symbolisme. Le programme est le suivant :

1. – Évolution de la poésie en France après le Symbolisme (13 mars 1918).
2. – L'Évolution du roman après le Symbolisme I (20 mars 1918).
3. – L'Évolution du roman après le Symbolisme II (27 mars 1918).
4. – Le drame après l'époque symboliste – J. Copeau et le Théâtre du Vieux-Colombier (3 avril 1918).

La conférence du 20 mars 1918 traite principalement de Charles-Louis Philippe. Celle du 27 mars analyse les œuvres de Valery Larbaud et de Marcel Proust. Nous avons retenu le passage concernant ce dernier.

Dans cette étude – la première que Rivière consacre à Proust – les réserves sont nombreuses et importantes. La conclusion générale de la conférence apporte cependant une précision : l'auteur explique qu'il a insisté sur la « maladresse à composer » de Larbaud et de Proust, car il y voyait « la rançon, non pas obligatoire, mais enfin tout au moins au début presque inévitable, des qualités nouvelles qu'ils font paraître ». Et il ajoute : « J'aime dans Proust ce procédé de pêle-mêle, que révèle déjà son titre : *Du côté de chez Swann*. En tirant de ce côté, tout ce qui viendra, je le prendrai, semble-t-il annoncer. Tous les champs qui sont le long de cette route, je vais les moissonner ; je vais mettre en grange tous les souvenirs du côté de chez Swann. Encore une fois, c'est une abdication devant les exigences de la raison et de la mesure. Mais il faut voir tout ce qu'elle permet. »

À titre de document, il nous semble intéressant de donner ici les quelques notes de lecture prises par Rivière alors qu'il préparait sa conférence :
« Proust : *Du côté de chez Swann*. Déjà j'adore le titre. Ce qu'il a de n'importe comment, d'insuffisant à contenir la matière qu'il désigne. Cette simple indication d'une direction de la pensée, d'une direction où elle ramassera tout ce qu'elle trouvera. Le côté moisson du livre. Engrangement. Absence de choix. Le manque de maîtrise de l'auteur sur son souvenir ; il ne le contient pas, il le dirige tout juste, il lui donne l'orientation où s'échapper.
« L'essentiel plongé dans le détail.
« Métaphore de la pâte pas cuite. »

1. *Du côté de chez Swann*, page 280 de l'édition Grasset, 1913. [I, 228.] Rivière note ici les premiers mots d'un long paragraphe qu'il souhaite lire intégralement.
2. *Du côté de chez Swann*, p. 349 (Grasset, 1913). [I, 281.]

Page 42.

LE ROMAN DE MONSIEUR MARCEL PROUST *(juillet 1919-janvier 1920)*

Inédit.

Sous ce titre, Jacques Rivière a rédigé plusieurs versions, toutes inachevées, d'une étude qui eût été considérable, si l'on en juge par la profusion de notes de lecture, de plans, d'ébauches, de brouillons qu'il avait, en vain, amassés.

On peut retracer l'histoire de ce texte en feuilletant la *Correspondance* avec Marcel Proust. Le 9 juillet 1919, Rivière écrit : « Je travaillais à une étude sur votre œuvre, où j'avais l'intention de faire passer, mieux que je n'aurais pu faire en aucune lettre, tout ce que mon esprit et mon cœur contiennent de diverse reconnaissance envers vous » (*Correspondance* Proust-Rivière, p. 62). Cependant, le travail n'avance guère. Les obstacles s'accumulent, tant physiques (« J'ai à me battre contre une fatigue de tête insupportable » – *Ibid.*) qu'intellectuels (« Ce qui me retarde, c'est que j'ai voulu remonter au déluge. [...] Il y a des passages que j'ai recommencés six et sept fois. » – *Ibid.*, p. 68), et Rivière s'exclame : « Combien j'ai été fou le jour où je vous ai annoncé que j'écrivais un article sur votre roman ! »

Le projet, tel que nous pouvons le reconstituer, devait comprendre deux parties. La première (un de ces tableaux d'histoire littéraire qu'aimait brosser Rivière) était une condamnation du Romantisme et du Symbolisme. La seconde, consacrée à Proust et à la révolution qu'il annonçait, fut celle que Rivière eut le plus de difficultés à rédiger. Mais l'événement qui mit un point final à cette étude fut, en décembre 1919, l'attribution du prix Goncourt à Marcel Proust. Désireux de saluer cette distinction, Rivière se résolut à extraire de son étude, toujours en chantier, un article qu'il intitula « Marcel Proust et la tradition classique » (*N.R.F.*, 1ᵉʳ février 1920), dans le préambule duquel il expliquait : « J'aurais beaucoup aimé à n'écrire sur Proust qu'à la façon dont il écrit lui-même, c'est-à-dire avec lenteur, complaisance et détail. J'avais commencé, il y a six mois, sur son roman, une étude où je voulais mettre, à défaut d'autres qualités, toute ma patience. Pressé par l'actualité, je ne vais pouvoir en donner aujourd'hui qu'un extrait [...]. » On devine la suite : Rivière ne devait jamais se remettre à son étude, du moins sous la forme qu'il avait tout d'abord envisagée, et, au contraire, acheva de la démanteler au mois d'août 1920 en y puisant la matière d'un second article : « Reconnaissance à Dada » (*N.R.F.*, 1ᵉʳ août 1920 ; article repris dans *Nouvelles études*).

De l'important dossier conservé dans les Archives Rivière, nous avons extrait trois pièces significatives :

1° Cinq pages manuscrites de notes préparatoires.

2° Quatorze pages de brouillon, représentant deux ou trois états enchevêtrés d'un même texte, parfois incohérent. Ainsi, la conclusion semble précéder l'introduction et les répétitions sont fréquentes. Le ton de ces pages nous a cependant paru de nature à justifier leur publication.

3° Une page et demie de la dactylographie corrigée par Rivière, formant le préambule de la dernière version incomplète.

Nous avons laissé de côté plusieurs versions intermédiaires, qui ne présentent que des nuances de style et qui, au demeurant, ne parlent guère de Proust.

1. À la page 209 d'un exemplaire de l'édition de *Du côté de chez Swann* ayant appartenu à Jacques Rivière (Éditions de la Nouvelle Revue Française, 1919), un trait vertical au crayon a été tracé dans la marge d'un long passage correspondant à la page 226 de l'édition de la Pléiade (de : « Rien qu'en approchant de chez les Verdurin [...] » jusqu'à : « [...] nous empêche d'apercevoir aucunement leur grandeur. ») Ce texte est souvent cité par Rivière. On pourra le lire ici même (voir « Marcel Proust. L'Inconscient dans son œuvre », p. 124, et conférence de Monaco du 1er mars 1924, p. 216).

2. Allusion à un article de Rivière : « De la sincérité envers soi-même » (*N.R.F.*, 1er janvier 1912 ; repris dans l'ouvrage portant le même titre, Gallimard, 1943).

Page 52.

MARCEL PROUST *(11 décembre 1919)*

Publications :

A. *Excelsior,* 11 décembre 1919.
B. Marcel Proust/Jacques Rivière, *Correspondance 1914-1922*, présentée et annotée par Philip Kolb, Paris, Gallimard, 1976, p. 327-328. (Dans l'édition Plon de 1955, p. 313-314.)

Article paru au lendemain de l'attribution du prix Goncourt à Marcel Proust (10 décembre 1919).

Page 54.

LE PRIX GONCOURT *(1er janvier 1920)*

Publications :

A. *Nouvelle Revue Française,* 1er janvier 1920, p. 152-154.
B. Jacques Rivière, *Nouvelles études*, Paris, Gallimard, 1947, p. 146-147.
C. Marcel Proust/Jacques Rivière, *Correspondance 1914-1922*, présentée et annotée par Philip Kolb, Paris, Gallimard, 1976, p. 328-329.

Article écrit peu avant le 22 décembre 1919 (voir *Correspondance* Proust-Rivière, p. 81).

1. *N.R.F.*, 1er juin 1919. Voir *supra*, p. 32, note 4.

Page 56.

[L'ESPRIT DE MARCEL PROUST] *(fin décembre 1919)*

Publication :

Marcel Proust/Jacques Rivière, *Correspondance 1914-1922*, présentée et annotée par Philip Kolb, Paris, Gallimard, 1976, p. 324-326.

Il existe deux versions de ce texte dans les Archives Rivière. La première doit être cette « petite note » dont Rivière parle à Proust dans une lettre du 26 octobre 1919 (*Correspondance* Proust-Rivière, p. 65). La seconde, celle que nous publions et que nous intitulons « L'Esprit de Marcel Proust », a été rédigée après le 10 décembre 1919, date de l'attribution du prix Goncourt, auquel Rivière fait allusion. – *Pastiches et Mélanges* a paru en 1919 (l'achevé d'imprimer porte la date du 25 mars).

Page 60.

M A R C E L   P R O U S T   E T   L A   T R A D I T I O N   C L A S S I Q U E   (*1er février 1920*)

Publications :
A. *Nouvelle Revue Française*, 1er février 1920, p. 192-200.
B. Jacques Rivière, *Nouvelles études*, Paris, Gallimard, 1947, p. 149-156.

1. Voir « Le Prix Goncourt », *supra*, p. 54.
2. Marcel Proust, « À propos du " style " de Flaubert », *N.R.F.*, 1er janvier 1920 ; repris dans *Contre Sainte-Beuve* précédé de *Pastiches et Mélanges* et suivi de *Essais et articles*, édition Pierre Clarac et Yves Sandre, Paris, Gallimard, Bibliothèque de la Pléiade, 1971, p. 586-600. – Proust écrivait : « Il n'est pas possible à quiconque est un jour monté sur ce grand *Trottoir roulant* que sont les pages de Flaubert, au défilement continu, monotone, morne, indéfini, de méconnaître qu'elles sont sans précédent dans la littérature » (p. 587).
3. Jacques Boulenger, « Marcel Proust », *L'Opinion*, 20 décembre 1919, p. 611 : « Son livre est le fruit d'un voyage de découverte en son âme ; explorateur méticuleux, il est descendu dans sa propre mémoire : il y a recueilli avec une patience de botaniste, ses moindres souvenirs et jusqu'aux impressions fugitives qui n'y avaient laissé qu'une empreinte presque effacée ; et si son héros donne des êtres qu'il a rencontrés des portraits profonds, minutieux, fouillés à l'infini et, à mon avis, admirables, c'est indirectement, pour ainsi dire, en retraçant le reflet qu'ils ont laissé en lui, à la façon d'un artiste qui peindrait son modèle, non point en le regardant en face, mais en le considérant dans un miroir d'argent. » Sans doute Rivière cite-t-il l'article de Boulenger par politesse, celui-ci ayant fait allusion dans son article à celui que Rivière avait publié le 11 décembre dans *Excelsior*.
4. Allusion au *Discours sur les passions de l'amour*, œuvre dont l'attribution à Pascal est contestée.

Page 67.

M .   P I E R R E   L A S S E R R E   C O N T R E   M A R C E L   P R O U S T   (*1er septembre 1920*)

Publications :
A. *Nouvelle Revue Française*, 1er septembre 1920, p. 481-483.
B. Jacques Rivière, *Nouvelles études*, Paris, Gallimard, 1947, p. 163-165.
C. Marcel Proust/Jacques Rivière, *Correspondance 1914-1922*, présentée et annotée par Philip Kolb, Paris, Gallimard, 1976, p. 329-331. (Dans l'édition Plon de 1955, p. 315-317.)

L'article de Pierre Lasserre, auquel Rivière répond ici, avait paru dans la *Revue Universelle* dont le rédacteur en chef était Henri Massis (1er juillet 1920, p. 19-32). Tout en parsemant son article de très fines remarques sur le style (« C'est l'ap-

plication de la méthode bien connue : " supposons que tu t'appelles *yau de poêle*... "
La plupart des comparaisons de M. Proust nécessiteraient, pour se faire accepter,
cet amorçage laborieux »), Lasserre s'en prenait directement à la personne de
l'écrivain (« le plus fallacieux des hommes », « le snob de l'humour »), qui, exaspéré,
demanda au directeur de la *N.R.F.* de lui confier « quelques lignes de réfutation »
dans la « Revue des Revues » (*Correspondance* Proust-Rivière, p. 115). Rivière offrit
d'écrire lui-même un article qui parut, non dans la « Revue des Revues », mais
dans les « Notes » de la *N.R.F.*

Pierre Lasserre (1867-1930), philosophe, auteur du *Romantisme français* (1907)
et d'attaques répétées contre Paul Claudel, Francis Jammes, Charles Péguy et la
N.R.F.

1. *À l'ombre des jeunes filles en fleurs*, I, p. 794.

Page 70.

LE CÔTÉ DE GUERMANTES I *(1ᵉʳ novembre 1920)*

Publications :
A. Feuillets roses de la *Nouvelle Revue Française*, 1ᵉʳ novembre 1920.
B. Marcel Proust/Jacques Rivière, *Correspondance 1914-1922*, présentée et annotée par Philip Kolb, Paris, Gallimard, 1976, p. 331-332. (Dans l'édition Plon
   de 1955, p. 153-154.)

Paru dans les feuillets publicitaires qui accompagnaient la *N.R.F.* de novembre
1920, ce texte n'était pas signé. Proust n'eut cependant aucun mal à deviner le
nom de son auteur à qui il écrivit : « Qui d'autre que vous aurait su en quelques
lignes peindre en toute sa variété, en vérité sans rien raccourcir, tout le *Côté de
Guermantes* » (*Correspondance* Proust-Rivière, p. 143).

Page 72.

LES LETTRES FRANÇAISES ET LA GUERRE (EXTRAIT) *(novembre 1921)*

Publications :
A. *La Revue Rhénane – Rheinische Blätter*, 2ᵉ année, nº 2, novembre 1921, p. 860-
   869.
B. Marcel Proust/Jacques Rivière, *Correspondance 1914-1922*, présentée et annotée par Philip Kolb, Paris, Plon, 1955, p. 311-312.

La Revue Rhénane, écrite en français et en allemand, militait en faveur d'une
réconciliation des deux peuples et des deux cultures. Rivière y collabora de février
à novembre 1921 (voir *Correspondance Paul Claudel – Jacques Rivière 1907-1924*,
texte établi par Auguste Anglès et Pierre de Gaulmyn, Paris, Gallimard, Cahiers
Paul Claudel, XII, 1984, p. 373).

Nous donnons un court extrait (pages 868-869) de l'article de novembre 1921
dans lequel Rivière mesurait l'influence qu'avait exercée la guerre sur la littérature
française.

1. Page 866, Rivière écrivait : « D'un mot la guerre nous aura rendu le sens du
non-moi (lequel comprend aussi, dans mon idée, la masse intime de nos sentiments)
et le goût d'en étudier et d'en décrire l'organisation. »

QUELQUES PROGRÈS DANS L'ÉTUDE DU CŒUR HUMAIN 247

Page 75.

MARCEL PROUST *(1ᵉʳ décembre 1922)*

Publications :
A. *Nouvelle Revue Française*, 1ᵉʳ décembre 1922, p. 641-642.
B. Jacques Rivière, *Nouvelles études*, Paris, Gallimard, 1947, p. 200-201.
C. Marcel Proust/Jacques Rivière, *Correspondance 1914-1922*, présentée et annotée par Philip Kolb, Paris, Gallimard, 1976, p. 265-266. (Dans l'édition Plon de 1955, p. 306-307.)

Marcel Proust est mort le 18 novembre 1922.

Page 77.

MARCEL PROUST ET L'ESPRIT POSITIF *(1ᵉʳ janvier 1923)*

Publications :
A. *Nouvelle Revue Française*, 1ᵉʳ janvier 1923, p. 179-187.
B. Jacques Rivière, *Nouvelles études*, Paris, Gallimard, 1947, p. 202-210.

Comme l'avait annoncé l'article de Rivière du 1ᵉʳ décembre 1922, le numéro de la *N.R.F.* du 1ᵉʳ janvier 1923 devait être entièrement consacré à Marcel Proust. L'hommage de Rivière à son ami disparu ne s'exprima pas seulement dans cet article, « Marcel Proust et l'esprit positif », mais aussi dans une note biographique et, surtout, dans la composition même de ce numéro exceptionnel qui, pour être mené à bien, requit d'innombrables démarches, lettres et sollicitations. Voir « Jacques Rivière témoin de Marcel Proust », *Bulletin des Amis de Jacques Rivière et d'Alain-Fournier*, n° 37, 1985.

Page 86.

QUELQUES PROGRÈS DANS L'ÉTUDE DU CŒUR HUMAIN

Publication :
Jacques Rivière, *Quelques progrès dans l'étude du cœur humain (Freud et Proust)*, Paris, Librairie de France, Les Cahiers d'Occident, n° 4, 1926.

Dans ses dernières pages, le numéro d'hommage à Marcel Proust de la *N.R.F.* faisait l'annonce suivante : « Sous le titre : *Quelques progrès dans l'étude du cœur humain*, Jacques Rivière fera, du 10 au 19 janvier, à l'École du Vieux-Colombier, 4 conférences sur Freud et principalement sur Marcel Proust » (*N.R.F.*, 1ᵉʳ janvier 1923, p. 337).
Jacques Rivière souhaitait publier ces conférences – qu'il prononça une seconde fois à Genève, en mars 1923 – mais la mort vint l'en empêcher. C'est Isabelle Rivière qui les fit paraître, en leur adjoignant la conférence prononcée à Monaco en 1924.

Page 86.

LES TROIS GRANDES THÈSES DE LA PSYCHANALYSE *(10 janvier 1923)*

Publications :
A. Jacques Rivière, « Notes on a possible generalisation of the theories of Freud », translated by F. S. Flint, *The Criterion*, Vol. I, number IV, July 1923, p. 329-347.

B. Jacques Rivière, « Sur une généralisation possible des thèses de Freud », *Le Disque vert*, 2ᵉ année, 3ᵉ série, 1924, p. 44-61.
C. Jacques Rivière, *Quelques progrès dans l'étude du cœur humain (Freud et Proust)*, Paris, Librairie de France, Les Cahiers d'Occident, nᵒ 4, 1926, p. 5-22.

Conférence prononcée au Vieux-Colombier le 10 janvier 1923.

1. Jules Romains, « Aperçu de la psychanalyse », *N.R.F.*, 1ᵉʳ janvier 1922, p. 18.
2. Sigmund Freud, *Introduction à la psychanalyse*, traduit de l'allemand par le Dʳ S. Jankélévitch, Paris, Payot, 1922, p. 431.
3. Dans « Sur une généralisation possible des thèses de Freud », ce préambule est remplacé par le paragraphe suivant :
« Je voudrais, dans ce qui va suivre, non pas analyser en détail la doctrine freudienne, mais au contraire, la supposant connue de mes lecteurs, faire apparaître, si l'on peut dire, ses virtualités. Je voudrais présenter les trois grandes découvertes psychologiques dont il me semble que nous sommes redevables à Freud et montrer quelle lumière prodigieuse elles peuvent infuser dans l'étude des faits intérieurs et en particulier des sentiments. Je voudrais surtout faire sentir combien elles sont extensibles, quelle forme plus souple et, si l'on peut dire, plus généreuse encore que celle que Freud leur a donnée, elles peuvent revêtir. »
Nous avons, jusqu'ici, suivi le texte publié par Isabelle Rivière. Nous établissons la suite d'après l'article paru dans *Le Disque vert*.
4. Dans l'édition : « ...beaucoup de psychologues contemporains, en particulier Pierre Janet et son école, refusent... »
5. Jules Romains, *art. cit.*, p. 8.
6. Sigmund Freud, *La Psychanalyse*, traduction française par Yves Le Lay avec une introduction par Édouard Claparède, Paris, Payot, 1921, p. 69.

Page 107.

MARCEL PROUST. L'INCONSCIENT DANS SON ŒUVRE *(17 janvier 1923)*

Publication :
Jacques Rivière, *Quelques progrès dans l'étude du cœur humain (Freud et Proust)*, Paris, Librairie de France, Les Cahiers d'Occident, nᵒ 4, 1926, p. 23-48.

Conférence prononcée au Vieux-Colombier le 17 janvier 1923.

1. Charles Du Bos, *Approximations*, 1ʳᵉ série, Paris, Plon, 1922, p. 58-116.
2. Jacques Rivière fait peut-être allusion à ce texte que l'on peut lire page 92 de l'édition N.R.F. 1919 de *Du côté de chez Swann* [I, p. 97] :
« D'après ses livres j'imaginais Bergotte comme un vieillard faible et déçu qui avait perdu des enfants et ne s'était jamais consolé. Aussi je lisais, je chantais intérieurement sa prose, plus *dolce*, plus *lento* peut-être qu'elle n'était écrite, et la phrase la plus simple s'adressait à moi avec une intonation attendrie. Plus que tout j'aimais sa philosophie, je m'étais donné à elle pour toujours. Elle me rendait impatient d'arriver à l'âge où j'entrerais au collège, dans la classe appelée Philosophie. Mais je ne voulais pas qu'on y fît autre chose que vivre uniquement dans la pensée de Bergotte, et si l'on m'avait dit que les métaphysiciens auxquels je m'attacherais alors ne lui ressembleraient en rien, j'aurais ressenti le désespoir d'un amoureux qui veut aimer pour la vie et à qui on parle des autres maîtresses qu'il aura plus tard. »

3. Edmond Jaloux, « Sur la psychologie de Marcel Proust », *N.R.F.*, 1er janvier 1923, p. 151-161.

4. Sur le manuscrit figurent ici trois paragraphes : les deux premiers sont barrés en croix ; le troisième est ensuite repris, mais n'a pas été rayé :

« Permettez-moi de m'arrêter ici un moment avec accablement. Je trouve notre matière si riche que je suis désespéré. En ce moment je vois trois ou quatre galeries où m'enfoncer avec vous ; et je ne sais laquelle choisir. Je voudrais me mettre à ne plus vous faire que de petites réflexions de détail, tant il est difficile de préparer une idée générale, un jugement sur Proust autrement qu'en employant sa méthode, c'est-à-dire qu'en entassant les observations, les faits, les nuances.

« Malheureusement il nous faut avancer plus rapidement que lui ; et par suite nous résigner à un déblayage sacrilège. Je reprends donc, mais plein de regret, le chemin que nous avons suivi jusqu'ici, en sacrifiant mille détails.

« Révélation de l'inconscient comme d'une doublure, admirablement épaisse et chaude, de notre vie psychique. L'épaisseur de *Combray*. Jamais on n'avait atteint, il me semble, dans le roman, tout au moins dans le roman français et sans cesser de satisfaire à aucune des exigences de notre génie, jamais on n'avait atteint à quelque chose d'aussi riche, d'aussi entier comme reconstitution psychique. Et ce qui prouve combien Proust a eu raison d'aller chercher les choses en lui-même, d'attendre qu'elles s'y fussent perdues, jamais la description directe de ces choses, la description dite réaliste, sans le détour par l'inconscient, n'avait réussi à les restituer aussi complètement en elles-mêmes ni à leur donner une existence aussi objective. »

5. Blanc sur le manuscrit. Rivière attribuait un numéro à chacun des textes qu'il voulait lire au cours de ses conférences. Ces numéros devaient renvoyer à des feuilles volantes sur lesquelles étaient recopiés les passages correspondants ou à des marque-pages insérés dans des livres. Quoi qu'il en soit, seuls subsistent les numéros sur le manuscrit et nous n'avons retrouvé ni feuilles volantes ni signets. En revanche, Isabelle Rivière les avait encore, puisqu'elle donne, dans son édition, la plupart des textes auxquels renvoient les numéros. Des deux citations que Rivière veut ici faire, la première porte le numéro « 23 » ; la seconde est copiée à la suite par Rivière lui-même. Isabelle Rivière n'ayant sans doute pas trouvé le texte auquel renvoie le numéro 23, elle s'est contentée d'adapter le texte à cette lacune, supprimant « Et plus loin : » et remplaçant « ces deux passages » par « ce passage ».

Le contexte permet toutefois de penser que Jacques Rivière souhaitait ici donner lecture du passage suivant :

« L'étude des phénomènes hypnotiques nous a habitués à cette conception d'abord étrange que, dans un seul et même individu, il peut y avoir plusieurs groupements psychiques, assez indépendants pour qu'ils ne sachent rien les uns des autres. Des cas de ce genre, que l'on appelle " double conscience " peuvent, à l'occasion, se présenter spontanément à l'observation. Si, dans un tel dédoublement de la personnalité, la conscience reste constamment liée à l'un des deux états, on nomme cet état : l'état psychique *conscient*, et l'on appelle *inconscient* celui qui en est séparé » (Freud, *La Psychanalyse*, p. 32).

6. Il s'agit de l'ouvrage déjà cité : Freud, *La Psychanalyse*.

7. En 1880-1882, le docteur Josef Breuer (1842-1925), soignant une jeune hystérique, mit au point une méthode thérapeutique utilisant la suggestion : sous hypnose, la jeune fille se mettait à parler : « C'étaient des fantaisies d'une profonde tristesse, souvent même d'une certaine beauté, nous dirons des *rêveries*, qui avaient pour thème une jeune fille au chevet de son père malade. Après avoir exprimé un certain nombre de ces fantaisies, elle se trouvait délivrée et ramenée à une vie psychique normale »

(Freud, *La Psychanalyse*, p. 26). On sait que cette méthode « cathartique » de Breuer est à l'origine de la psychanalyse. Freud publia, en collaboration avec Breuer, les *Études sur l'hystérie* (1895).

8. Marcel Proust, « Les Intermittences du cœur », *N.R.F.*, 1er octobre 1921, p. 385-410.

9. Marcel Proust, « Une matinée au Trocadéro », *N.R.F.*, 1er janvier 1923, p. 288-320. Le passage auquel songe Rivière se trouve à la page 306 (*La Prisonnière*, III, p. 144).

10. Paul Desjardins, « Dissolution de l'individu dans l'œuvre de Proust », *N.R.F.*, 1er janvier 1923, p. 146-150. « *L'individu* est une fiction légale de l'Occident moderne, nécessitée par la prévision de différends entre la Société et ses membres » (p. 146).

Page 139.

MARCEL PROUST ET L'ESPRIT POSITIF : SES IDÉES SUR L'AMOUR
(*24 janvier 1923*)

Publication :
Jacques Rivière, *Quelques progrès dans l'étude du cœur humain (Freud et Proust)*, Paris, Librairie de France, Les Cahiers d'Occident, n° 4, 1926, p. 49-70.

Conférence prononcée au Vieux-Colombier le 24 janvier 1923.

1. Voir *supra*, p. 75. Dans une lettre du 5 décembre 1922, André Gide écrit à Jacques Rivière : « Encore qu'il contienne des phrases excellentes, je ne suis pas uniquement satisfait par ton article du début. " Sur cette tombe il faut avant tout éviter l'emphase ", dis-tu et cela est fort bien ; mais alors pourquoi crois-tu devoir appeler à la rescousse Claude Bernard, Auguste Comte et Képler ? Comprends que ce n'est pas du tout que je croie qu'en les nommant ainsi tu exagères et je n'estime point que Proust ait dans notre littérature, ou plus spécialement dans le roman, une importance moindre que Claude Bernard en physiologie – bien au contraire ; mais il est prématuré de parler ainsi – et tu le sens bien toi-même en employant ici le futur (" seront considérés ") ; et qu'il y ait dans cette phrase précisément cette *emphase* que tu veux " avant tout " éviter, je n'en veux d'autre preuve que l'emploi que tu fais du mot " capitales " – qui lui-même est déjà un superlatif et n'admet pas cette comparaison qu'implique ta phrase : " aussi capitales que ". Tout au plus pouvais-tu dire : " sont capitales au même titre que ". Je crains que cette phrase n'irrite nombre de tes lecteurs. » (Inédit ; Archives Rivière)
Jacques Rivière lui répond, le 14 décembre : « Képler, Claude Bernard, Aug. Comte... Oui, c'était peut-être un peu emphatique. Je l'ai craint. Mais mon article dans le numéro spécial donnera un commentaire de cette comparaison, qui en fera apparaître, j'espère, la justesse. » (Inédit ; Bibliothèque littéraire Jacques Doucet)
2. Rivière cite l'édition suivante : Auguste Comte, *Discours sur l'esprit positif*, Paris, Société positiviste internationale, 1908, XVI – 172 pages.
3. *La Prisonnière*, III, p. 87.
4. *Du côté de chez Swann*, I, p. 273.
5. Emma Cabire, « La Conception subjectiviste de l'amour chez Marcel Proust », *N.R.F.*, 1er janvier 1923, p. 212-221.

Page 166.

CONCLUSIONS. UNE NOUVELLE ORIENTATION DE LA PSYCHOLOGIE
(31 janvier 1923)

Publication :
Jacques Rivière, *Quelques progrès dans l'étude du cœur humain (Freud et Proust)*, Paris, Librairie de France, Les Cahiers d'Occident, n° 4, 1926, p. 71-90.

Conférence prononcée au Vieux-Colombier le 31 janvier 1923.

1. Edmond Jaloux, *art. cit.*, p. 153-154 : « L'idée toute faite à laquelle [Proust] se heurtait, c'était celle du coup de foudre de la prédestination. »
2. Chapitre XXV de l'*Introduction à la psychanalyse.*
3. On trouve, sur le manuscrit, deux versions des paragraphes qui suivent. L'édition donne la seconde, et nous la suivons. Mais nous transcrivons en note la première :
« Eh! bien si nous nous demandons en toute objectivité ce que vaut la clef que Proust nous propose pour étudier et comprendre les phénomènes de l'amour, nous sommes obligés de répondre qu'elle est d'or et qu'elle nous donne une explication sinon dernière et totale, du moins extrêmement résolutive de ces phénomènes.

« Devant le monstre qu'est l'amour si nous faisons preuve de cette " virilité mentale " qu'Auguste Comte signale comme le trait essentiel de l'esprit positif, nous le voyons aussitôt se décomposer, ou se changer en ce monstre tout intérieur, tout solitaire, si j'ose dire, que Proust a décrit.

« Si nous nous replaçons en face de notre propre expérience, en faisant table rase de tous nos préjugés, en refrénant cette force, sublime d'ailleurs dans la circonstance, qui nous pousse à considérer comme un événement absolu, comme un miracle, comme l'accomplissement d'une volonté supérieure, notre première rencontre avec l'objet dont nous sommes actuellement épris, est-ce que nous ne sommes pas obligés de constater qu'au contraire le hasard a joué un rôle considérable dans cette rencontre et dans la naissance même de notre sentiment? Toutes ces petites circonstances que signale Proust, et qui ne sont pas des propriétés de l'objet, qui lui restent extérieures, comme l'impossibilité pour nous de le voir au moment où nous avons besoin de lui, comme l'incertitude sur son passé, sur son caractère, sur ses sentiments à notre égard, comme le doute sur son aptitude à nous rendre heureux, – tout cela qui semblerait devoir empêcher l'amour, – n'est-il pas profondément vrai, dans la plupart des cas, que c'est au contraire ce qui le fixe sur un être déterminé et rend le goût que nous avions de lui tout à coup terriblement exclusif?

« Si nous nous interrogeons sérieusement, n'est-il pas vrai que nous avons été amoureux avant de savoir de qui nous le serions? N'est-il pas vrai qu'un amour virtuel a précédé chacun de nos amours pour les êtres mêmes qui nous donnent ensuite l'impression de nous avoir le plus étroitement, le plus directement subjugués par leur vertu personnelle? N'est-il pas vrai que nous allons à travers la vie gonflés d'un rêve immense que des accidents seulement déterminent, qui d'ailleurs bien entendu, Dieu merci! peuvent être heureux?

« Et quand une fois l'amour s'est fixé et a atteint son maximum d'intensité, ne nous arrive-t-il pas, comme à Swann, de constater avec malaise cette dissemblance entre son objet et lui-même, cette sorte d'irréductibilité de notre sentiment au visage, au corps, à l'âme même peut-être qui le nourrissent?

« Naturellement cela ne veut point dire que le visage, le corps, l'âme dont nous sommes épris ne méritent pas notre amour. (Dieu merci! on ne tombe pas toujours sur des êtres aussi indignes qu'Odette.) Mais cela veut dire qu'ils n'en sont pas la cause première et que le rapport où ils sont entrés avec lui n'avait rien à l'origine de nécessaire.

« D'autre part, quand nous y réfléchissons bien sincèrement, s'il nous paraît exagéré de dire que notre amour est toujours " fonction de notre tristesse ", car enfin il comporte des exaltations et des délires dont rien d'autre ici-bas ne peut nous approcher, ne nous apparaît-il pas pourtant incontestable que sa force en nous est dans une exacte proportion avec notre capacité de souffrir et que c'est la souffrance bien plus que les joies que nous donne l'être aimé qui le développent, l'approfondissent, l'enveniment, le rendent inguérissable. N'est-il pas évident que l'amour ne résiste en aucun cas à la sécurité et que, si grand et si fort que puisse être le sentiment qui alors le remplace, ce n'est jamais que par un abus de langage qu'on peut lui conserver le nom d'amour ?

« Proust ici me paraît s'avancer au milieu de vérités si nouvelles, si profondes, si simples et si terribles qu'il faut le regarder avec admiration et confusion. Comment personne encore n'avait-il osé dire cela ? Comment quelqu'un s'est-il trouvé qui a osé le dire ?

« Et encore, combien il est vrai que lorsque deux êtres semblent entraînés ensemble dans le même courant sentimental, le mélange, la fusion de leurs âmes, que tous les poètes ont chantés, restent hypothétiques ! »

4. Proust écrit exactement : « Chaque personne est bien seule » (II, p. 318).

5. José Ortega y Gasset, « Le Temps, la distance et la forme chez Marcel Proust », N.R.F., 1er janvier 1923, p. 267-279. Rivière cite, plus loin, un extrait de cet article.

6. Paul Desjardins, art. cit., p. 148. « Observez pourtant qu'ils ne sont pas agissants, ces personnages de Proust. Si variés qu'ils soient, ils se ressemblent du moins en ceci : tous manquent de conduite. Je ne veux pas dire qu'ils en ont une mauvaise : à la lettre, ils n'en ont point, comparables à ces fleurs coupées, au fil de l'eau, que sont les légers personnages des Mille et Une Nuits. »

Page 190.

LA N.R.F. RÉPOND. UNE HEURE AVEC M. JACQUES RIVIÈRE (*1er décembre 1923*)

Publications :
A. *Les Nouvelles littéraires,* 1er décembre 1923.
B. Frédéric Lefèvre, *Une heure avec...,* Deuxième série, Paris, N.R.F., « Les Documents bleus », n° 13, 1924, p. 95-109.

Au cours d'un entretien paru dans les *Nouvelles littéraires* du 13 octobre 1923, Jacques Maritain et Henri Massis avaient vivement critiqué Jacques Rivière et la N.R.F., cette « ligne qui va de Gide à Proust ». Leur ton, leurs arguments appelaient la réplique. Celle-ci ne tarda guère. Rivière demanda aussitôt à Frédéric Lefèvre, rédacteur en chef des *Nouvelles littéraires,* le droit de répondre dans ses colonnes aux attaques dont il avait été l'objet. D'emblée, il choisit la forme de l'interview qui lui semblait plus « aimable », et évitait à Lefèvre « l'ennui d'avoir à insérer une lettre explicative » (Lettre de J. R. à F. L., 13 novembre 1923, Archives Rivière). Mais Frédéric Lefèvre souhaitait apporter quelques modifications aux pages rédigées par Rivière, de façon à « leur donner davantage le ton plus alerte de la conversation » (Lettre de F. L. à J. R., 15 novembre 1923, Archives Rivière). Les tractations, les remaniements successifs – on trouve deux versions préalables de cet entretien dans les Archives Rivière – firent que la réponse de Rivière ne put paraître que dans le numéro des *Nouvelles littéraires* du 1er décembre

1923. Elle ne mit pas fin au débat, puisqu'en octobre 1924, Jacques Rivière était encore contraint à écrire une « Lettre ouverte à Henri Massis sur les bons et les mauvais sentiments » (*Nouvelles études*, p. 223-232).

L'accusation principale faite à la N.R.F. est de se complaire dans le « subjectivisme littéraire », et c'est Proust, bien entendu, qui de part et d'autre sert de cheval de bataille, qu'il s'agisse de le dénigrer ou de le défendre. Nous reproduisons les principaux points de l'entretien de Massis et Maritain auxquels répond Jacques Rivière :

Une heure avec MM. Jacques Maritain
et Henri Massis

[...] M. MASSIS. – La jeune littérature me semble, comme dit Guéon, " à la recherche de l'objet perdu ". Aussi les écrivains d'aujourd'hui sont-ils réduits à l'individualisme, un individualisme que viennent encore aggraver les notions psychologiques actuelles (Freud, Proust, etc.). Ce qui est à l'origine de leur désordre, c'est le subjectivisme philosophique. [...]

M. MARITAIN. – On pourrait dire qu'avant même d'être à la recherche de l'objet perdu, ils sont à la recherche de leur " moi " perdu.

M. MASSIS. – M. Jacques Rivière n'a-t-il pas écrit : " Il nous faut entrer hardiment dans les régions de l'obscurité * ? " Il semble oublier que les classiques y avaient déjà pénétré fort avant ; mais l'intelligence régnait là-dessus, qui mettait chaque chose à sa place et appelait basses les régions basses, car elle avait un critérium pour les juger telles. M. Rivière, lui, trouve cela fâcheux. Ce dénouement dans l'évidence l'incommode, et il nous en prévient : " Il fallait que cette entreprise ardue fût accomplie une fois dans l'histoire ", dit-il. " Mais, entre toutes, c'est celle qu'il importe de ne pas recommencer, car l'évidence n'admet pas d'être réussie deux fois. " [...]

« Quand je parle de la N.R.F., je pense aux théoriciens du groupe et à la ligne qui va de Gide à Proust. Par une fortune singulière, ce groupement a su trouver des esthéticiens, des philosophes et se présente avec une apparence de justification et une qualité d'art incontestable. S'il n'avait pas de valeur esthétique, nous ne nous en occuperions même pas. Mais les écrivains de la N.R.F. ont réalisé une sorte de classicisme qui séduit, jusqu'à ce qu'on découvre que l'école du dépouillé, de l'autoclave, n'est qu'une feinte de l'impuissance créatrice, une sorte d'hypocrisie formelle. [...]

« D'une manière générale, ce que je reproche à ceux d'entre ces écrivains qui, par exemple, sont ou veulent être des romanciers, c'est d'avoir perdu tout contact avec la vie, avec l'humanité réelle, c'est de n'être occupés qu'à interroger et morceler leur propre conscience. Toute cette littérature est une littérature de l'*homme seul*. Or, l'homme seul, cela n'existe pas.

– Mais l'étude du moi n'est-elle pas le principal sujet des classiques ?

– Certes, les classiques prennent le moi comme point de départ, mais ils ne le considèrent pas comme sa propre fin ; ils ne le coupent pas, ils ne l'isolent pas de

---

* Citation tronquée. Rivière écrivait exactement : « Telle histoire qui s'est présentée sous un aspect facile et limpide, aura besoin, pour parvenir à sa plénitude définitive, de s'embarrasser de mille détails étrangers et contradictoires, d'épaissir sur elle le réseau des traits injustifiables, d'entrer enfin hardiment dans les régions de l'obscurité » (« Le Roman d'aventure », *Nouvelles études*, p. 257). *(N. de l'E.)*

tout le reste, ils ne le tiennent pas pour un objet indépendant absolument autonome. Pour M. Jacques Rivière et les néo-proustiens – car le cas Proust est à part
– il semble n'y avoir d'événements qu'intérieurs, de réalités que psychologiques;
le moi, voilà l'unique objet, la seule réalité connaissable... Au reste, ces écrivains
sont, avant tout, des critiques, ce ne sont pas des créateurs. Leurs œuvres sont
sans événements, sans personnages; il n'y arrive rien. Peuvent-elles prétendre à
enrichir notre humanité? Car c'est là ce qui fait une œuvre vraiment classique.
Mais il y faut une société; or, depuis la Révolution romantique, il n'y a plus d'esprit
public en France qui fasse contrepoids à l'individualisme de l'artiste; aussi, celui-
ci s'enfonce-t-il de plus en plus dans la singularité : l'art est de moins en moins en
contact avec le milieu social. [...]
    « Gide n'arrive jamais à se dépasser. Il peut bien exalter la vie; son instinct
morose ne va pas dans le sens de la vie. Il est de ces hommes, dont Chesterton
dit qu'ils sont nés " sens dessus dessous ". [...]
    M. MARITAIN. – Pour nous, on nous reproche de retourner au moyen âge,
parce que nous prenons pour guides Aristote et saint Thomas d'Aquin. Cette
objection devrait suffire à classer celui qui l'émet au nombre des personnes encore
inaptes à philosopher. [...]
    M. MASSIS. – [...] Pour venir à bout de ces doctrines destructives de notre être,
il faut recommencer à " civiliser " notre Europe par l'enseignement d'Aristote et
de saint Thomas. [...]

                                                    Frédéric LEFÈVRE.

1. *Florence*, roman inachevé, édition posthume, Paris, Corrêa, 1935.
2. Henri-René Lenormand (1882-1951). *Le Mangeur de rêves*, pièce de théâtre
représentée à Paris, Comédie des Champs-Élysées, le 1ᵉʳ février 1922 (Paris : G. Crès,
1922), met en scène un psychanalyste. A propos de cette « tragédie », Gabriel Marcel,
dans la *N.R.F.* du 1ᵉʳ juillet 1924, parlait d'« art freudien » (p. 123).
3. Ramon Fernandez, « La Garantie des sentiments et les intermittences du cœur »,
N.R.F., 1ᵉʳ avril 1924, p. 389-408.
4. Louis Martin-Chauffier, *Correspondances apocryphes*, Paris, Plon, 1923. Pages 117-
149 de ce recueil de pastiches, on peut lire une lettre de « Marcel Proust au marquis
de Saint-Loup ».
5. Jacques Sindral, pseudonyme d'Alfred Fabre-Luce, collaborateur de la *N.R.F.*
En décembre 1923 débutait dans la *N.R.F.* la publication de *Amour sans forces*, extrait
de son roman *Attirance de la mort* (Paris, Grasset, 1924), dont Gabriel Marcel dira :
« Sur la carte idéale que notre entendement infirme et comme aveuglément spatial
nous oblige à tracer en nous-mêmes de l'univers intellectuel, ce livre de Sindral marque
[...] une position bien plus avancée, plus excentrique, et, il faut le dire aussi, plus
aventurée que celle de Proust » (*N.R.F.*, 1ᵉʳ mars 1924, p. 366).
6. Henri Béraud (1885-1958), journaliste et écrivain, prix Goncourt 1922 pour
ses deux romans *Le Vitriol de lune* et *Le Martyre de l'obèse*, s'en prenait régulièrement
au groupe de la *N.R.F.* Ainsi déclarait-il, dans *Les Nouvelles littéraires* du 31 mars 1923 :
« Mon intention est de combattre un groupe de personnages qui forment non pas une
petite chapelle, mais une petite banque, car ils sont beaucoup plus riches d'écus que
de foi. Ce groupe, avec l'appui de cent cuistres, d'autant de clergymen et d'un fils à
papa, prétend instaurer chez nous le snobisme huguenot » (« Une heure avec Henri
Béraud »).
    Sans doute les coups de « matraque » se firent-ils par la suite plus vigoureux, car
Jacques Rivière en vint à sentir quelque chose. En mai 1924, Béraud, supposant que
la *N.R.F.* allait publier un compte rendu défavorable de son dernier roman, *Lazare*,

prit les devants et annonça qu'il s'engageait « à botter solennellement les fesses à M. le directeur de la *Nouvelle Revue Française* ». Rapportant ces propos consternants dans un article intitulé « Au pays du mufle », Jacques Guenne et Maurice Martin du Gard, fondateurs des *Nouvelles littéraires*, commentaient : « À nos lecteurs de juger de la valeur littéraire des procédés d'intimidation de Monsieur Henri Béraud. » Celui-ci prit la mouche, et envoya ses témoins à Guenne et Martin du Gard. De son côté, Rivière envoya les siens à Béraud. Fort heureusement, les diverses parties surent trouver un compromis, et on évita de s'en remettre aux armes. Cette « réconciliation » *in extremis* explique vraisemblablement pourquoi, lors de la publication en volume de l'interview de Jacques Rivière, Frédéric Lefèvre supprima les deux allusions à Henri Béraud. (Voir *Les Nouvelles littéraires*, 3 mai 1924 et 17 mai 1924; *N.R.F.*, 1ᵉʳ juin 1924, p. 772; Pierre Assouline, *Gaston Gallimard, un demi-siècle d'édition française*, Paris, Balland, 1984, p. 142-152.)

   7. Paru dans la *N.R.F.*, mai-juin-juillet 1913; repris dans *Nouvelles études*, p. 235-283.

   8. Paru dans la *N.R.F.*, août 1920; repris dans *Nouvelles études*, p. 294-310.

   9. Lucien Fabre, *Rabevel ou Le Mal des ardents*, Paris, N.R.F., 1923. Prix Goncourt 1923.

Page 203.

L'ANNIVERSAIRE DE LA MORT DE MARCEL PROUST *(1ᵉʳ décembre 1923)*

Publications :
A. *Nouvelle Revue Française*, 1ᵉʳ décembre 1923, p. 736.
B. Jacques Rivière, *Nouvelles études*, Paris, Gallimard, 1947, p. 219.

1. *La Prisonnière*, III, p. 188.

Page 204.

MARCEL PROUST *(1ᵉʳ mars 1924)*

Publications :
A. Jacques Rivière, *Marcel Proust*, Principauté de Monaco : Société de Conférences, 1924. Ouvrage tiré à cent exemplaires, 48 p.
B. *Nouvelle Revue Française*, 1ᵉʳ avril 1925, p. 786-819.
C. Jacques Rivière, *Quelques progrès dans l'étude du cœur humain (Freud et Proust)*, Paris, Librairie de France, Les Cahiers d'Occident, nº 4, 1926, p. 91-118.

   La dernière pièce de notre recueil est le « texte d'une conférence, demandée par la Société de Conférences instituée sous le haut patronage de S.A.S. le Prince Pierre de Monaco ». En mars 1920, Proust avait songé à faire organiser par Pierre de Polignac (qui venait d'épouser Charlotte de Grimaldi, fille adoptive du prince Albert de Monaco) une série de conférences pour Rivière (*Correspondance* Proust-Rivière, p. 97, 131 et 281). Ainsi, par-delà les ans et par-delà la mort, la reconnaissance répond à la générosité, et le souvenir à l'amitié.

   1. En février 1897, Jean Lorrain avait, de manière plus ou moins voilée, accusé Proust d'homosexualité dans les pages du *Journal*. Le duel ne fit, comme c'était la coutume, aucune victime (voir Painter, *op. cit.*, t. I, p. 270-273).
   2. Maurice Barrès, « Hommage », *N.R.F.*, 1ᵉʳ janvier 1923, p. 22 : « Il était le plus

aimable jeune homme, une merveilleuse source de compliments et de moqueries, avec une extrême abondance de mots un peu ternes et une subtilité prodigieuse de nuances. On croyait qu'il s'embrouillait dans une multitude de précautions et de " repentirs ", mais pas du tout il faisait ses gammes, et s'exerçait (à son insu) pour acquérir les moyens de traduire l'incroyable surabondance de ses enregistrements. »

3. Voir *supra*, p. 123. Rivière reprend ici, en les remaniant quelque peu, deux ou trois pages de sa conférence « Marcel Proust. L'inconscient dans son œuvre ».

4. Rivière exagère un peu. L'article auquel il pense (Logan Pearsall Smith, « The " Little " Proust », *The New Statesman*, 24 février 1923 ; article repris dans *Marcel Proust : an English Tribute*, edited by C. K. Scott-Moncrieff, London, Chatto and Windus, 1923, p. 52-58) n'est pas entièrement consacré au platonisme de Proust. Rivière a dû se laisser abuser par une réflexion de Charles Du Bos qui, rendant compte de l'*English Tribute* dans la *N.R.F.* du 1er mars 1924 (p. 376-380), parlait des remarques faites par Pearsall Smith « sur ce que l'on pourrait appeler le Du Côté de chez Platon dans l'œuvre de Proust ».

5. Θυμός : le cœur, en tant que principe de vie, le courage, faculté de l'âme qui a son siège dans le cœur. ἐπιθυμία : le désir, le souhait, la passion, faculté de l'âme qui a son siège dans le foie. (Un troisième principe, le νοῦς, a son siège dans le cerveau.) Voir Platon, *Timée*, 70 b sq., et *Cratyle*, 419 d-e.

DU MÊME AUTEUR

Aux Éditions Gallimard

ÉTUDES

L'ALLEMAND. *Souvenirs et réflexions d'un prisonnier de guerre.*

AIMÉE

À LA TRACE DE DIEU

CORRESPONDANCE AVEC ALAIN-FOURNIER

DE LA SINCÉRITÉ ENVERS SOI-MÊME

NOUVELLES ÉTUDES

RIMBAUD. *Dossier 1905-1925*

CORRESPONDANCE AVEC MARCEL PROUST *(1914-1922)*

CORRESPONDANCE AVEC PAUL CLAUDEL *(1907-1924)*

CAHIERS
MARCEL PROUST

nouvelle série

*Composé et achevé d'imprimer
par l'Imprimerie Floch
à Mayenne, le 28 octobre 1985.
Dépôt légal : octobre 1985.
Numéro d'imprimeur : 23126.*
ISBN 2-07-070431-9 / Imprimé en France